D0295197

HERFSTPARELS

Ina van der Beek

Herfstparels

Spiegelserie

ISBN 978 90 5977 632 6
NUR 344

www.spiegelserie.nl
Omslagontwerp: Bas Mazur
©2011 Zomer & Keuning familieromans, Utrecht
Alle rechten voorbehouden

1

Met een zachte plof valt er een kastanje op de grond, vlak voor de voeten van Nicky. De bolster is opengesprongen en de bruine kastanje rolt een stukje door in de modder. Nicky bukt zich en raapt hem op. Langs haar spijkerbroek veegt ze hem schoon en ze stopt hem in haar jaszak. Dan loopt ze verder. Ze kijkt naar de grond en ziet dat er overal kastanjes liggen tussen het afgewaaide blad en in de plassen. Maar ze raapt ze niet meer op, wat moet ze er ook mee? Tot vorig jaar was alles anders, toen raapte ze iedere kastanje die ze zag liggen op. Mama en zijzelf zijn altijd dol geweest op die bruine, glanzende 'herfstparels' zoals haar moeder ze noemde. Toen zij, Nicky, klein was, maakte ze op school een keer poppetjes van kastanjes. Maar toen ze het thuis ook wilde doen, haalde haar moeder haar over om ze heel te laten en op een grote platte schaal te leggen. 'Zonde om er in te gaan prikken en snijden,' zei ze, 'kijk toch eens hoe mooi glad en glanzend ze zijn!' Kleine Nicky had er ernstig naar gekeken en toen haar moeder gelijk gegeven. Daarna was het ieder jaar een vaste gewoonte geworden om zo veel mogelijk kastanjes te zoeken en thuis weer op die schaal uit te spreiden.

Zelfs toen Nicky volwassen was geworden bleef ze eind september, begin oktober, thuiskomen met haar zakken vol. Papa lachte mama en haar altijd een beetje uit.

Maar nu hoeft het niet meer. Vier maanden geleden is mama overleden. Zomaar, zonder een dag ziek te zijn, zonder ooit hoofdpijn gehad te hebben, heeft ze een fatale hersenbloeding gekregen en binnen enkele uren was ze er niet meer. Soms kan Nicky het nog nauwelijks geloven. Haar moeder, met wie ze zo'n nauwe band had, is dood! Tweeëntwintig is toch veel te jong om zonder moeder verder te moeten? Ze was er zeker van geweest dat ze al heel volwassen en zelfstandig was met haar tweeëntwintig jaar, maar nu ontdekt ze steeds meer dat ze dat eigenlijk helemaal niet is, ze hing nog zo sterk aan haar moeder. Maar nu moet ze in één keer echt zelfstandig zijn, want het lijkt of ze, met haar moeder, ook haar vader kwijt is. Stil en

in zichzelf gekeerd gaat hij door het huis. Als hij al thuis is, want elke dag wordt het later voor hij uit zijn werk komt.
Inmiddels is Nicky bij de kapsalon gekomen en gaat naar binnen.
'Môgge Nicky, wat een weer, hè?' begroet collega Janine haar.
'Mmm, ja...' Pas als Nicky haar jas uittrekt, realiseert ze zich dat ze flink nat is. Ze heeft nauwelijks gemerkt dat de miezerregen was overgegaan in een flinke gietbui.
Janine staat gebogen over het afsprakenboek. 'Weer weinig te doen vandaag,' mompelt ze. 'Jij hebt zo meteen een permanentje, daarna staat er nog niks. Ik zit redelijk vol tot vanmiddag twee uur, daarna is er voor mij ook niks meer. En met dit weer zal er weinig bij komen ook, vrees ik.'
Even later komt de eerste klant binnen. Terwijl Nicky boven de wasbak de grijze haren van de oudere dame wast en uitspoelt, geeft ze automatisch antwoord op het gebabbel van haar klant.
Eind van de ochtend, juist als Nicky met een plastic bekertje koffie in haar handen in de kleine ruimte achter de kapsalon staat, hoort ze het belletje van de deur gaan. Gelukkig, hopelijk een klant zonder afspraak, dan heeft ze weer iets te doen. Maar voor ze haar beker heeft kunnen neerzetten, gaat de tussendeur open. Ze kijkt in de misprijzende ogen van haar bazin, mevrouw Terhaar.
'Heb je niks te doen?'
Nicky schudt het hoofd. 'Nee, er zijn verder geen klanten.' Vanuit de kapsalon hoort ze Janine opgewekt met haar klant praten.
'Je zou wat kunnen aanvegen en de toonbank opruimen. Nou ja, laat ook maar,' valt mevrouw Terhaar zichzelf in de rede. 'Ik wil zo even met jou en Janine praten.' Ze doet haar jas uit en schenkt voor zichzelf een bekertje koffie in.
Nicky mompelt wat en loopt de salon in. Haar blik gaat over de vloer en naar de toonbank, alles ziet er keurig uit. Om toch iets te doen te hebben, schikt ze de flesjes shampoo en andere haarproducten op de plank aan de muur. Intussen vraagt ze zich af wat mevrouw Terhaar nu weer te zeuren zal hebben. Schenken ze te veel koffie of gebruiken ze te veel shampoo?

Even later heeft de klant van Janine afgerekend en trekt de deur achter zich dicht. Nu is de kapsalon leeg. Janine trekt in een vragend gebaar haar wenkbrauwen op naar Nicky. Maar zij haalt haar schouders op.
'Komen jullie even hier zitten? We moeten eens praten en nu is het rustig, dus zullen we gelijk maar van de gelegenheid gebruikmaken.'
Mevrouw Terhaar staat bij de deur van het achterkamertje.
'Ga zitten.'
Zelf blijft ze staan, ze loopt, voor zover daar ruimte voor is, wat heen en weer. Het lijkt of ze verlegen zit om woorden, niks voor haar, schiet het door Nicky's hoofd.
'Meisjes, zoals jullie ook zelf gemerkt zullen hebben, loopt de klandizie erg terug. Ik heb lang geaarzeld, maar nu toch een besluit genomen. Dit filiaal gaat dicht, ik stop ermee. Janine, jij kunt als je wilt terecht in mijn andere zaak, in Roermond. Wel wat verder reizen voor je, maar ik kom daar een paar handen tekort, dus als je wilt kun je op die manier blijven.'
Nu kijkt ze Nicky aan, en gaat verder: 'Helaas, Nicky, voor jou heb ik dan geen werk meer. Jouw jaarcontract loopt per 1 november af, dus per die datum zul je iets anders moeten zoeken. Het spijt me voor je.'
Het blijft even stil, dan schraapt mevrouw haar keel en zegt: 'Tja, dat was het. Ik begrijp dat jullie het even moeten verwerken. Janine, van jou hoor ik graag binnen een paar dagen of je akkoord gaat. Ik moet er nu vandoor, tot ziens.'
Het is nog steeds doodstil als ze de deur door loopt en via de kapsalon naar buiten gaat. Pas als het deurbelletje heeft geklonken, kijken Janine en Nicky elkaar aan.
'Nou ja, zeg! Ik vind het echt heel rot voor jou, Nick!'
Nicky schudt het hoofd en haalt de schouders op. 'Zit daar maar niet over in, ik red me wel.'
Dit kan er ook nog wel bij, denkt ze. Per 1 november, dat is al over vijf weken. Het is maar de vraag of ze snel een andere baan zal kunnen vinden. Sinds het met de economie niet zo goed gaat, lijken de mensen langer te wachten met naar de kapper te gaan. Dat is duide-

lijk geworden in deze kapsalon en dat zal elders niet anders zijn.
'Weet je wat,' onderbreekt Janine haar gedachten, 'veel klanten krijgen we vandaag niet meer, Terhaar is weer geweest, dus die zien we de eerste dagen ook niet. Ga jij maar naar huis, misschien kun je vanmiddag nog even Roermond in om bij het uitzendbureau te informeren of er nog ergens een kapster nodig is. En als je wat leuks tegenkomt waar ze er twee zoeken, gaan we samen solliciteren. Als ik toch naar de stad moet, begin ik eerlijk gezegd net zo lief ergens anders.'
Nicky twijfelt even, maar dan knikt ze. 'Ach ja, waarom ook niet. Mocht ze nog terugkomen en zien dat ik weg ben, so what! Ze kan me toch niet ontslaan, dat heeft ze al gedaan.'
Even later loopt ze alweer door de regen. Ze had een paraplu moeten meenemen, stom! Thuisgekomen eet ze de boterhammen op die ze vanochtend heeft klaargemaakt en die in haar tas weer mee naar huis zijn gekomen. Het is vreemd stil in huis, zo midden op de dag. Zelfs poes Flodder reageert niet op haar binnenkomst, hij ligt waarschijnlijk boven te slapen. Zodra Nicky klaar is met eten, pakt ze een paraplu en gaat de deur weer uit, nu op weg naar de bushalte. Op naar de stad, wie weet zit een of andere kapsalon om haar te springen!

Maar als ze een paar uurtjes later weer uit de bus stapt en langzaam naar huis loopt, is ze minder optimistisch. Er was geen enkele vacature bekend. De medewerkster van het uitzendbureau had haar de tip gegeven eens in Weert te informeren, ze had van een collega gehoord dat daar in deze branche wel mensen gezocht werden. Maar ja, Weert... Dan moet ze eerst met de bus naar Roermond en vervolgens met de trein naar Weert. Hoe lang is ze dan wel niet onderweg? Nu is het toch lastig dat ze geen rijbewijs heeft, wellicht had ze dan een autootje kunnen kopen. Maar nadat ze tijdens haar achtste rijles een frontale botsing heeft gehad, helemaal buiten haar schuld overigens, heeft ze besloten voorlopig de rijlessen voor gezien te houden. Gelukkig was het goed afgelopen, maar de schrik zat er goed in bij

haar. Nu begint ze er voor het eerst toch weer over te denken om de lessen weer eens op te pakken.
Als ze bij haar huis aankomt, ziet ze tot haar verbazing de auto van haar vader al voor de deur staan. Binnengekomen, vindt ze hem in de kamer op de bank. Hij zit stil voor zich uit te kijken, maar als Nicky de kamer binnenkomt, staat hij op en gaat voor het raam staan, zijn rug naar haar toe.
'Ha pap, wat ben je vroeg. Is er iets bijzonders?'
Nu draait hij zich om. 'Dag Nicky.' Even lijkt hij te aarzelen, dan gaat hij verder: 'Ik ga weg.'
'Je gaat weg? Hoe bedoel je, wanneer en waarnaartoe?' Niet-begrijpend kijkt ze hem aan.
'Op de zaak hebben ze me gevraagd om voor een halfjaar naar Zwitserland te gaan. De vestiging daar heeft ondersteuning nodig. En ik heb besloten te gaan.'
Met open mond kijkt Nicky haar vader aan. 'Zwitserland! En ik dan?'
'Natuurlijk ga je mee. Er staat me daar een appartement ter beschikking. Je neemt gewoon een halfjaar vakantie, of je gaat daar aan het werk, kapsters kunnen ze overal gebruiken.'
Langzaam schudt Nicky het hoofd. 'Daar heb ik helemaal geen zin in! Dit huis... en alle herinneringen, nee pap, ik wil helemaal niet weg. Ik begrijp niet dat jij...'
'Juist om al die herinneringen aan je moeder! Ik stik in dit huis, ik word gek! In elke kamer, elke plek word ik aan haar herinnerd.'
'Dat is toch juist fijn?'
'Nee, voor mij niet, ik kan er niet tegen, Nick. Voor mij komt deze verandering echt precies op het goede moment. Ik moet verder.'
Langzaam schudt Nicky het hoofd. 'Ik ga niet mee, pap, ik blijf wel hier.'
'Is het om je werk, denk je dat je geen onbetaald verlof zult krijgen of zo?'
Nu glimlacht Nicky verdrietig. 'Integendeel. Ik heb vandaag te horen gekregen dat mijn contract niet verlengd wordt. Per 1 november sta ik op straat.'

'Nou, dat komt dan mooi uit. De eerste week van januari vertrekken we.'
Weer schudt ze het hoofd. 'Vertrek jij maar, pap. Ik ga niet mee.'
Even kijkt haar vader haar aan, dan zegt hij: 'We hebben het er nog wel over. Hoe laat eten we?'
'Zes uur.'
'Kan het wat eerder? Ik moet nog naar kantoor vanavond.'
'Goed.' Ze draait zich om en gaat de kamer uit, de trap op, naar boven. Opeens lijkt het haar heel aantrekkelijk om hier een poosje alleen te wonen en te eten wanneer en wat haarzelf uitkomt.

Om kwart voor zes zitten ze samen aan tafel. 'Wil je er echt niet over denken?'
Nicky schudt het hoofd. 'Nee, ik blijf hier.'
'Maar je hebt straks ook geen baan meer... Je weet het, hè, als je een opleiding wilt gaan volgen, mag dat nog steeds.'
'Ik héb een opleiding gevolgd, ik ben gediplomeerd kapster.'
'Nou ja, ik bedoel, als je iets anders wilt.'
Nicky schudt alleen het hoofd, ze geeft geen antwoord. Deze discussie hebben ze de afgelopen jaren al zo vaak gevoerd. Haar vader heeft altijd wat neergekeken op haar opleiding en werk. Alsof je alleen meetelt als je een universitaire opleiding hebt gedaan. Ze is nou eenmaal nooit een studiebol geweest en ze heeft veel plezier in haar werk.
'Ik ga morgen naar Weert, er zal heus wel ergens een vacature zijn.'
Nicky schuift haar stoel naar achteren. 'Wil je een toetje?'
Vader Roel kijkt op zijn horloge en zegt: 'Nee, laat maar, ik moet weg, we zullen danken.'
Een paar minuten later rijdt hij weg, Nicky lepelt langzaam een bakje vruchtenyoghurt leeg.

2

Als Peter de voordeur opendoet, komt een tweestemmig gehuil hem al tegemoet in de gang.
'Peet, ben jij daar, kun je even helpen?'
Peter doet zijn jack uit en gaat de trap op. 'Wat is hier allemaal aan de hand?'
Zijn vrouw Jenneke staat met een rood hoofd in de kleine kinderkamer, ze is bezig baby Jeroen te verschonen en diens broertje Mark hangt luid krijsend aan zijn moeders benen.
'Pak alsjeblieft Mark even weg hier, zo kan ik Jeroen niet helpen. En waarom ben je zo laat? Ik heb allang gegeten met Mark!'
Zwijgend plukt Peter zijn twee jaar oude zoontje los van de spijkerbroekbenen van Jenneke. 'Ik ben op zoek geweest naar werk en dat doe ik voor jullie, hoor!' Het klinkt kortaf.
'Op zoek naar werk, 's avonds om zeven uur? Dan moet jij me eens uitleggen waar je om die tijd nog kunt solliciteren.'
Peter geeft geen antwoord meer, hij heeft Mark hoog opgetild en loopt met hem de kinderkamer uit.
'Zet hem maar onder de douche!' roept Jenneke hem na.
'Kan ik eerst niet eten?'
'Nee, hij is doodop, vanmiddag heeft hij ook niet geslapen.'
Inmiddels heeft Jeroen een schone luier en zijn pyjama aan, en Jenneke legt hem in zijn bedje. Ze ritst de slaapzak dicht en bukt zich voor een laatste kus. 'Slaap lekker, mannetje.' Daarna draait ze zich om en loopt de kamer uit. De deur doet ze zacht achter zich dicht. Ze gaat naar de badkamer, waar Peter juist de kraan open heeft gedraaid. Mark zit op de grond en trekt met moeite zijn tweede sokje uit.
'Ik doe het wel verder, ga jij maar eten. Je bord staat in de magnetron.'
Haar stem klinkt vermoeid. Peter kijkt haar onderzoekend aan, maar hij zegt niks. Hij bukt zich naar zijn oudste zoon en geeft hem afwezig een kus. 'Lekker slapen, hè!' Dan gaat hij naar beneden.
Als Jenneke tien minuten later beneden komt, spoelt hij juist zijn bord af onder de kraan.

‘Ik moet je wat vertellen,’ zegt Jenneke achter hem. Haar stem trilt een beetje.
Hij draait zich om en kijkt haar vragend aan. ‘Je hebt een baantje gevonden,’ raadt hij.
‘Zo zou je het kunnen noemen,’ het klinkt wat bitter.
‘Nou, vertel op!’
‘Ik ben weer zwanger.’
‘Hoe kan dat nou! Goeiedag, Jenneke, Jeroen is nauwelijks een half-jaar!’
‘Dat hoef je mij niet te vertellen! En hoe het komt dat ik zwanger ben? Nou, wat denk je!’ Jenneke begint te huilen. ‘Ik kan het nu allemaal al nauwelijks aan,’ snikt ze. ‘De jongens schelen krap anderhalf jaar en straks zit er maar goed een jaar tussen. En wat denk je van de ruimte in dit huis? Er is niet eens plek om er een bedje bij te zetten. Dat kamertje is stampvol met die twee bedjes. We moeten echt gaan uitkijken naar een groter huis hoor, Peet!’
‘Weet je wat dat kost, een verhuizing? Ik had gehoopt dat jij een baantje zou vinden, maar dat kunnen we nu voorlopig wel vergeten.’
‘Is dat je enige reactie op mijn zwangerschap: gemopper over geld?’ Opnieuw stromen de tranen over Jennekes wangen.
‘Nee, natuurlijk niet, kom eens hier!’ Peter slaat zijn arm om haar heen. ‘Maar jij vertelt het ook niet bepaald blij. Kom op, dit gaat ons ook wel weer lukken, hoor. Maar het overvalt me gewoon een beetje. Hoever ben je?’
‘Ik ben ruim vier weken over tijd, ik dacht eerst dat ik gewoon een beetje onregelmatig was, maar vanmorgen moest ik vreselijk overgeven en toen heb ik een test gehaald bij de drogist. Nou, geen twijfel mogelijk.’
Peter geeft geen antwoord, hij is naar de kamer gelopen. Jenneke volgt hem en gaat tegenover hem zitten. ‘Waar ben je voor werk wezen kijken?’ vraagt ze. ‘En waarom loop je steeds naar iets anders te zoeken? Wees toch blij dat je nog werk hebt. Het is nu toch geen tijd om te veranderen? Het ene bedrijf na het andere gaat inkrimpen of sluiten.’

'Daarom juist. Ook bij ons vallen regelmatig ontslagen, en daar wil ik niet op wachten.'
'Dat zal overal in de bouw wel hetzelfde zijn, ik zou maar rustig blijven waar ik was.'
'Ik wil weg uit de bouw, ik wil heel wat anders, iets waar ik meer verdien. Je zegt toch net zelf dat dit huis te klein is? Als we ooit willen verhuizen, zal ik toch eerst werk moeten vinden waarmee een dikker belegde boterham te verdienen valt.'
'Zoals?'
'Dat weet ik nog niet, daar ben ik juist naar op zoek.'
Jenneke haalt de schouders op. 'Droom maar lekker verder,' zegt ze. 'Maar zie eerst dat je op zolder een kamertje aftimmert voor Mark, want er zal over zeven maanden toch een bedje bij moeten in dit huis.'
'Wacht maar af, ik heb zo mijn contacten,' antwoordt Peter. 'Er komen echt wel betere tijden!'
Jenneke geeft geen antwoord meer, ze zet de tv aan, haar favoriete soap begint bijna.

Twee weken later komt Peter vroeger thuis dan gewoonlijk. Jenneke staat in de keuken aardappels te schillen en Mark staat op een krukje naast haar bij het aanrecht. Elke geschilde aardappel mag hij in de pan met water laten plonzen.
'Wat ben jij vroeg?'
'Voor je staat de nieuwe privéchauffeur en bezorger van belangrijke pakketjes!' zegt Peter triomfantelijk.
'Chauffeur? Hoe kom je daar nou bij? En van welke pakketdienst, van de TNT of zo? En verdient dat dan zo goed?'
'Ho ho, niet zo veel vragen tegelijk. Nee, ik ga niet voor de TNT werken, maar voor een particuliere baas. Ik moet het hele land door en soms ook naar het buitenland. Maar daar staat dan ook een flink salaris tegenover. Jij zult wat vaker alleen zijn met de jongens, maar waarschijnlijk kunnen we algauw naar een groter huis uitkijken en dat is toch ook veel waard, dacht ik.'

Jenneke vergeet de laatste aardappel aan Mark te geven, ze mikt hem zelf in de pan terwijl ze haar hoofd schudt en zegt: 'Ik weet het niet, hoor... hoe vaak ben je dan naar het buitenland, en hoe lang? Blijf je dan ook 's nachts weg?'
'Tja, dat zal best weleens gebeuren, maar dat is een kwestie van wennen. Er zijn zo veel mannen die voor zaken van huis moeten.'
'Wat is het dan voor een bedrijf en hoe kom je daar terecht?' Jenneke merkt niet eens dat Mark alle aardappels weer uit de pan haalt en ze op de grond legt.
'Via via hoorde ik dat ze iemand nodig hadden en het is gewoon een particulier iets, soms moet ik de baas rijden, maar meestal moeten er pakketjes worden bezorgd.'
'Vaag hoor. Wat ga je verdienen?'
'Ruim zevenhonderd euro meer dan nu!'
'Dat kan niet!' Nu draait Jenneke zich helemaal om en ze legt het mesje op het aanrecht. 'Dat bestaat niet!'
'Reken maar van wel!' Triomfantelijk lacht Peter naar haar. 'Ik zei toch dat er wel betere tijden zouden komen?'
'Ik moet het eerst allemaal nog zien.' Jenneke bukt zich om de aardappels van de grond op te rapen. 'Bah, Mark, wat heb je nou gedaan?'
'Bij jou is het ook nooit goed, hè?' Met een nijdige klap gooit Peter de keukendeur achter zich dicht.
Jenneke schudt stil het hoofd. 'Eerst maar eens zien,' zegt ze nog eens, nu zachtjes voor zich heen.

'Wanneer ga je daar beginnen, bij dat bedrijf, en hoe heet het eigenlijk?' Ze liggen in bed, maar Jenneke kan niet slapen.
'Volgende week, ik heb nog een aantal vakantiedagen, dus ik ben vrijdag voor het laatst bij Van Bemmel.'
'Dan al? Met wat voor auto ga je rijden, die van ons?'
'Nee, natuurlijk niet. Ik krijg een auto van de zaak.'
'Zo'n bestelautootje? Dat is gemakkelijk voor de kinderwagen en zo. Je mag er toch ook weleens privé in rijden?'

'Ik weet het niet, hoor, dat zie ik volgende week wel. Welterusten!'
Even blijft het stil, dan vraagt Jenneke: 'Peet, hoe heet het nou?'
'Hè, wat bedoel je?'
'Dat bedrijf...'
Met een ruk draait Peter zich op zijn andere zij. 'Lekker belangrijk! Het heeft geen naam en het is geen bedrijf! Ik ga voor een particulier werken, dat heb ik toch al gezegd? Hij heet Paul.'
'Paul wat?'
'Weet ik veel! Jansen, geloof ik. Slapen nu! Mijn wekker gaat weer om zes uur.'
Als Peter allang zachtjes snurkt, ligt Jenneke nog steeds wakker. Ze weet niet waarom, maar ze heeft geen goed gevoel over de nieuwe baan van Peter. Ze moet het allemaal nog zien.

Maar dat gevoel gaat snel over als ze de volgende maandag Peter uit zijn nieuwe bedrijfsauto ziet stappen. Het is geen bestelautootje, maar een vrij nieuwe, luxe auto, mooi zwart glanzend zit hij in z'n lak.
'Nou, wat zeg je ervan? Dat is even wat anders dan een betonmolen, hè?' Liefkozend strijkt Peter over de bumper.
'Joh! Onwijs mooi, zeg!' Jenneke staat paf.
Peter slaat zijn arm om haar heen. 'Geloof je nou eindelijk dat dit baantje een lot uit de loterij is?'
'Maar waarom laat die man je in zo'n luxe auto rijden om postpakketjes te bezorgen?'
'Het gaat niet alleen om pakketjes, ik ben ook een soort privéchauffeur heb ik toch gezegd! Zo'n auto met chauffeur is het visitekaartje voor zo'n rijke zakenpief, snap je?'
Jenneke knikt. 'Je mag wel strak in het pak gaan,' grapt ze.
Peter lacht niet, maar zegt heel serieus: 'Nou, in het pak hoeft niet direct, maar ik krijg wel speciaal kleedgeld om wat duurdere kleding te kopen dan dat ik normaal draag.'
Jenneke schudt haar hoofd, de twijfel slaat opeens weer toe. 'Het is toch wel zuivere koffie, hè?' vraagt ze. 'Het is bijna te mooi om waar te zijn. Het is toch geen maffiabaas voor wie je werkt?'

Peter schiet in de lach. 'Je kijkt te veel films! Joh, je hebt geen idee hoe het toegaat in de wereld van die zakenlui.
Jenneke pakt Mark op, die met z'n kleine handjes aan de wieldoppen voelt. 'Nou, sjiek hoor! Kom Mark, we gaan naar binnen, het is tijd voor je middagslaapje. Zeg maar dag tegen papa. Papa komt vanavond weer thuis.' Ze draait zich weer om naar Peter: 'Ben je gewoon rond etenstijd thuis?'
'Geen idee. Dat is het nadeel van deze job: ik weet het nooit vooruit. Maar we spreken zo af: zonder bericht ben ik er om zes uur, anders bel ik je, oké?'
Jenneke knikt, ze kijkt hem na als hij in de auto stapt en wegrijdt. Ze is toch wel trots op hem! Voor ze naar binnen gaat, werpt ze nog een blik op hun oude auto, hij begint al wat roestplekken te vertonen en elk jaar wordt het spannender of hij door de APK komt. Misschien kunnen ze hem binnenkort wel wegdoen. Eerst maar eens kijken of deze nieuwe welvaart blijvend is. Zou Peter eigenlijk een proeftijd hebben? En een halfjaar- of een jaarcontract? Vanavond maar eens aan hem vragen.

3

Het worden sobere kerstdagen. Zowel Nicky als haar vader zijn in gedachten bijna voortdurend bij vorig jaar, toen hun moeder en vrouw er nog was. Toen niks erop wees dat het de laatste gezamenlijke kerst zou worden.

'Wil je nog een kerstboom of zo?' heeft haar vader half december aarzelend gevraagd. En Nicky zag de opluchting op zijn gezicht toen ze dat resoluut van de hand wees. 'Nee, natuurlijk niet! Ik wilde dat we die feestdagen gewoon konden overslaan dit jaar.'

'Ja, als dat zou kunnen. Maar we moeten er samen maar wat van maken, meisje. Voor tweede kerstdag zijn we uitgenodigd door Floris en Jetty, dat wist je toch, hè?'

'Zo, heeft mijn grote broer zowaar een keer tijd voor ons?' Het klonk niet aardig, dat wist ze, maar het was wel de waarheid. Floris en zijn vrouw Jetty zijn altijd druk met hun werk en vriendenkring, maar voor zijn ouders en zusje heeft Floris blijkbaar niet veel belangstelling meer. Ook het overlijden van zijn moeder heeft daar geen verandering in gebracht, ze zien hem bijna nooit.

'Ze hebben het druk,' vergoelijkte haar vader, 'als coassistent in het ziekenhuis komt er heel wat op je af, hoor.'

Nicky deed er het zwijgen maar toe. Papa kan toch nooit een kwaad woord horen over zijn oudste. Ach ja, met een aankomend arts kun je natuurlijk beter voor de dag komen dat met een dochter die kapster is. Dat is alleen af en toe gemakkelijk als je haar geknipt moet worden.

Alsof haar vader haar gedachten kan lezen, zegt hij: 'Voor ik vertrek moet je me nog maar een keertje knippen, Nick, dan kan ik er voorlopig even tegen.'

Nicky knikt.

Beiden zijn blij als oud en nieuw voorbij is. Op dinsdag 4 januari zal Nicky gaan beginnen in haar nieuwe baan, een kapsalon in Weert. Ze neemt het op en neer reizen maar op de koop toe, want na twee

maanden thuiszitten is ze het meer dan zat. Nu heeft ze werk gevonden in een moderne kapsalon, heel iets anders dan de kleine zaak waar ze tot nog toe heeft gewerkt in hun eigen dorp. Ze heeft er zin in! Het voelt als een nieuwe uitdaging.
In de loop van diezelfde dag zal haar vader vertrekken naar Zwitserland. Voor hen beiden een grote verandering. Nicky kijkt ernaar uit en tegelijkertijd ziet ze ertegen op. Enerzijds is ze eraan toe om op eigen benen te staan en daarvoor krijgt ze nu de kans. Aan de andere kant is ze bang voor de stilte en de eenzaamheid in het grote huis. Nou ja, ze ziet wel, ze heeft in elk geval poes Flodder nog als gezelschap!
Die ochtend gaat ze om goed halfacht de deur uit, de eerste dag wil ze ruim op tijd aankomen. De reis valt niet echt mee: de bus doet er een halfuurtje over naar het station van Roermond en daarna is het nog een kwartier met de trein. Bij goed weer kan ze ook met de fiets naar Roermand gaan, bedenkt ze, als ze in Weert van het station naar de kapsalon loopt en ze bij haar nieuwe baas is gearriveerd. Maar ze heeft weer werk en dat is het belangrijkst!
Het is de hele dag zo druk dat ze nauwelijks tijd heeft om aan haar vader te denken, die nu waarschijnlijk ook vertrokken is. Gisteravond heeft hij haar nogmaals op het hart gedrukt dat, mocht haar nieuwe baan niet bevallen, ze nog altijd welkom is in Zwitserland. Maar ze weet één ding heel zeker: ze gaat niet weg uit Nederland!

Na een paar weken lijkt het of ze hier altijd al gewerkt heeft. Ze kan goed opschieten met haar nieuwe collega's, drie meisjes van ongeveer haar eigen leeftijd, een leerling van een jaar of zeventien en twee manlijke collega's waarvan de één ongeveer dertig is en de ander, haar baas, tegen de veertig loopt. Het is een gezellig team en werk is er in overvloed. Nicky ontdekt dat 'salon Pieter' de meest geliefde kapperszaak van de stad is, zeker voor jonge mensen. Hier bestaan de meeste behandelingen niet uit knippen en permanent, zoals in haar vorige werk, hippe kleurtjes en nieuwe modellen zijn hier dagelijkse kost. Even wennen voor Nicky, maar ze krijgt er al snel veel plezier

in. Haar collega's plagen haar, omdat ze geen vaste vriend heeft proberen ze haar allerlei leuke jonge, mannelijke klanten toe te spelen.
'Let op, een mooie meid als jij heeft zo verkering hier.'
Een keer vraagt een klant haar of ze zin heeft om met hem uit te gaan, maar met een grap of een vaag antwoord houdt ze iedereen op afstand.
'Jij bent veel te kritisch!' vindt collega Loeky.
Nicky lacht maar wat, ze is kieskeurig, dat weet ze zelf best. Maar mag dat niet? Ja toch!
'Op wat voor type val jij, of val je helemaal niet op mannen?' vist Loeky verder.
'Ik weet eigenlijk niet op wat voor type ik val, in elk geval wel op mannen. Ik ... ja, ik weet het niet, ik ben niet zo snel verliefd, denk ik.'
'Maar je hebt toch wel een bepaald beeld van wat je wel of niet zoekt?' vraagt Loeky, serieus nu.
'Ik wil in elk geval een man die katholiek is.'
'Wát?' Loeky kijkt haar nu echt verbaasd en nieuwsgierig aan. 'Die naar de kerk gaat en zo?'
Nicky heeft een kleur gekregen, ze vindt het moeilijk om hierover te praten met Loeky. Het is duidelijk dat deze totaal niet begrijpt waarom dat belangrijk voor haar is.
'Joh, daar moet je niet zo zwaar aan tillen, denk ik. Al ben jij katholiek, en dat ben je, hè?' zegt ze ertussendoor, 'dan hoeft een jongen dat toch niet te zijn? Je moet elkaar vrijlaten in die dingen. Jasper gaat ook altijd met kerst naar de kerk, maar hij verwacht niet van mij dat ik meega. En als we nog eens trouwen, wil hij dat ook in de kerk doen, nou, geen punt toch? Echt, Nick, je moet dat wat ruimer zien denk ik. Wacht maar tot je echt verliefd wordt, dan til je niet meer zo zwaar aan die dingen.'
Nicky knikt maar wat, gelukkig komt de volgende klant binnen en kan ze weer aan het werk. Loeky komt niet meer terug op het gesprek, maar ze blijft knipogen naar Nicky, elke keer als er een leuke jongeman binnenkomt.

Eind maart loopt Nicky op een donderdagavond door het centrum van Weert. Al een paar keer heeft ze zich voorgenomen om eens uitgebreid te gaan winkelen in de stad waar ze werkt, en vanavond is het dan zover. Het is gezellig druk, iedereen lijkt ervan te genieten dat er eindelijk een eind is gekomen aan de lange, koude winter.
Als ze ten slotte, beladen met plastic tasjes, richting station loopt en op haar horloge kijkt, ziet ze dat ze flink moet doorstappen wil ze de volgende trein nog halen. Als ze deze trein mist moet ze een halfuur wachten en wat erger is, dan mist ze de aansluiting met haar bus vanuit Roermond. Ze zet er nog steviger de pas in en terwijl ze vlak bij het station een hoek omslaat, kijkt ze nog eens gehaast op haar horloge. Daardoor ziet ze niet dat er van de andere kant een man komt aanlopen. Hij kan haar nog net bij de arm grijpen, anders was ze ongetwijfeld achterovergevallen. 'Sorry!' roepen ze allebei tegelijk. De meeste plastic tasjes liggen op de grond en Nicky bukt zich snel om ze bij elkaar te graaien. Ook de man gaat door zijn knieën en pakt een tasje op. 'Hier, wacht, er is iets uitgevallen.' Hij houdt een ketting in zijn hand. 'En daar ligt nog wat!' Hij bukt zich en raapt een lipgloss op.
'Verdraaid! Nu is mijn trein weg!' Nicky kijkt de onbekende jongeman boos aan, maar die lacht verontschuldigend en zegt: 'Eh... volgens mij was het wel een beetje jouw schuld, je kwám me toch die hoek om zeilen!'
'Je hebt gelijk, sorry. Ik hoopte de trein van kwart over nog te halen.' Ze haalt de schouders op. 'Niet dus! Maar bedankt voor het oprapen.' Ze pakt de tasjes weer stevig beet en wil doorlopen.
Maar de man legt even zijn hand op haar arm en vraagt: 'Even samen wat drinken voor de schrik, kopje koffie of zo? Je hebt nu toch je trein gemist.'
Nicky kijkt hem aan, eigenlijk houdt ze niet van zo'n benadering. Ze kent die man helemaal niet, waarom zou ze dan koffie met hem gaan drinken? Ze schudt het hoofd: 'Nee dank je, ik ga naar huis.'
'Maar je hebt je trein gemist,' houdt hij aan. 'Dus of je nu op het perron gaat zitten wachten of even wat samen met mij drinkt, dat maakt

toch niet uit? Ik wil je ook wel naar huis brengen, mijn auto staat hier vlakbij. Moet je ver weg?'
'Nee, een klein stukje met de trein, maar je hoeft me niet te brengen.'
Het idee alleen al, zomaar bij een wildvreemde in de auto stappen, ze denkt er niet over! Ook al ziet hij er nog zo aardig en betrouwbaar uit. Aardig vooral, denkt ze, hij heeft een leuk, open gezicht, bruine ogen en kort, donker haar.
Hij glimlacht. 'Dus?' vraagt hij.
'Oké dan, ik ben eigenlijk best toe aan een kop koffie.'
Even later zitten ze tegenover elkaar, ieder met een kop koffie voor zich. Opeens heeft Nicky geen idee wat ze tegen hem moet zeggen.
'Laat ik me eerst eens voorstellen,' hoort ze hem zeggen. 'Ik ben Rick van Noorden.'
Hij steekt zijn hand uit over het tafeltje heen, en wat verward legt Nicky de hare erin. 'Ik ben Nicky, Nicky de Graaf,' zegt ze.
'Nou, dat is grappig: Nicky en Rick, dat past wel bij elkaar!'
Nicky gaat er niet op in, ze vindt het een wat opdringerige opmerking. 'Zo te horen kom je hier niet vandaan?' vraagt ze. 'Aan je 'g' te horen kom je van boven de grote rivieren?'
'Dat klopt!' zegt hij. 'Heel ver erboven zelfs. Ik woon en werk in Den Helder, ik ben beroeps bij de marine.'
'Dan ben je ver van huis.'
'Dat klopt,' meer zegt hij niet.
Nicky verwacht dat hij verdere uitleg zal geven, maar hij vraagt: 'En jij, woon je hier in Weert? O nee, je was op weg naar huis, zei je net. Waar is dat huis?'
Maar ook Nicky omzeilt de vraag. 'Ik werk hier in Weert, in een kapperszaak. Vandaag was ik na werktijd in de stad gebleven om een beetje te shoppen.'
'Kapster?' Er klinkt verbazing in zijn stem.
'Ja, is daar iets mis mee?'
'Nee, natuurlijk niet! Alleen... nou, je ziet er niet uit als een kapster.'
'Hoe moet die er dan uitzien volgens jou?' vraagt Nicky wat geïrriteerd. 'Met een ingewikkeld kapsel en een kappersschort voor, of zo?'

Hij lacht, 'Nee, natuurlijk niet! Ik dacht gewoon... Nou ja, je bent gewoon meer het type van een geslaagde zakenvrouw.'
'Slaat nergens op! Kan een kapster niet in mooie kleding lopen volgens jou?'
Hij knikt. 'Natuurlijk wel, sorry, het was een stomme opmerking. Verliefd, verloofd, getrouwd?' vraagt hij dan.
Nicky kleurt een beetje bij die directe vraag. 'Nee, geen van dat alles.' Waar gaat dit over! Ze schuift haar stoel achteruit, terwijl ze het lege kopje terugzet op het schoteltje. 'Ik ga maar eens, anders mis ik de volgende ook nog,' zegt ze. 'Bedankt voor de koffie, eigenlijk had ik jou moeten trakteren, tenslotte was de botsing mijn schuld, nogmaals sorry!'
Rick wuift haar excuses weg. 'Onzin! Maar, eh, als je nog eens wilt afspreken? Dan mag jij de koffie de volgende keer betalen.' Hij krabbelt iets op een bierviltje dat op tafel ligt. 'Hier, m'n 06-nummer.'
Nicky pakt het aarzelend aan, en laat het toch maar in haar tas glijden. 'Oké, nou, goede reis naar huis.' Zonder nog om te kijken gaat ze de deur uit, maar ze voelt zijn ogen in haar rug prikken.
De dagen er na moet ze, of ze wil of niet, steeds aan hem denken. 'Ik ben niet zo snel verliefd,' heeft ze pas nog tegen collega Loeky gezegd. Maar waarom loopt ze dan steeds aan die man te denken met zijn jongensachtige uitstraling en zijn warme bruine ogen? Hoe oud zou hij zijn? peinst ze, toch wel een jaar of dertig, of in elk geval tegen de dertig. Gek dat zo'n leuke vent nog geen relatie heeft. Maar ach, dat vinden veel mensen van haar ook, want ze weet best van zichzelf dat ze er goed uitziet. Hij is misschien ook nog nooit de ware tegengekomen. Of wellicht heeft hij al het nodige achter de rug, verbroken relaties of wat dan ook. Al een paar keer heeft ze het kaartje met het telefoonnummer tevoorschijn gehaald, maar ze heeft niet gebeld.
Kom op! Ophouden met de onzin! spreekt ze zichzelf ten slotte streng toe. Wat zit ze zich druk te maken over een knul die nota bene helemaal aan de andere kant van het land woont en die ze precies één keer heeft gezien. Ze gooit het kaartje resoluut in de vuilnisbak.

Van haar vader komen regelmatig telefoontjes en e-mails. Hij heeft het druk, maar dat schijnt hem goed te doen. De toon van zijn mails is opgewekt en ook aan de telefoon klinkt zijn stem niet meer zo somber als thuis. In het begin vroeg hij steeds bezorgd of Nicky het wel redde alleen in het grote huis, maar nu is hij blijkbaar genoeg gerustgesteld. Hij informeert wel hoe het met haar gaat, maar dikwijls merkt Nicky dat zijn gedachten alweer ergens anders mee bezig zijn. Waarschijnlijk gaat hij helemaal op in zijn werk daar. En dat is goed.
Nicky betrapt zichzelf erop dat ze het heerlijk vindt om alleen te wonen. Ja, haar moeder mist ze nog steeds vreselijk, maar de periode dat ze samen met haar vader in huis was, voelde alleen maar beklemmend. Ze weet zelf niet waarom, maar dit alleen – en dus eigen baas – zijn, voelt prima. Ze heeft zich dan ook vast voorgenomen om straks, als het halfjaar in Zwitserland van papa voorbij is en hij weer thuiskomt, iets voor zichzelf te zoeken. Wellicht in Roermond of misschien in Weert.

4

Jenneke moet erg wennen aan de onregelmatige werktijden van Peter. Maar aan het hoge salaris went ze gemakkelijker! Peter heeft niet overdreven toen hij zijn nieuwe salaris noemde: er wordt elke maand ruim zevenhonderd euro meer bijgeschreven op de bankrekening dan vroeger. En dat komt goed van pas! Zeker met een nieuwe baby op komst zijn er heel wat onkosten. Eerst hebben ze overwogen een groter huis te zoeken, maar alles is vreselijk duur. Juist toen ze hadden besloten dat er, hoe dan ook, nog een bedje bij moest kunnen op één van de beide slaapkamers, was Peter op een avond thuisgekomen met de mededeling dat ze toch zullen gaan verhuizen.
'Verhuizen, waarnaartoe dan? En hoe kom je daar nu opeens bij?'
'We gaan naar Utrecht. Paul zorgt voor een flat voor ons, een ruime vierkamerflat met drie slaapkamers, dus ruimte genoeg. Hij wil dat we wat centraler in het land gaan wonen. Zo lang we hier in het noordoosten wonen, kost dat veel te veel reistijd.'
Jenneke is neergezakt op een punt van een stoel. 'Naar Utrecht? En een flat... Ik weet niet of ik dat wel wil, hoor! Denk eens aan de jongens, hier kunnen ze heerlijk buiten spelen, dat zal in de stad heel anders zijn, zeker op een flat.'
'Bekijk het nou eens positief! Een ruime flat is toch veel mooier dan dit kleine, oude huis. En Utrecht is een gezellige stad, kun je eens lekker gaan winkelen.'
'Gaan winkelen!' herhaalt Jenneke laatdunkend, 'met een dikke buik en twee peuters om me heen zeker! Trouwens, hiervandaan ben ik zo in Assen, dus als ik zo nodig moet winkelen, hoef ik niet naar Utrecht.'
Peter draait zich om. 'Nou ja, als ik mijn werk wil houden, hebben we weinig keus. Je bent daar zo weer gewend, dat zul je zien. Regel maar iets met je moeder, dat ze overmorgen op de jongens past, dan kunnen we gaan kijken waar het precies is. En alvast de maat nemen voor gordijnen en vloerbedekking en zo.'
'Wát, zo snel al? Je zei...'

'Doe niet zo moeilijk, Jen, wees blij dat het snel is, dan kun je gelijk daar een babykamer inrichten, anders wordt het wel erg krap in de tijd.'
'Maar ik wil eerst hier bevallen, ik weet helemaal niet hoe het in die stad geregeld is, ik moet op het laatste moment een andere verloskundige zoeken, ik wil dat echt niet, Peet! Niet zo overhaast.'
Maar ondanks de protesten van Jenneke wordt alles toch snel in gang gezet en nog geen zes weken later zitten ze in hun flat in de Utrechtse wijk Overvecht. Jenneke moet toegeven dat het heerlijk is om zulke ruime kamers te hebben. De jongens hebben samen een mooie, vierkante slaapkamer en voor de nieuwe baby is er een wat kleinere, maar ook leuke kamer. De woonkamer is breed en diep met ramen over de hele breedte, maar o, die hoogte! Negen hoog zitten ze, en dat vindt Jenneke helemaal niks. Mark kan niet langer in de tuin spelen, op het balkon durft ze hem niet alleen te laten, doodsbang dat hij in de spijlen van het hek zal klimmen en naar beneden zal vallen. Dus sjokt ze elke dag met de kinderen naar buiten, eerst met de lift, wat ze al niet prettig vindt, om dan, Jeroen in de wagen en Mark ernaast, de ruimte op te zoeken. Meestal loopt ze naar het nabijgelegen winkelcentrum, ze neust hier en daar wat rond en hier durft ze Mark ook even los te laten, hier kan hij in elk geval niet opeens een weg op rennen.
Peter lacht haar 's avonds uit als ze vertelt waar ze geweest is en waar ze bang voor is. 'Dorpsmeisje!' zegt hij, 'bang in een lift en bang voor een auto. Je moet geen angsthazen maken van die kinderen, hoor!' Jenneke vindt zijn toon niet prettig, het klink allemaal wat neerbuigend. Ze vindt toch al dat Peter veranderd is in de laatste maanden, eigenlijk sinds hij zijn nieuwe betrekking heeft. Of verbeeldt ze zich dat maar, zijn het haar hormonen die haar extra gevoelig maken?
Ze verandert maar snel van onderwerp. 'Hoe was jouw dag, waar ben je allemaal geweest?' vraagt ze.
Hij haalt zijn schouders op. 'O, overal en nergens. Eerst een pakketje opgehaald op Schiphol, dat weggebracht naar Den Haag en daarna

Paul opgepikt en naar Nijmegen gebracht. Daar een uurtje gewacht en hem weer thuisgebracht in De Bilt.'
'Wat voor pakketjes zijn dat dan, grote dingen of brieven?'
'Meestal niet zo groot, ik word er niet moe van in elk geval.'
'Toch begrijp ik het niet,' zegt Jenneke, 'ik bedoel, dat ze jou zo veel betalen voor een simpel ritje van hier naar daar. Zitten er kostbare dingen in die pakjes, denk je?'
'Ik weet het niet en het boeit me ook niet! Zal ik nog wat inschenken, jij appelsap zeker?'
'Nee, ik ga naar bed, ik ben doodmoe. Kom jij ook zo?'
'Nee, ik moet misschien nog weg, Paul zou nog bellen. Waarschijnlijk nog even iets wegbrengen voor hem.'
'Wat raar!'
'Niks raar! Ga jij nou maar naar bed.' Het klinkt kortaf.
Zwijgend gaat ze naar de slaapkamer. Opnieuw vraagt ze zich af wat voor zaken het toch zijn die de baas van haar man doet. Maar ze heeft geen zin zich daar verder in te verdiepen, ondanks dat Peter soms op rare tijden van huis is en zij de verhuizing naar deze stad niet geweldig vindt, is ze blij met zijn huidige baan. De geldzorgen lijken eindelijk voorgoed voorbij. De twee kleine jongens lijken al helemaal gewend te zijn aan hun nieuwe huis, en binnen twee maanden komt hun nieuwe broertje of zusje. Jenneke ziet erg uit naar de geboorte. Maar o, wat mist ze haar oude dorp, haar ouders en vriendinnen! Vooral Marion, haar beste vriendin. Hier is niemand met wie ze eens vertrouwelijk kan praten. Ach, natuurlijk is er wel de telefoon, maar dat is toch anders. Nou ja, ze laat het maar over zich komen, Peter zal wel weten wat het beste voor hen allemaal is.

5

Begin mei krijgt Nicky een e-mail van haar vader, waarin hij schrijft dat zijn halfjaar in Zwitserland verlengd gaat worden tot een jaar. Hij vindt het heel vervelend voor zijn dochter en dringt er bij haar op aan toch ook naar Basel te komen. 'En als je dat nog steeds niet wilt, kom dan in elk geval deze zomer een paar weken,' schrijft hij. Tussen de regels door proeft ze een soort verwijt dat ze haar vader daar maar alleen laat.

Nicky leest de tekst nog eens over en schudt haar hoofd. Is het niet in papa's hoofd opgekomen dat ze misschien haar eigen vakantieplannen al klaar heeft? Of doet ze hem nu onrecht? Hij bedoelt het vast hartelijk en eerlijk gezegd verlangt ze er ook wel naar hem weer te zien. Maar hij had toch gemakkelijk een weekend naar huis kunnen komen in de afgelopen maanden? Nadat hij in januari is vertrokken, is hij precies één keer naar Nederland gevlogen en dat was voor de verjaardag van haar broer Floris. Hij heeft toen overnacht bij Floris en Jetty en is de volgende dag alweer teruggevlogen. Het lijkt wel of hij het huis in Limburg mijdt. Vindt hij het zo moeilijk om met de herinnering aan zijn overleden vrouw te leven of is het een gebrek aan interesse? Nicky heeft besloten het maar op dat eerste te houden.

Als ze deze donderdag tegen zes uur de deur van de kapsalon achter zich laat dichtvallen, haalt ze diep adem. Hè, wat een heerlijk weer! Mei is toch een heerlijke maand!

'Hallo Nicky!' hoort ze dan. Verbaasd kijkt ze op, maar ze herkent hem onmiddellijk: Rick!

'Hoi!' zegt ze verrast, en dan verbaasd, 'dat is toevallig, zeg!'

Hij lacht. 'Nou, zo toevallig is dat niet, hoor, ik heb flink lopen zoeken.'

Niet-begrijpend kijkt ze hem aan, 'Hoe bedoel je?'

'Ik ben verschillende kapperszaken hier in het centrum langs gegaan en heb overal naar binnen gegluurd, tot ik eindelijk jou zag.'

Ze weet niet goed wat ze daarop moet zeggen. 'Meen je dat nou?' vraagt ze ten slotte aarzelend. 'Maar waarom dan?' Dat klinkt een beetje naïef, ze hoort het zelf. 'Ik bedoel, was je toevallig weer hier in de stad? Heb je hier familie wonen of zo?'
Hij gaat alleen in op haar eerste vraag. 'Omdat ik jou graag nog eens wilde zien, ik heb tenslotte nog steeds een kop koffie van je te goed.' Hij lacht opnieuw en Nicky weet weer precies waarom het zo veel moeite kostte om hem de vorige keer uit haar hoofd te krijgen. Trouwens, is haar dat ooit gelukt? Ook al heeft ze het bierviltje met zijn telefoonnummer weggegooid, er is bijna geen dag voorbijgegaan dat ze niet even aan die ontmoeting heeft gedacht. Ze voelt zich opeens helemaal vrolijk worden. 'Kom op, dan krijg je die koffie! Of misschien een biertje, daar is het ook wel weer voor, hè. Oh nee, je moet natuurlijk nog rijden straks...'
'Eén biertje kan ik wel hebben, hoor. Ik wil trouwens ook een hapje eten hier ergens in de stad, ik heb nog een aardige rit te gaan straks.'
'O ja, helemaal naar Den Helder, hè? Dat is inderdaad niet naast de deur. Ik weet een gezellig terrasje hier vlakbij, vind je het goed om daarnaartoe te gaan, of had je zelf iets in gedachten?'
'Nee, prima, ik ben vrijwel onbekend hier.'
'En toch kom je hier blijkbaar regelmatig.' Het klinkt meer als een vraag dan een vaststelling.
'Ja, de laatste tijd wel, maar dat leg ik je zo wel uit. Kom op, eerst naar dat beloofde koude biertje!' Hij slaat losjes een arm om haar schouder en op de een of andere manier voelt het totaal niet opdringerig, het is een vriendschappelijk gebaar.
'Tot morgen, Nick!' Loeky fietst langs, met een brede glimlach en een betekenisvolle knipoog in het voorbijrijden. 'Denk aan de belangrijkste voorwaarde, hè!' roept ze.
Nicky voelt dat ze een kleur krijgt, wat een troela, die Loeky, ze zal haar nóg eens iets serieus vertellen! Ze kijkt terloops naar Rick, maar hij schijnt die opmerking niet gehoord te hebben.
'Lijkt me boeiend werk, kapster,' zegt hij. 'Eigenlijk schep je elke keer

weer iets nieuws en ik kan me voorstellen dat het veel voldoening geeft als een klant tevreden de deur uit gaat, toch?'
'Precies!' zegt Nicky, 'en dat laatste is iets wat niet veel mensen begrijpen.' Ze denkt bij deze woorden aan haar vader, die het maar matig vindt dat zijn dochter 'andermans haren een beetje bij snoeit'.
Het wordt een bijzondere avond. Rick is belangstellend en kan goed luisteren. Nicky merkt op een gegeven moment opeens dat ze bijna voortdurend aan het woord is geweest. Na het glas bier dat ze hebben gedronken, heeft Rick haar uitgenodigd om samen ook wat te eten op het terrasje. Toen het na een uurtje was frisser werd, zijn ze naar binnen verhuisd en daar praten ze weer verder. Rick stelt geïnteresseerde vragen en voor ze het weet heeft Nicky alles verteld over het overlijden van haar moeder, haar vaders vertrek naar het buitenland, en ook over Floris, die duidelijk meer meetelt in de ogen van haar vader. 'Ik ben een beetje het buitenbeentje in de familie,' besluit ze wat spijtig. 'Iedereen heeft gestudeerd en heeft een dikke baan, alleen Nicky had geen hersens om te leren.'
Rick tikt even zacht op haar hand, 'Ik zei al eerder dat ik kapster een bijzonder beroep vind. Je moet er beslist gevoel voor hebben en zeker ook goede smaak. Eigenlijk is het een kunstzinnig vak.'
Nicky moet lachen. 'Nu overdrijf je wel een beetje, denk ik! Maar het is lief dat je het zegt.'
Maar dan kijkt ze hem vol aan, en gaat verder: 'Sorry zeg, ik zit de hele tijd over mezelf te praten. Vertel jij eens wat meer over jezelf. Ik ben eigenlijk wel heel benieuwd hoe jij helemaal vanuit Den Helder hier in Weert terechtgekomen bent.'
'Mijn oma Van Noorden woont hier, in een verzorgingstehuis, de moeder van mijn vader. Mijn ouders zijn verongelukt toen ik nog heel klein was, ik heb ze nauwelijks gekend, en toen ben ik in huis gekomen bij mijn grootouders, dus je begrijpt: ik heb een bijzondere band met ze. Opa is vorig jaar overleden, dus ik ga nog wat vaker dan eerst naar oma. We hebben alleen elkaar nog.' Hij kijkt van haar weg en staart in de verte.
'O Rick, wat vreselijk voor je! Wat zit ik dan te zeuren, ik heb ten-

slotte mijn vader nog en ook een broer en schoonzus.' Ze legt haar hand op de hand van Rick. 'Gaat het wel, je vindt het moeilijk om erover te praten, hè, ik zie het aan je.'
Nu glimlacht hij weer. 'Het geeft niet, hoor, maar je hebt wel gelijk: het is nog steeds pijnlijk om erover te praten. Maar ik wist dat jij het zou begrijpen, je hebt immers ook je moeder verloren?'
Nu zitten ze even stil bij elkaar, het lijkt opeens of ze elkaar al heel lang en goed kennen.
'Wil jij nog een kopje koffie? Anders moeten we zo maar eens opstappen.' Zijn stem klinkt weer normaal.
'Nee, het is prima zo, laten we maar gaan. Hoe lang rijd jij er over naar Den Helder?'
'Mmm, let ik nooit zo precies op... ik denk zo'n twee, tweeënhalf uur.'
'Joh, het is al bijna halftien! Ga maar gauw, anders ben je zo laat. Kun je in die marinekazerne thuiskomen wanneer je maar wilt?'
'In mijn functie wel.' Hij glimlacht.
'Wat is jouw functie dan?'
'Heb je er verstand van dan? Ik ben officier.'
'Zegt me niks, maar klinkt goed.'
Hij lacht zachtjes. 'Dat dacht ik ook. Ik zal even afrekenen, dan gaan we.'
'Moet je ook weleens weg uit Nederland, op een boot ofzo?'
'Nee, ik ben gestationeerd in Den Helder. Voorlopig blijf ik daar in elk geval.'
Even later lopen ze door de nu rustig wordende stad. 'Ik breng je even thuis,' zegt hij en het voelt heel vertrouwd en vanzelfsprekend. Op de parkeerplaats, vlak bij het station, staat zijn auto. 'Gelukkig deze keer geen rennende meisjes omvergelopen!' zegt hij, terwijl hij het portier voor haar opent. Dan rijden ze door de donkere avond de stad uit. 'Wijs jij me de weg, of zal ik de tomtom aanzetten?'
'Niet nodig, hoor, eerst richting Roermond en daarna zeg ik het wel.'
Het is nu stil in de auto, Nicky zit na te denken over de dingen die hij verteld heeft over zijn familie. Hij moet wel behoorlijk eenzaam

zijn. Wel bijzonder eigenlijk, dat hij op haar pad gekomen is. Toevallig? Of is hij de man die God voor haar bestemd heeft? Ho! Waar denkt ze al niet aan na één enkele ontmoeting, nou ja, twee ontmoetingen dan. Maar toch...
'In welk verzorgingshuis woont je oma?' vraagt ze.
'Eh, hoe heet het ding ook alweer...'
'Vredeoord?'
'O ja! Dat is het!'
'Ik ken het gebouw wel, het is toch niet dat oude klooster, hè? Dat heet volgens mij anders, Hiëronymus of zo...'
'Mmm, waar moet ik nu heen?'
'Hier links en direct nog eens links,' zegt ze, 'dan rijd je zo ons dorp binnen. Nog een paar honderd meter... ho, hier, het volgende huis, dit is het.'
Rick stopt op het brede grindpad bij de voordeur. 'Mooi huis,' zegt hij waarderend. 'En hier zit jij nu helemaal alleen?'
'Ik heb een waakse kat!' grapt Nicky, 'en er zit een beveiliging op het huis, hoor, ik ben echt nooit bang.'
'Ik loop mee tot je veilig binnen bent.' Rick stapt ook uit en loopt mee naar de voordeur.
'Dan toch nog maar dat kopje koffie, maar dan hier?' vraagt Nicky na een lichte aarzeling.
'Nee, bedankt, dan wordt het echt te laat.' Ze staan voor de deur en Nicky steekt de sleutel in het slot.
'Nou... bedankt voor het thuisbrengen.' Ze treuzelt met naar binnen gaan. Zou hij nog iets willen afspreken, of was dit het, gewoon voor één keer?
'Ik ga eerst even jouw telefoonnummer noteren, dan bel ik je zo gauw ik weer deze kant op kom. Ik denk dat ik al heel gauw weer naar m'n oma ga!' Hij lacht erbij.
Een paar minuten later kijkt ze hem na, dan sluit ze de voordeur en doet het licht in de kamer aan. Ze ploft op de bank neer en lacht, zomaar stil voor zich heen. Wauw, wat een man!
Flodder komt de kamer binnen en springt op haar schoot. 'Ik geloof

dat ik verliefd ben, Flodder!' zegt ze tegen de kat. 'En niet zo'n beetje ook!'

Toch duurt het een aantal weken voor ze hem weer ziet. Wel belt hij regelmatig en hun gesprekken worden steeds vertrouwelijker. Ze kan bijna niet wachten tot ze hem weer zal ontmoeten. Als ze na bijna twee weken voorzichtig informeert of hij al weet wanneer hij weer naar zijn oma gaat, zucht hij spijtig aan de andere kant van de lijn. 'Helaas, er zijn nogal wat collega's ziek en ook de eerste vakanties zijn al ingepland, ik kan moeilijk weg op het ogenblik. In het weekend al helemaal niet en 's avonds ben ik meestal te moe om nog zo'n eind te gaan rijden. Ik denk dat ik ook wat grieperigs onder de leden heb, ik ben steeds doodmoe.'
'O joh, wat vervelend, nee, dan moet je echt niet komen, hoor, het was zomaar een vraagje.'
Ze hoort hem lachen als hij zegt: 'Echt waar? Jammer, ik hoopte dat je naar me verlangde.'
'Misschien ook wel een beetje...'
'Ik probeer zo gauw mogelijk te komen, ik laat het je horen zodra ik er tijd voor kan vinden, oké?'
'Fijn. Ik wacht rustig af.'
Ze voelt zich een beetje teleurgesteld als ze het gesprek beëindigd heeft. Ook al klinkt zijn stem lief en warm, toch vraagt ze zich af of hij net zo uitziet naar een volgende ontmoeting als zij. Anders had hij toch wel één avondje vrij kunnen maken? Maar ja, het blijft natuurlijk een vreselijk eind rijden, dat wel.
Collega Loeky plaagt haar stevig. De vrijdag nadat ze Rick gezien had, begon ze er onmiddellijk over. 'Leuke vent, gisteravond, je vriendje?'
Ondanks haar pogingen om niet te blozen, voelde ze zich rood worden. 'Nee hoor, gewoon een kennis.'
'Ja, ja! Zou ik ook zeggen. Nou, hij mag er zijn, hoor!'
De weken erna begint ze regelmatig over Rick, maar Nicky gaat er niet echt op in. Ten slotte is ze het een beetje zat. Misschien ook wel

door haar eigen onzekerheid over de bedoelingen van Rick, valt ze op een middag scherp uit tegen haar collegaatje. 'Hou nou maar eens op, ik heb die knul één of twee keer ontmoet. Als er iets te melden valt, hoor je het wel, hoor.'
'Sorry! Ik wist niet dat het zo gevoelig lag, ik zeg niks meer.'
Maar dan, op een zaterdagmiddag, helemaal onverwacht, staat hij opeens weer voor haar neus. Het is bijna sluitingstijd als het deurbelletje rinkelt. Nicky, die wat haren bij elkaar veegt, kijkt op. Rick! Van verbazing valt de bezem bijna uit haar hand.
'Hoi, je bent toch bijna klaar?' vraagt hij.
Ze knikt. 'Ja, even opruimen, dan kan ik weg.'
Loeky knipoogt naar René, een andere collega, en zegt dan: 'Wij vegen die laatste paar haren wel op, hè, René? Ga jij maar! Fijn weekend en tot dinsdag.'
Vlug loopt Nicky naar achteren om haar tas te pakken en met de ogen van Loeky in haar rug, gaat ze samen met Rick de deur uit. Opeens moet ze aan het gesprek denken dat ze een tijdje terug met Loeky had. Over wat voor haar belangrijk zou zijn bij het kiezen van een partner: of hij gelovig zou zijn. Ze realiseert zich nu opeens dat ze daar de laatste weken totaal niet over heeft nagedacht in verband met Rick. Ze had maar één wens: hem zo snel mogelijk terugzien.
En nu loopt hij hier naast haar. Alsof het de gewoonste zaak van de wereld is, pakt hij haar hand en houdt die stevig vast.
'Wat gaan we doen?' vraagt hij. 'Ik heb de tijd tot een uur of acht, dan moet ik weer rijden.'
'Moet je vannacht werken?'
'Tja, dat hoort er nou eenmaal bij. Maar zeg het eens: waar heb je zin in? De stad in, of ergens wandelen en wat eten, of naar jouw huis, het maakt mij allemaal niet uit. Ik ben hier voor jou.' Hij geeft haar hand een kneepje bij die laatste woorden.
'Ben je al bij je oma geweest?'
Hij schudt het hoofd. 'Nee, zij is de volgende keer weer aan de beurt.'
'We zouden er samen even langs kunnen gaan, een halfuurtje of zo, en dan naar mijn huis. Ik wil me in elk geval graag even omkleden.'

'Nee, nee, ik heb nu echt geen zin om naar haar toe te gaan, deze middag is voor jou en mij samen. En eerlijk gezegd hoopte ik al dat je ervoor zou kiezen om lekker rustig naar huis te gaan. Ik heb je gemist, Nicky!' Hij kijkt haar aan en ze raakt in verwarring door zijn blik. Er ligt iets broeierigs in, waar ze van schrikt. Maar zijn stem klinkt heel gewoon als hij verdergaat: 'Dan heb ik een goede reden om gauw weer deze kant op te komen, want dan is oma weer aan de beurt.'
'Prima, dan ga ik straks lekker voor je koken, en dan hebben we alle tijd om te praten.'
Intussen zijn ze bij de parkeerplaats aangekomen en even later rijden ze de stad uit.

Van praten komt niet veel en van koken ook niet. Als Nicky, thuisgekomen, Rick in de woonkamer heeft achtergelaten om zich te gaan verkleden, merkt ze dat haar benen trillen terwijl ze de trap op loopt. Er hangt al sinds ze in de auto zaten een enorme spanning tussen hen. Ze zoekt snel een leuk rokje en een T-shirt uit haar kast en trekt het aan. Zo, een beetje eau de toilette op en naar beneden. Ze wil bij hem zijn!
Haar stem klinkt een beetje hoog, als ze vraagt: 'Wil je wat drinken, een biertje of liever koffie?'
'Een biertje zou lekker zijn. Kan ik je helpen?' Opeens staat hij achter haar in de keuken, hij neemt het flesje bier uit haar hand en zet het op het aanrecht. 'Eigenlijk heb ik behoefte aan heel iets anders,' zegt hij. Hij slaat zijn armen om haar heen en kust haar.
Een hele poos staan ze zo, eindelijk gaan ze met hun drankje naar de kamer en dicht naast elkaar op de bank brengen ze de rest van de middag door.
'Gelijk toen ik je zag, daar bij dat station, wist ik al dat ik jou wilde!' zegt Rick tussen twee kussen door. 'En dat wil ik nog steeds, meer dan wat ook! Zullen we naar boven...'
Met een schok zit Nicky rechtop. Teleurstelling staat op haar gezicht. 'Gaat het je daar alleen om?' vraagt ze, 'ik dacht...'

'Sorry, sorry! Nee, natuurlijk niet! Ik liet me even gaan, nogmaals sorry! Maar je bent zo mooi, Nicky, ik verlies gewoon m'n verstand.'
Nicky kijkt hem aan, opeens wordt ze door twijfel overvallen. Wat weet ze eigenlijk van deze Rick, van wie en wat en hoe hij is?
Hij slaat zijn arm weer om haar heen. 'Ik zeg toch dat het me spijt,' zijn stem is nu zacht en lief. 'Kom, geef me nog een zoen, dat mag toch wel?' En of hij haar gedachten kan lezen, gaat hij verder: 'Vraag maar wat je wilt weten, ik vertel je alles, zelfs mijn pincode als je dat wilt.'
Ze glimlacht weer voorzichtig. 'Dat laatste hoeft nou ook weer niet. Maar ik weet eigenlijk niet veel van je.'
'En ik niet van jou.'
'Ook waar. Nou, wat wil je weten?'
'Wat je maar kwijt wilt...'
'Nou, eigenlijk wil ik inderdaad wel wat aan je kwijt, dan kun je zelf zien, wat je ermee doet. Ik, eh, ik ben katholiek opgevoed en ik heb bepaalde principes, daarom wil ik het ook rustig aan doen wat, eh... vrijen en zo betreft, vind je dat gek?' vraagt ze, opeens verlegen door de intense blik waarmee hij haar aankijkt.
'Integendeel, ik heb veel respect voor je. Maar wil dat ook zeggen dat je alleen een relatie met iemand wilt die ook katholiek is?'
'Ja, eigenlijk wel.' Ze slaat haar ogen neer.
Even blijft het stil, dan hoort ze hem zeggen: 'Dat is geweldig, Nicky, want ik heb dezelfde plannen: ik wil het liefst een relatie met een katholiek meisje.'
'Echt?' Met grote ogen kijkt ze hem aan. Dan lacht ze en zegt: 'O Rick, is het dan geen wonder dat we elkaar gevonden hebben? Ik zie dat echt als een wonder, en jij?'
Hij aarzelt even, maar in haar blijdschap merkt ze dat niet eens, dan zegt hij: 'Ja, beslist!' Hij trekt haar op zijn schoot en zegt dan zacht: 'Alleen in één ding ben ik het niet helemaal met je eens. Natuurlijk kun je niet zomaar met iedereen naar bed, maar als je heel zeker weet dat je voor elkaar bestemd bent, ligt dat volgens mij toch een beetje anders.' En als hij aan haar reactie merkt dat ze ertegen in wil gaan,

gaat hij verder: 'Nee, natuurlijk nu nog niet, maar later, als we trouwplannen gaan maken...'
'Ik weet het niet, hoor, ik vind het raar dat je daar nu al over praat, ik zie dat toch anders.'
'Ik ben een man, en jij een vrouw, dat is het verschil, echt waar! We praten er niet meer over, kom hier, ik ben alweer hard aan een kus toe!' Even schrikt ze van de harde, dwingende armen om zich heen, dan geeft ze zich er opnieuw aan over. Ach, hij heeft vast gelijk, een man zal wel anders over die dingen denken dan een vrouw, zeker zo'n onervaren vrouw als zij!
'Dus jij gaat iedere week naar de kerk?' vraagt ze even later.
Hij haalt zijn schouders op. 'Moeten we de hele tijd over de kerk praten? Ik lust nog wel een pilsje, zal ik er zelf een pakken?' Hij staat op en loopt al naar de keuken. 'Jij ook nog wat?'
Dan zitten ze weer op de bank en alle verstandige gedachten verdwijnen uit Nicky's hoofd als hij haar opnieuw in zijn armen neemt. Het is zomaar opeens zeven uur geworden. 'Ik zal eens wat te eten gaan maken,' zegt Nicky, 'over een uur moet je alweer weg, hè? Je hebt twee biertjes op, mag dat wel als je moet rijden?'
'Ja hoor, daar merk ik niks van. En wat dat eten betreft, laten we maar wat halen. Er is hier vast wel een snackbar in het dorp? Dan mag je een volgende keer voor me koken, afgesproken?'
'Wat je wilt, zal ik even wat halen? Met de fiets ben ik zo op en neer.'
Rick knikt. 'Graag, een patatje met een kroket is voor mij voldoende.'
Als Nicky ruim tien minuten later haar fiets neerzet en weer binnenkomt, ziet ze dat Rick juist zijn derde fles bier openmaakt. Ze doet haar mond al open om er een opmerking over te maken, maar sluit hem dan weer. Maar ze vindt het wel vervelend.
Na een innig afscheid staat ze om acht uur naast zijn auto. 'Wanneer zie ik je weer?' vraagt ze. 'Zal ik anders een keer jouw kant op komen, dan hoef jij niet zo ver te rijden.'
'Niet nodig, ik rij graag,' wimpelt hij het af. 'Ik bel je over een nieuwe afspraak. Van tevoren weet ik nooit precies wanneer ik tijd heb.'

'Oké, ik wacht af. Misschien kunnen we de volgende keer samen naar je oma gaan. Als we dan kennis hebben gemaakt kan ik ook eens alleen naar haar toe. Ik heb zelf geen oma meer en zij krijgt niet veel bezoek, dus voor ons allebei leuk!'
'Dat zien we dan wel.'
Nog één kus, dan rijdt hij weg. Nicky kijkt hem na tot hij de hoek om is, dan loopt ze langzaam naar binnen.

6

Eind mei wordt Eva geboren. Jenneke kan haar geluk niet op. Het is een vlotte bevalling en Eva is een prachtige baby. Peter heeft beloofd om een week vrij te nemen vanaf het moment dat de kraamverzorgster voor het laatst is. En dat is ook wel nodig, want het is een drukke boel met de twee kleine jongens en nu ook nog een baby erbij. Pas twee weken geleden hebben ze de eerste verjaardag van Jeroen gevierd en Mark is nauwelijks tweeënhalf. Na de zomervakantie zal hij twee dagdelen naar de peuterspeelzaal gaan.

De eerste paar dagen gaat alles goed. Ze hebben een al wat oudere, ervaren kraamverzorgster en als zij weggaat aan het eind van de dag, neemt Peter het over. Als hij wil is hij handig met de jongens en baby Eva slaapt het grootste gedeelte van de dag en de nacht. Maar na drie dagen gaat eind van de middag de mobiele telefoon, die Peter speciaal voor zijn werk heeft. Jenneke luistert mee, terwijl ze Eva de fles geeft.

'Oké, ja, prima, dat kan wel, ik kom er zo aan,' beëindigt Peter het gesprek.

'Moet je weg, je was toch vrij tot volgende week?'

'Helaas, een spoedklusje, in een paar uurtjes ben ik terug.'

'En wie doet zo meteen de jongens in bad? Kun je die rit niet uitstellen tot morgen, als de zuster er weer is?'

'Nee, dat gaat niet, het moet vanavond nog bezorgd worden.'

'Maar je zou deze weken toch 's avonds thuis zijn? Kan die Paul niet zelf een keertje rijden?'

'Nee, dat kan niet!' Het klinkt kortaf. 'De jongens kunnen morgenochtend wel in bad, dan is de zuster er weer. Tot straks!' Hij geeft haar een snelle kus en gaat de deur uit.

'Waar moet je naartoe en hoe laat ben je ongeveer thuis?' roept ze hem nog na.

'Geen idee!' De deur valt achter hem dicht.

Het is al na twaalven voor ze de sleutel weer in het slot hoort. Jenneke

is op de bank gaan liggen, ze is moe, maar toch ook te ongerust om naar bed te gaan. Waar blijft hij toch, hij had het immers over een 'paar uurtjes'? Nu komt ze langzaam overeind en ze knippert tegen het licht als Peter de lamp aan doet.
'Peet, waarom ben je zo laat? Ik was echt ongerust!'
'Waarom lig je hier, was toch naar bed gegaan. Je weet toch onderhand wel dat zo'n rit vaak uitloopt? Kom op, gauw naar de slaapkamer! Ik drink nog even wat, dan kom ik ook.'
De volgende dagen blijft het rustig, Peters werktelefoon gaat niet meer. Maar als de kraamverzorgster na een week afscheid heeft genomen en de vrije week van Peter begint, gaat het al snel weer mis. Verschillende keren belt baas Paul voor een extra klusje en telkens draaft Peter onmiddellijk op.
'Ik vind het echt niet normaal, hoor!' moppert Jenneke, 'je hebt toch vakantie!'
'Lieverd, ik heb een vorstelijk salaris, en daar staan nou eenmaal bepaalde verplichtingen tegenover,' zegt Peter, 'dat zullen we moeten accepteren. Of wil je liever terug naar dat kleine huisje en dat hongerloontje?'
'Nou, hongerloontje... Dat viel ook wel mee, hoor! Je was tenminste regelmatig thuis, zeker in het weekend. En daar hadden we onze ouders en vrienden dichtbij.'
'Zeur niet zo, Jenneke, we hebben hiervoor gekozen en ik heb het naar mijn zin. Je moet ook een beetje vooruit denken. Over een jaar of wat gaan de kinderen naar school, studeren of weet ik wat. Dan moet er extra geld zijn.'
'Nou, dat duurt nog wel even, hoor,' zegt Jenneke nuchter. 'Voorlopig gaat de eerste net naar de peuterspeelzaal. Echt, Peet, ik vind dit niet leuk.'
'Nou, als ik tegen iets aan loop dat even goed betaald wordt, maar waarbij ik regelmatiger thuis kan zijn, kan ik altijd nog overstappen. Voorlopig zul je het hiermee moeten doen. Kom op, Jen, ik ben toch ook juist vaak overdag thuis?'

Als Jenneke weer helemaal op de been is, loopt het allemaal weer wat soepeler. Ze heeft weinig tijd om na te denken over de baan van Peter, haar dagen zijn helemaal gevuld met zorg voor de drie kleintjes. Ze is snel weer helemaal hersteld na de bevalling, maar ze gaat haar familie en vrienden steeds meer missen.
En het lijkt wel of Peter steeds meer werkuren gaat maken. Steeds vaker en langer is hij van huis. Maar daar staat inderdaad dat geweldige salaris tegenover. Jenneke bemoeit zich niet zo met geldzaken, maar regelmatig brengt Peter leuke cadeautjes voor haar en de kinderen mee. Afgelopen zaterdag nog, toen hij pas 's avonds laat thuiskwam, haalde hij een klein pakje van een juwelier uit Utrecht uit zijn zak en gaf het haar. Er zat een prachtig gouden horloge in, mooier dan ze ooit gezien had.
'Joh! Wat prachtig!'
'We hebben iets te vieren!' zei hij met een glimlach. 'het is nog een verrassing, maar ik vertel je over een paar dagen meer. Je zult versteld staan!'
Dinsdagavond, als de jongens in bed liggen en Jenneke de baby heeft gevoed, zegt Peter: 'Geef mij Eva maar, als jij dan even koffiezet, zal ik je zo m'n nieuws vertellen.'
Jenneke haast zich naar de keuken, ze is echt nieuwsgierig. Maar tegelijk ook een beetje ongerust, wat zal hij nu weer voor plannen hebben? Ze ving pas iets op over zaken die baas Paul ook in het buitenland doet. Amerika, hoorde ze noemen. Hij zal het toch niet in z'n hoofd halen om Peter daarnaartoe te sturen?
As ze de kamer weer binnenkomt, zit Peter met een slapende Eva op de bank.
'Nou, vertel!'
'Jij moppert nog weleens dat ik te veel en te onregelmatig weg ben voor m'n werk. En daar heb je natuurlijk wel een beetje gelijk in. Ik heb je een tijdje terug beloofd dat ik eens zou rondkijken of ik niet iets anders geschikts zou kunnen vinden, en ik denk dat ik dat nu gevonden heb. Alleen...' hij steekt zijn hand op als Jenneke enthousiast opspringt en hem wil omhelzen, 'alleen, het zal eerst even nog

meer tijd vragen, maar daarna, ja, daarna wordt het geweldig!'
'Wat is het dan?'
'Luister, ik was pas een keertje voor een ritje voor Paul in België, net over de grens bij Valkenswaard. Ik moest hem daar brengen en wachten tot hij klaar was met zijn zaken. Ik ging wat drinken in een cafeetje en raakte daar met iemand aan de praat. Toen hoorde ik dat er een oud pension, een klein hotelletje zeg maar, leegstond. Die man wilde het nieuw leven inblazen, maar het moet eerst helemaal worden verbouwd en opgeknapt, het staat al jaren leeg. Hij was eigenlijk op zoek naar iemand die handig is en tijd wil investeren. Als het dan helemaal klaar is, zouden hij en die partner daar samen weer een goedlopend hotel van kunnen maken. Nou,' zegt hij, terwijl hij Jenneke vrolijk aankijkt, 'ik ben handig, en hij kan er geld in stoppen. Dus ik dacht: als ik mijn werk bij Paul nou eens een jaartje probeer te combineren met het klussen daar, dan kunnen we misschien over een jaartje daar gaan wonen.
Jij hoeft dan alleen maar de gasten in te schrijven en misschien af en toe eens aan de receptie te zitten, ik doe het onderhoud en het grove werk rondom het hotel en ik hou de tuin bij. Victor, de man met de plannen en het geld, wordt directeur. En de winst delen we. Nou, hoe lijkt dat?'
Jenneke is tijdens zijn betoog steeds verder achterover gaan zitten op de bank. 'Ik weet het niet, hoor,' zegt ze nu, 'ik hoor twee dingen: jij zult nog vaker van huis zijn en op den duur komen we nog verder van de familie af te wonen. Ik geloof niet dat ik in België wil wonen, Peter. En wij in een hotel werken? Ik dacht dat je het zo goed naar je zin had bij die Paul? Nu heb je je vrijheid, maar dan zit je vast in zo'n Belgisch dorp. België... eigenlijk had ik stilletjes gehoopt dat we weer terug naar het noorden zouden gaan, dat dat je verrassing zou zijn.' Teleurgesteld kijkt ze hem aan. 'Ik ben het helemaal zat op deze flat. De jongens kunnen nauwelijks naar buiten, terwijl in de tuin van ons oude huis...'
'Hou toch op, Jenneke! Die twaalf vierkante meter wil je toch geen tuin noemen! Wacht maar, als we eenmaal in België wonen,

dan hebben de kinderen een heel park ter beschikking.'
'Ik hoef geen heel park!' Opeens begint Jenneke te huilen. 'Ik wil gewoon een stukje grond waar ik kan zitten terwijl de kinderen om me heen spelen in de zandbak. En waar m'n moeder een kopje thee bij me kan komen drinken, dát wil ik! En een man die 's avonds thuis is, in plaats van op de meest rare tijden weg te gaan. Een man die ook eens aandacht aan zijn kinderen geeft, want dat is er ook helemaal niet meer bij. De enige aandacht die de jongens van jou krijgen is een snauw dat ze stil en rustig moeten zijn.'
'Kom op, Jenneke, overdrijf niet zo!'
'Als je zo veel verdient als je zegt, dan kun je toch ook wel een huis huren in ons oude dorp? Je bent altijd op pad, wat maakt het dan uit of je van daaruit vertrekt, of vanaf Utrecht? Ik ben geen stadsmens, ik heb het echt geprobeerd, maar ik word hier doodongelukkig.'
'Daarom gaan we ook naar België, daar kun je...'
'Ik wíl niet naar België!' Nu schreeuwt ze, ze hoort het zelf.
Peter staat op, hij legt de slapende Eva in de box en met boze stappen loopt hij de kamer uit, de deur met een klap achter zich dicht trekkend.
Jenneke hoort de voordeur open- en dichtgaan, alweer met een bonk. Jeroen begint te huilen, maar Jenneke staat niet op om naar hem toe te gaan. Met haar hoofd in haar handen blijft ze zitten. Na een paar minuten stopt het huilen weer in de kinderkamer.
Maar in de kamer blijven de tranen vloeien.

De dagen erna wordt er niet meer over gesproken. Maar een week later vraagt Jenneke: 'Hoe zit het nu met dat Belgische gedoe? Heb je nu al definitief een beslissing genomen?'
'Ja, dat weet je toch? Binnenkort begin ik daar. In het begin vooral tijdens de weekends, dan heeft Paul me niet nodig en kan ik flink aanpakken daar.'
'Heb je nu opeens elk weekend vrij en wil je zeggen dat je dan elk weekend in België zit?'
'Ik doe het ook voor jou en de kinderen. En ik hoef niet het hele

weekend daar te zijn, misschien alleen de zaterdag.'
'Je bent echt gek geworden, geloof ik!' Jenneke is gaan staan. 'Je bent er al zo weinig, je gaat steeds vaker en langer weg. Je hebt ook nog een vrouw en drie kinderen, hoor!'
'Je zou me moeten steunen! Ik zei net al: ik doe het ook voor jou!'
Jenneke is weer neergezakt op een stoel. 'Ik wil dat hotel eerst weleens zien, en ook de omgeving. Misschien dat ik er dan anders over ga denken. Want hier in de stad wil ik zeker niet blijven. Ik vind het echt vreselijk in deze flat, Peet. De jongens moeten naar buiten kunnen, en ik ook. Laten we er dan in vredesnaam maar eens naartoe rijden, komend weekend. Ook al is het nog veel verder van de familie, alles is beter dan dit hier.'
'We kijken wel...'
'Nee, ik wil er zaterdag naartoe, dan ben je toch vrij?'
Peter knikt. 'Goed dan, maar ik kan je niet beloven dat we ook binnen kunnen kijken. Maar we rijden er in elk geval langs.'
Jenneke zegt niks meer, misschien moet ze het een kans geven. Stel dat het een aardig dorpje is, dan is het misschien toch wel een mooie plek om te gaan wonen. Alles beter dan deze stad, deze flat, met die vreselijke lift!

Zaterdag om halftwaalf, na een voeding van Eva, zitten de drie kinderen achter in de auto, Eva in de Maxi-Cosi en de beide jongens in autostoeltjes. Het is een heel gedoe eer iedereen veilig en wel zit.
'Het is toch wel een heerlijke auto om in te rijden,' vindt Jenneke, als Peter de snelweg op rijdt. 'Een heel verschil met het oudje dat we eerst hadden.'
'Dus mopper maar niet op mijn baan, dit is één van alle leuke extraatjes die we hierdoor hebben!' antwoordt Peter. 'Daar moet je nou eenmaal ook wat kleine offers voor brengen.'
Jenneke knikt maar wat, ze geniet van het ritje en de jongens achterin ook. Eva is algauw in slaap gevallen, maar de twee broertjes amuseren zich goed. Het gebeurt ook niet vaak dat ze mee mogen rijden in de mooie auto van hun vader. Hij is altijd druk met zijn werk en

de autostoeltjes moeten er speciaal ingezet worden.
Bijna anderhalf uur later rijden ze via een klein Belgisch dorpje, een smalle, slecht geasfalteerde weg op. Na een kilometer of vier ziet Jenneke aan haar rechterhand, een flink stuk van de weg af, een oud, bouwvallig huis. Aan het begin van het toegangspad staat een bordje 'Te Koop'.
Peter is een stukje het pad op gereden en gestopt. Hij wijst naar de bouwval. 'Dat is het,' zegt hij.
'Dat meen je niet!' Jenneke opent het portier van de auto en wil uitstappen. 'Kunnen we er wat dichterbij gaan kijken?'
'Nee nee,' zegt Peter haastig, 'het is eigen terrein, daar kun je niet zo maar op lopen. Je ziet het zo toch, meer is er niet te zien.'
'Maar Peet, het is bijna een ruïne! En het is toch veel te klein, dat kan toch nooit een hotel worden!' Jenneke is weer gaan zitten, het portier staat nog een beetje open. 'Kunnen we echt niet even gaan kijken? Kijk, er loopt iemand in de tuin, is dat niet die man met wie je zaken wilt gaan doen? O kijk, volgens mij komt hij hiernaartoe, dan kunnen we toch even vragen...'
'Nee, ik weet niet wie dat is, vooruit, doe die deur dicht, dan rijden we verder.' Peter start de motor alweer, Jenneke slaat het portier dicht en nog voor ze haar gordel heeft kunnen vastmaken, rijdt Peter alweer weg.
'Wat een idioot gedoe!' moppert Jenneke. 'Je had toch kunnen regelen dat we even binnen konden kijken? Rijden we dat hele eind en zien we nog niks! Ik ga echt volgende maand niet weer hiernaartoe sjouwen met de kinderen, hoor!'
'Dat hoeft ook niet, als het bijna klaar is gaan we wel weer eens kijken. Maar dat duurt voorlopig nog wel een jaar.'
'Stapelgek! Wat haal je je toch allemaal in je hoofd. Is één drukke baan niet genoeg? O, waren we toch maar lekker in Drenthe gebleven!'
'Zeur toch niet altijd zo!'
Mark begint te huilen, hij schrikt van de harde, boze toon waarop zijn ouders met elkaar praten.

'Heb je nou je zin?' bijt Jenneke Peter kwaad toe. Ze draait zich om naar de achterbank en pakt het handje van Mark. 'Stil maar, jochie, we gaan zo even stoppen en dan gaan we wat lekkers eten. Misschien wel een pannenkoek, als we die kunnen vinden, en anders een lekker broodje, goed?'
Zonder nog een woord te wisselen rijden ze door naar het volgende dorp. Bij een restaurantje stopt Peter en nog steeds zwijgend halen ze samen de kinderen uit de auto. Dan gaan ze naar binnen. Mark is zijn verdriet alweer vergeten en twintig minuten later eet hij glunderend een pannenkoek met stroop. Eva heeft haar flesje leeggedronken en ligt weer in de Max-Cosi, terwijl Peter en Jenneke een kop koffie drinken en een broodje eten. Jeroen pulkt de rozijnen uit een krentenbol en mag een hapje van de pannenkoek van zijn broer.
'Een schoon gezin hebt u!' zegt de wat oudere serveerster, als ze de lege schoteltjes weghaalt.
Jenneke glimlacht naar de vrouw, maar ze denkt bitter: je moest eens weten, zo 'schoon' is het tegenwoordig niet meer bij ons.
In de middag komen ze weer thuis. Op de terugweg is Jeroen in slaap gevallen, maar Eva jengelt en Mark zeurt om de drie minuten hoe lang het nog duurt. Als ze eindelijk thuis zijn, is Jenneke doodmoe. Peter zwijgt nog steeds en ze zijn nog geen vijf minuten binnen of zijn telefoon gaat alweer. De werktelefoon die hij dag en nacht bij zich heeft, en die altijd oproept tot een nieuwe opdracht voor de baas. Jenneke is het opeens helemaal zat. Als Peter zonder groet de deur uit is gegaan, de jongens spelen en Eva in haar bedje ligt, zit ze lange tijd stil aan de eettafel. Na een paar uur maakt ze eten voor de kinderen en brengt ze naar bed. Daarna gaat ze weer aan de tafel zitten, ze denkt en denkt maar. Ten slotte neemt ze een besluit, zo wil ze het niet langer. Ze staat op, rekt zich uit en gaat op de bank zitten. Ze zapt langs wat tv-programma's, maar niks kan haar aandacht vasthouden. Zo vindt Peter haar als hij eindelijk thuiskomt.
Ze kijkt op als hij de kamer binnenkomt. 'Peet,' overvalt ze hem, 'we moeten praten. Ik wil dit niet meer, ik wil terug naar huis.'

'Naar huis? Je bént thuis.'
'Je begrijpt best wat ik bedoel, ik wil terug naar Drenthe, en ik gá ook terug naar Drenthe.' Heel kalm is ze.
Hij kijkt haar strak aan, dan zegt hij langzaam: 'Dan zul je alleen moeten gaan, ik blijf hier.'
'Alleen? De kinderen gaan mee.'
Hij haalt de schouders op. 'Logisch, ja...'
Nu komen er tranen. 'Het boeit je niet eens, hè, als ik ze meeneem, als wij vertrekken.' Het is geen vraag, meer een vaststelling.
'Jíj wilt weg, ik niet...' Hij is ook gaan zitten, maar kijkt haar niet aan.
'Ik wil gewoon dat het weer wordt als vroeger!'
'Dat gaat niet, je kunt de tijd niet tegenhouden. Kom op, Jenneke, we hebben het toch hartstikke goed? Weet je nu al niet meer dat we elke euro moesten omdraaien? En nu, je kunt kopen wat je hebben wilt.'
Ze staat op en gaat op de leuning van zijn stoel zitten, haar arm op zijn schouder. 'Dat geld kan me niet eens zo veel schelen, ik heb het gevoel dat ik jóú kwijtraak, elke dag een stukje meer.'
'Onzin!' Ongeduldig schudt hij haar arm weg en staat op. 'Jij wilt je niet aanpassen, je staat mijn carrière in de weg.'
'Carrière! Je loopt in een mooi pak, maar je wordt nooit meer dan chauffeur, hoor. En wie is die Paul nu eigenlijk? Wat doet hij, waar woont hij, waarom is het zo'n vage figuur? Waarom hol je zo voor die man? Als meneer Paul met z'n vingers knipt, kom je al aangerend.'
'Bedankt! Jij geniet toch maar mooi mee van de centen van die meneer Paul.' Hij is boos, ze ziet het aan zijn samengeknepen mond.
'Ik bedoel alleen maar...' begint ze.
'Het is duidelijk wat je bedoelt, je hebt liever een bouwvakker dan iemand met een verantwoordelijke baan. Het lijkt wel of je jaloers bent. Laat het nu maar aan mij over, jij zorgt voor de kinderen, ik voor het geld.'
'Waar slaat dat nou op, je wilt me niet begrijpen, hè?' Verdrietig is ze weer op de bank gaan zitten. 'Natuurlijk vind ik het leuk voor je dat je dit werk hebt, dat je goed verdient. Maar je bent er bijna nooit en ik mis daardoor dubbel mijn familie. Snap je dat dan niet?'

'Ik zeur toch ook niet over mijn familie? Ik zie mijn broer toch ook nooit? Ik en de kinderen, wij zijn je familie, daar moet je het mee doen.' Hij staat op en loopt naar de keuken. Als hij de kamer weer binnenkomt, heeft hij een flesje bier in zijn hand, hij pakt de afstandsbediening van de tv en begint te zappen. Bij een sportzender stopt hij. Even later is hij verdiept in de samenvatting van een voetbalwedstrijd.
Jenneke zucht, ze weet dat nu verder praten geen zin heeft. Ze loopt de kamer uit, ze gaat een flesje warm maken voor Eva. Ze heeft opeens geen zin meer om langer bij hem in de kamer te zitten. Met de baby op schoot installeert ze zich op haar bed. Er vallen tranen op de fles.

7

EIND JULI GAAT NICKY EEN LANG WEEKEND NAAR BASEL. RICK, MET WIE ze nu een stevige relatie heeft, heeft aangegeven dit weekend zeker niet te kunnen komen, omdat hij dienst heeft. Haar vader heeft al verschillende keren gevraagd wanneer ze nu eens een weekje komt, maar steeds wilde ze niet weg, omdat Rick op ongeregelde tijden opeens belt of voor de deur staat.
'Verrassing!' roept hij steevast als ze hem onverwacht weer ziet of als hij belt dat hij onderweg is.
'Waarom bel je toch niet wat eerder, dan hou ik er rekening mee,' zegt Nicky af en toe.
'Mijn diensten zijn zo wisselend,' antwoordt Rick dan, 'soms kan ik opeens weg, en soms moet ik opeens een extra dienst draaien, daar kun je nou eenmaal niet van op aan.'
'Dat is toch raar, je zult vast wel volgens een bepaald rooster werken?'
'Jawel, maar daar wordt nou eenmaal erg vaak van afgeweken. Ik heb heel wat mensen onder me, weet je. En als er dan iemand uitvalt, moet ik zorgen dat alles gewoon doordraait.'
Maar dit weekend zal ze dus eindelijk eens naar haar vader gaan. Haar heenvlucht is op vrijdagmiddag en maandag in de loop van de dag zal ze weer landen op Eindhoven.
Het worden gezellige dagen. Nicky is verbaasd als ze haar vader ziet, hij ziet er stukken beter uit dan de laatste keer dat ze hem zag. Enthousiast vertelt hij over zijn werk en zijn collega's.
'Het doet je goed, hè pap, dat werken hier?' vraagt Nicky, als ze zaterdagavond samen in een leuk restaurant zitten te eten.
'Ja kind, het is goed dat ik ja gezegd heb tegen dit aanbod. Thuis... ach, je weet het zelf, op elk plekje in het huis werd ik aan je moeder herinnerd. Natuurlijk denk ik hier ook veel aan haar, maar het is toch anders. Er is afleiding, het werken hier is een nieuwe uitdaging. Eerlijk gezegd hoop ik dat ik nog wat langer kan blijven dan dit ene jaar.' Hij kijkt haar aan en gaat dan verder: 'Maar nu jij, hoe gaat het met jou? Je ziet er heel goed uit, ik kan zien dat je verliefd bent.' Hij

lacht warm naar haar. 'Enne... je moet het me maar niet kwalijk nemen, maar ik heb die jongeman van jou eens laten natrekken. Nou, dat zit allemaal goed, hoor. Hij heeft een verantwoordelijke baan bij de marinebasis in Den Helder. En ook verder is er niks op hem aan te merken, prima vent!'
'Hè pap! Wat is dat nou voor onzin. Ik weet heus wel wat ik doe, hoor. Ik vind dat geen leuk idee, zeg het maar niet tegen hem als je hem eens ontmoet, ik schaam me rot!'
'Nou, dat is niet nodig, hoor, hij zal dat best begrijpen. Jij kunt soms best naïef zijn, Nicky. Ik wil graag weten met wie jij je inlaat, tenslotte zit je daar helemaal alleen in dat grote huis. Maar nu ben ik echt gerustgesteld. Die Rick van je houdt vast wel een oogje in het zeil. Wanneer krijg ik hem trouwens te zien? Jullie hadden wel samen kunnen komen.'
'Hij had dienst. Goede reden voor jou, pap, om weer eens een paar dagen naar huis te komen.'
Bij die laatste woorden ziet ze haar vaders gezicht betrekken. 'Kom jij maar vaker hiernaartoe, ik vind het zo moeilijk...'
Dan pakt hij de dessertkaart, 'Nou, wat wil je toe? Gaat het trouwens financieel allemaal goed? Ik zal komende week eens wat extra's overmaken, dan kun je weer eens lekker gaan shoppen.'
'Dat is niet nodig, pap, ik verdien zelf toch ook en je geeft me al zo'n grote toelage elke maand. Heus, daarvan kan ik genoeg winkelen en ook nog flink overhouden om te sparen.'
'Ik verwen mijn meisje graag een beetje, en zo veel verdien je toch ook niet als kapster?'
Daar gaan we weer! denkt Nicky bij die laatste woorden van haar vader. 'Pap, ik verdien helemaal niet slecht! Niet iedereen kan arts of zakenman zijn. Stel je voor dat er geen kappers waren, wie deed jouw haar dan?'
'Jij,' antwoordt hij heel onlogisch.
Nicky geeft geen antwoord meer, met een frons boven haar wenkbrauwen bestudeert ze de dessertkaart. 'Doe mij maar gewoon een cappuccino.'

Maandag, als haar vliegtuig geland is en ze haar mobiele telefoon aanzet, krijgt ze een sms van Rick. *Ik sta op het vliegveld, x Rick* leest ze. Als ze is uitgestapt, ziet ze hem al staan achter het glazen raam, boven bij de hal. Even later voelt ze zijn armen om zich heen. Ze is weer thuis.

Als ze, na een kopje koffie in het restaurant, in zijn auto zitten en richting het zuiden rijden, stelt Nicky voor: 'Zullen we dan eindelijk eens samen naar je oma gaan, of heb je haast?'

'Ik kom er net vandaan, ik was al vroeg op stap. Een volgende keer maar eens.'

'Jammer, ik wil haar nu eindelijk weleens leren kennen. Hoe gaat het met haar? Je hebt toch wel over mij verteld, hoe reageerde ze eigenlijk?'

'Ik heb haar pas over je verteld, maar vandaag was ze wat grieperig, dus ik ben maar kort geweest. Ze kan niet veel drukte meer aan, je kunt merken dat ze steeds ouder wordt. Voorlopig kan ik beter alleen gaan, met z'n tweeën bij haar wordt het algauw te druk.'

'We hoeven toch geen uur te blijven? Ik vind het leuk om eindelijk eens kennis met haar te maken, straks is ze er misschien opeens niet meer, en dan zeggen we: hadden we maar niet zo lang gewacht.'

Rick legt een hand op haar knie. 'Die oma van mij is taai, hoor! Maar je hebt gelijk, we zullen binnenkort eens samen gaan. Weet je wat het ook is, ze begint een beetje te dementeren, dat wilde ik je eigenlijk niet vertellen, het is soms gewoon gênant, dan zegt ze opeens de gekste dingen.'

'Daar hoef jij je toch niet voor te schamen! Doe niet zo raar, Rick, ik wil haar echt graag leren kennen, ze is zo belangrijk geweest in jouw leven. Beloof me dat we binnenkort gaan.'

'We zullen zien. Maar vertel nou eerst eens hoe het in Zwitserland was. Was je vader blij je te zien? En wat hebben jullie gedaan, nog wat van de stad gezien?'

Nicky heeft even moeite om opeens om te schakelen, ze is in gedachte nog bij de oma van Rick. Maar dan begint ze te vertellen over de dagen bij haar vader. Maar terwijl ze zit te praten over Basel, rijpt er

een plannetje in haar hoofd: ze gaat gewoon zelf een keer naar de oma van Rick. Ze wil de oude dame echt graag leren kennen.
Onderwijl vertelt ze over de stad, de leuke restaurantjes waar haar vader haar mee naartoe heeft genomen, en de collega van hem die ze vanochtend ook heeft ontmoet. 'Hij woont in een mooi appartement,' zegt ze, 'maar alleen is toch maar alleen. Papa zou het liefst willen dat ik daar ook kwam wonen. En ik moet je eerlijk zeggen: als ik jou niet had, zou ik er toch over denken. Nu ik alles heb gezien, viel het me helemaal niet tegen.'
Verschrikt kijkt hij opzij. 'Hoor ik daar een lichte twijfel?'
'Nee, gekkie, natuurlijk niet!' Ze vlijt haar hoofd tegen zijn schouder. 'Ik kan immers helemaal niet meer zonder jou, jij bent het belangrijkste in mijn leven.'
'En jij in het mijne,' zegt hij. Hij geeft een klopje op haar been en legt dan zijn beide handen weer op het stuur. 'Zo, we zijn er. Ik heb nog net tijd voor een colaatje, dan moet ik er weer vandoor.'
'Hè, ik hoopte dat je de rest van de dag kon blijven. Wat heb jij toch een onregelmatig rooster, word je daar zelf niet helemaal gek van?'
'Nee hoor, het heeft wel z'n charme. Stel je voor dat ik een baan van acht tot vijf zou hebben, dan had ik je nu niet kunnen ophalen. Dus... het heeft zeker ook zo z'n voordelen.'
Nicky heeft intussen de voordeur opengemaakt en samen gaan ze naar binnen.
Na een kwartiertje staat hij alweer op, zet het lege glas op tafel en neemt Nicky in zijn armen.
'Ik moet gaan, schatje! Zaterdag kom ik bijtijds en dan kan ik de hele dag blijven. Misschien zelfs wel tot zondag, als het mag van meneer pastoor!' Hij knipoogt ondeugend.
'Natuurlijk, we hebben een logeerkamer, hoor,' zegt Nicky.
'Afgesproken, ik blijf tot zondag, maar op één voorwaarde: die logeerkamer laten we voor wat hij is.' Hij kijkt haar diep in haar ogen.
'We zien wel!' zegt ze ontwijkend. Dan slaat ze haar armen om zijn

nek en haar hartstochtelijke kus lijkt een belofte voor het weekend. Hij lacht tevreden, dan gaat hij naar zijn auto.

De daaropvolgende dagen raakt de gedachte aan een bezoek aan oma Van Noorden weer helemaal op de achtergrond. Nicky is druk op haar werk. Ze geniet nog iedere dag van haar baan bij salon Pieter. Het is echt zó anders dan bij haar vorige werkgever. Daar was het eigenlijk altijd hetzelfde: wat knippen, een permanentje, een kleurtje... Maar hier worden echt de meest extravagante kapsels verzorgd. Natuurlijk zijn er ook wel de gewone werkzaamheden, maar veel klanten verwachten iets bijzonders, en dat krijgen ze dan ook.
Pieter heeft beloofd dat Nicky ook heel binnenkort op cursus mag. Samen met Loeky zal ze in Amsterdam vijf dagen bijgeschoold worden. Nicky verheugt zich er al op.
Maar deze week is ze vooral vol van de gedachte dat Rick nu eindelijk eens wat meer tijd zal hebben dit aanstaande weekend. Eigenlijk vindt ze het abnormaal dat hij zo weinig vrije tijd heeft. Hij is waarschijnlijk veel te plichtsgetrouw, op het overdrevene af. Maar ja, dat hoort waarschijnlijk bij zijn functie, ze ziet dat immers ook bij haar vader. Hoe belangrijker je functie, hoe minder vrije tijd. Soms baalt ze er wel van en steeds meer komt de gedachte bij haar boven om een baan te gaan zoeken in de buurt van Den Helder. Kappers heb je immers overal? En als papa weer thuiskomt wil ze toch op zichzelf gaan wonen, dus waarom niet in het noorden van het land.

Zaterdagochtend rond een uur of elf stopt de auto van Rick voor de deur. Nog voor hij is uitgestapt, is Nicky al buiten en slaat beide armen om hem heen. 'Hè, wat heerlijk dat je er bent, een heel weekend voor ons samen!'
Hij kust haar en met zijn arm om haar schouder lopen ze naar binnen. 'Bíjna een heel weekend,' verbetert hij haar. 'Ik moet morgen gelijk na de middag weer weg.'
'Maar je was toch vrij dit weekend?' Het lukt Nicky niet om de teleurstelling uit haar stem te weren.

'Dat ben ik ook, maar mijn schoonzusje heeft hulp nodig. Haar man, mijn broer dus, zit voor een paar maanden in het buitenland en haar beste vriendin wordt dertig. Je begrijpt, met een paar kleine kinderen kom je alleen toch al niet zo vaak de deur uit, en hier wilde ze echt erg graag naartoe, er wordt een verrassingsfeestje georganiseerd, waarbij geen kinderen mogen komen. Dus heb ik beloofd dat ik wel een paar uurtjes oppas, dat begrijp je toch wel?'
'Ja, natuurlijk. Maar je hebt me nooit verteld over je broer en schoonzus. Toen je vertelde over het ongeluk waarbij je ouders om het leven kwamen, zei je dat je alleen je oma nog maar had.'
Verbaasd kijkt ze hem aan.
'Ach ja, dat ligt allemaal wat moeilijk. Robert is vier jaar ouder dan ik, we hebben nooit een band gehad. Na de dood van mijn ouders is hij terechtgekomen bij familie van m'n moederskant en ik dus bij mijn grootouders van moederskant. Die twee families hadden niet veel op met elkaar, met als gevolg dat Robert en ik elkaar ook nauwelijks meer zagen. Die andere familie was nogal in goeden doen, zoals ze dat noemen. Gestudeerd en allemaal dikke banen en veel poen. Maar de familie van mijn vader was eenvoudig, het waren harde werkers zonder veel opleiding. Toen we eenmaal volwassen waren, kregen Rob en ik wat meer contact, maar echt klikken deed het nooit. Hij blijft mij toch zien als het simpele, kleine broertje. Hij is professor, vreselijk geleerd en wat wereldvreemd. Maar met Corinda, zijn vrouw, kan ik juist heel goed opschieten. Dus het gekke is: als hij thuis is, zien we elkaar vrijwel nooit, maar tijdens de periodes dat Robert in het buitenland is, kom ik nog weleens bij Corinda en de jongens. En daarbij, jij praat toch ook bijna nooit over je broer?'
Nicky geeft eerst geen reactie. Wat een verhaal! En wat een triest leven heeft Rick toch gehad. Zo jong zijn ouders verloren en dan heb je één broer, en die kijkt eigenlijk op je neer.
Onder het vertellen van zijn verhaal heeft zij intussen koffie gemaakt.
'Binnen of buiten?' vraagt ze.
'Buiten maar, het is zonde om binnen te zitten met dit weer.' Hij pakt de bekers van haar over en loopt de achterdeur door naar het terras.

'Lekker stukje vlaai?'
'Stukje? Stuk! De liefde van de man gaat door de maag, dat weet je!' lacht hij.
Als ze samen van hun gebak genieten, begint Nicky opeens te lachen. 'Zal ik je eens wat vreselijks vertellen?' vraagt ze. 'Mijn pa heeft je laten natrekken! Erg, hè?'
'Natrekken, wat bedoel je?' vraagt Rick met gefronst voorhoofd en schrik in zijn ogen.
Nicky haalt de schouders op. 'Gewoon, ik weet niet hoe. Hij heeft navraag laten doen naar jouw handel en wandel.'
'En?' Hij kijkt haar strak aan.
'Gewogen en zwaar genoeg bevonden! Hij was tevreden met wat hij over je hoorde, je schijnt geen strafblad te hebben en je superieuren zijn tevreden over je.' Ze kijkt hem aan en schrikt van de uitdrukking op zijn gezicht. 'Je vindt het toch niet erg?' vraagt ze. 'Ik vond het ook idioot, maar ja, je begrijpt, een bezorgde vader, hè? Misschien had ik het je niet moeten vertellen, maar ik dacht: wat maakt het ook uit. Het is in elk geval fijn dat je bent goedgekeurd. Mijn vader denkt altijd dat ik naïef ben en het niet zou merken als iemand op m'n geld uit zou zijn.'
'Je geld?'
'Nou ja, het geld van de familie. Ikzelf ben natuurlijk niet echt rijk, hoewel ik lekker heb kunnen sparen. Eerlijk is eerlijk, papa is altijd heel royaal voor me. Dus als ik nog eens trouw...' ze kijkt hem bij die woorden olijk aan, 'heb ik in elk geval een lekkere spaarpot om ons leuk in te richten.'
'Da's altijd gemakkelijk,' zegt hij met een glimlach, 'maar nu wat anders, Nick, wat gaan we doen vandaag? Jij mag het zeggen, ik vind alles goed, bedenk maar iets leuks.'
'Mmm, wat een aanbod. Dat zal ik flink uitbuiten, ik ben tenslotte niet elke zaterdag vrij, dus ik moet er dubbel van genieten. Wat dacht je van een flinke fietstocht?'
'Iets leuks, zei ik.'
'Hou je niet van fietsen? Eigenlijk kennen we elkaar nog helemaal

niet zo goed, hè? Wat vind jij dan leuk: wandelen, de stad in, een stad bekijken, een museum?'
'We kunnen twee dingen combineren: we fietsen naar de stad en gaan dan lekker op een terrasje zitten. Jij fietst graag, ik hou van dat terrasje. En dan kunnen we ook nog bijpraten. Nou, wat zeg je daarvan?'
'Top! Jij kunt papa's fiets gebruiken, je moet misschien alleen even de banden oppompen.'
Als ze een kwartiertje later wegrijden, vraagt hij: 'Welke stad had je eigenlijk in gedachten, toch niet helemaal naar Weert, hè? Roermond lijkt me ver genoeg.'
Nicky lacht hem uit. 'Nou, nou, wat een sportman! Maar ik vind het prima, in Weert kom ik tegenwoordig al vaak genoeg. Roermond is een prachtstad en mooie terrasjes zat!'
In een rustig tempo fietsen ze naar Roermond, ze boffen, hoewel de zon af en toe even achter een wolk verdwijnt, is de temperatuur heerlijk.
Ze slenteren even door de winkelstraat, maar algauw strijken ze neer op een terrasje vlak bij het station. 'Hier is toch een heel andere sfeer dan in het midden of noorden van het land,' vindt Rick, 'op een of andere manier is alles hier vrolijker, of lijkt dat maar zo? In elk geval zijn de pullen bier hier groter.'
'Geen idee, ik kom nauwelijks in het midden, laat staan in het noorden van het land. Maar weet je wat ik heb zitten denken? Als mijn vader weer terugkomt, misschien eind van het jaar en anders eind volgend jaar, dan wil ik op mezelf gaan wonen. En misschien is het leuk om dan woonruimte en een baan te zoeken in de richting van Amsterdam of zelfs noordelijker, Den Helder bijvoorbeeld. Wat vind je daarvan?' Verwachtingsvol kijkt ze hem aan.
'Mmm, dat klinkt natuurlijk aantrekkelijk. Maar...'
'Ja, maar wat?'
'Eigenlijk zit ik er aan te denken om iets anders te gaan doen.'
'Iets anders te gaan doen, hoe bedoel je?'
'Precies zoals ik het zeg, een andere baan te zoeken.'

'Waarom, ik dacht dat je het zo goed naar je zin had bij de marine?' Ze kijkt hem verbaasd aan.
'Ach, op zich wel, maar ik ben die onregelmatigheid zat. Steeds die weekenddiensten... ik wil gewoon vaker bij jou kunnen zijn.' Hij slaat zijn arm om haar heen en kust haar, midden op het terras.
'Daarom wil ik juist dichter bij jou komen wonen, maar dat kan natuurlijk evengoed wel. Waar zou je dan een andere baan willen zoeken en wat voor soort werk? Wat heb je eigenlijk voor opleiding gedaan?'
'Na de middelbare school ben ik direct naar de marine gegaan. Maar ik zit er eigenlijk aan te denken om iets voor mezelf te beginnen. Ik loop daar natuurlijk al langer over te denken, maar sinds ik jou ken wordt die gedachte serieuzer. En nu heb ik zelfs al iets op het oog.'
'Voor jezelf, waar denk je dan aan?'
Hij neemt de laatste slok uit zijn glas en wenkt de ober, even blijft het stil, dan lacht hij en zegt: 'Dat raad je nooit!'
Nicky haalt de schouders op. 'Zeg het dan maar,' haar stem klinkt nieuwsgierig.
'Ik heb een collega die me een tijdje geleden vertelde dat zijn zwager een camping is begonnen in Tsjechië. Dat schijnt daar behoorlijk lucratief te zijn, er zijn nog maar weinig goede campings, terwijl het toerisme daar steeds meer opkomt. Je kunt daar voor weinig geld aan grond komen en de nodige voorzieningen aanbrengen. Het probleem voor dat land zelf is heel simpel: de mensen hebben geen geld om iets te beginnen. Vandaar dat er vooral buitenlanders, zoals Duitsers en Nederlanders, daar iets beginnen. Met wat goede advertenties trek je zeker de Nederlandse vakantieganger, want die heeft in zo'n land graag een camping waar ze Nederlands spreken. Ik heb daar afgelopen week eens verder met m'n collega over gesproken en eigenlijk krijg ik daar steeds meer idee in. Stel je voor, Nicky, we kopen daar een stuk grond, zetten er een gezellige kantine neer, een speeltuin voor de kinderen en een zwembad, en je kunt open. Dan zijn we de hele dag samen en 's winters gaan we terug naar Nederland, zoeken hier als dat nodig is een tijdelijk baantje en hebben alle tijd om

onze familie en vrienden te bezoeken. Nou, hoe klinkt dat?' Rick is steeds enthousiaster gaan praten en nu kijkt hij Nicky afwachtend aan.
'Ik weet het niet, hoor, dat klinkt allemaal wel erg simpel,' zegt ze. 'Je zult vergunningen moeten hebben, en voor een goede camping komt wel meer kijken dan een kantine, een speeltuintje en een zwembad. Ik denk dat je het wel erg onderschat allemaal. Maar verder... tja, het lijkt me wel erg leuk! Maar is het daar echt allemaal zo goedkoop en gemakkelijk? Dan zouden er toch wel meer mensen op dat idee komen?'
'Het is gewoon nog niet zo bekend, maar je hebt wel gelijk, als je een jaar of drie, vier verder bent, dan zal inderdaad de grote massa dit land wel ontdekt hebben om iets te beginnen. Maar dan zijn wij al gesetteld en draaien we al lekker. En tevreden klanten komen altijd weer terug, dat zul je zien.'
Weifelend kijkt Nicky naar Rick. 'Het klinkt wel mooi allemaal, natuurlijk,' zegt ze, 'maar het overvalt me, dat begrijp je toch wel? En heb je geen diploma's nodig voor zoiets?'
'Daar niet, alleen een vergunning en dat schijnt absoluut geen probleem te zijn. Logisch natuurlijk, we zorgen voor werkverschaffing daar. Er zullen mensen nodig zijn die helpen met schoonmaken van het sanitair en voor het onderhoud, zeker als het goed gaat lopen en we wellicht kunnen gaan uitbreiden.'
Nu schiet Nicky in de lach. 'Jij loopt wel heel hard van stapel!' zegt ze, 'uitbreiden, we zijn nog niet eens begonnen.' Maar het idee begint haar steeds meer aan te spreken. 'Misschien kunnen we er een kleine kapsalon aan verbinden,' bedenkt ze, 'bijvoorbeeld één of twee middagen. Als vrouwen met vakantie zijn, willen ze soms toch wel dat hun haar goed zit, zeker als het droog en pluizig is geworden van de zon en het chloorwater.'
'Precies! Mogelijkheden genoeg. O, schatje, ik zie het al helemaal voor me! Ik ga volgende week gelijk die kant op om te kijken of er een geschikt stuk grond te vinden is. Ik hoorde dat er een kilometer of vijftig onder Praag iets te koop zou zijn.'

'Volgende week? Hoe bedoel je, ik kan niet zomaar vrij nemen en jij toch ook niet?'
'Ik heb eind volgende week drie roostervrije dagen achter elkaar, donderdag tot en met zaterdag, dus...'
Teleurgesteld kijkt Nicky hem aan. 'Je wilt dus alleen gaan?'
'Ik ga alleen nog maar kijken, dan kunnen we later samen gaan en beslissen. Maar ik denk dat het geen kwaad kan me alvast een beetje te oriënteren. Zoals ik al zei: we moeten niet al te lang wachten, er zijn er meer die ontdekken of horen dat het goed zaken doen is daar. Als we voor het eind van deze zomer iets kunnen vinden, hebben we de hele winter de tijd om de nodige voorzieningen aan te brengen en dan kunnen we volgend voorjaar open. Enne... misschien kunnen we dan voor die tijd trouwen, wat denk je daarvan?'
'O Rick!' Nicky's stoel valt bijna om als ze haar armen om zijn nek slaat. 'Is dit een huwelijksaanzoek?' vraagt ze dan zachtjes.
'Dat lijkt me wel, hè? Nicky, wil je alsjeblieft met me trouwen?'
Ze knikt heftig. 'Ja, natuurlijk, wat een geweldige ideeën heb jij zomaar op een zaterdagmorgen!' Ze lacht, maar gaat dan serieus verder: 'O Rick, dat is allemaal wel snel, hè? Je moet echt gauw een keer mee naar mijn vader en ook naar m'n broer en schoonzus. Ik ben dan wel meerderjarig, maar ze zullen je echt wel eerst willen zien voor ik met trouwplannen op de proppen kom. En, o, je oma, zullen we daar dan ook vandaag of morgen even langsgaan?'
'Rustig, rustig, niet alles tegelijk. Ja, natuurlijk, we zullen binnenkort weleens naar je vader gaan, gelukkig heeft hij me op afstand al goedgekeurd.' Rick lacht en gaat dan verder: 'En mijn oma, tja, ik weet eigenlijk niet of we daar goed aan doen. Zoals ik je al vertelde, begint ze behoorlijk in de war te raken, misschien maakt het haar alleen maar onrustig als ik haar over onze plannen vertel. Ik zal dat eerst weleens overleggen met de verzorging daar, wat zij me aanraden. Ik wil haar niet onrustiger maken dan ze al is, dat begrijp je toch wel, hè?' Hij pakt het glas bier dat de ober inmiddels heeft neergezet en heft het. 'Op onze toekomst!' zegt hij.
De rest van de dag kan Nicky aan niets anders meer denken. Ze

maken samen allerlei plannen voor 'hun' camping en aanstaande huwelijk.
Om zeven uur laten ze een pizza bezorgen en de rest van de avond komt het gesprek steeds weer op hetzelfde onderwerp.
'Zal ik papa bellen?' vraagt Nicky om een uur of tien. 'Ik wil het zo graag vertellen.'
'Doe nu maar rustig aan, morgenmiddag ben ik weer weg, dan heb je alle tijd om je vader en wie ook nog meer te bellen. Deze avond is voor ons samen.'
'Ja, je hebt gelijk.' Nicky gaapt. 'Ik ben gewoon moe, het was ook een enerverend dagje!'
Ze kruipt op Ricks schoot. 'Ik kan me gewoon niet voorstellen dat we over een maand of negen al getrouwd zijn! Gaat het allemaal niet te vlug, Rick? We kennen elkaars familie nog niet eens, en...' Verschrikt houdt ze midden in de zin op. 'Sorry,' gaat ze dan verder, 'jij hebt natuurlijk nauwelijks familie. Maar er is natuurlijk altijd nog je broer, ik wil hem toch wel graag ontmoeten. En natuurlijk je schoonzus en de kinderen.'
Hij knuffelt haar en trekt haar dicht tegen zich aan. 'Dat komt allemaal wel goed hoor, met die familieleden. Wíj kennen elkaar goed genoeg en daar gaat het toch om? Als het goed is, is het nooit te vroeg om te trouwen en als het niet goed is, is het altijd te vroeg.'
Nicky glimlacht. 'Je hebt gelijk,' zegt ze. 'Liefde is het belangrijkste en daarvan hebben we meer dan genoeg, toch?'
Ricks antwoord is een kus.
Nadat ze nog wat hebben gedronken, rekt Rick zich eens uit. 'Ik ben ook moe,' zegt hij, 'dat komt vast van die fietstocht, dat ben ik niet gewend.'
'Jij zult toch ook weleens sporten, of hoort dat er niet bij, bij de marine?'
'Ja, natuurlijk wel, maar fietsen doe ik weinig.'
Nicky brengt de lege glazen naar de keuken en begint de lichten uit te doen. 'Zullen we dan maar naar boven gaan?' vraagt ze met een lichte aarzeling. 'Hoe laat moet je morgen eigenlijk weg?'

'Om een uur of halfdrie.'
Achter elkaar lopen ze de trap op. 'En,' vraagt Rick, terwijl hij haar boven opnieuw in zijn armen neemt, 'met meneer pastoor gepraat?' Hij zoent haar zachtjes in haar nek. 'Mag ik bij je slapen, als ik beloof dat ik me netjes gedraag?'
En als hij ziet dat ze nog twijfelt, gaat hij verder: 'Kom op, Nicky, niet overdrijven, hoor! We gaan bijna trouwen en we zijn geen zestien meer.' Nicky hoort een wat geïrriteerde ondertoon in zijn woorden, ze schrikt er een beetje van. Is dit ook Rick, de lieve, begrijpende Rick?
Maar dan schudt ze de laatste twijfel van zich af. Hij heeft natuurlijk gelijk, ze zijn geen pubers meer en ze zijn zo goed als verloofd. Zonder verder nog iets te zeggen doet ze de deur van haar slaapkamer open. 'Kom maar,' zegt ze dan.
Later ligt ze stil in zijn armen. 'Het was echt je eerste keer, hè?' hoort ze hem zacht vragen. Klinkt er een licht vermaak in zijn stem? Geschokt kijkt ze hem aan, maar er straalt haar alleen maar liefde tegemoet uit zijn ogen. Toch is er een glimlach om zijn mond. 'Je bent geweldig,' zegt hij zachtjes. 'Echt geweldig!'
Tevreden nestelt ze zich in zijn armen.

De volgende ochtend, als ze wakker wordt, is de plek naast haar leeg. Ze hoort hem gedempt praten op de gang. Even later komt hij de slaapkamer weer binnen, de telefoon in zijn hand.
'Gezeur!' moppert hij, 'er zijn weer eens problemen in Den Helder, te veel zieken en ik kan weer komen opdraven. Echt, lieverd, het wordt hoog tijd dat we meer tijd voor elkaar krijgen. Ik ga eind van de week serieus m'n best doen daar in Tsjechië. Dan hoeven we nooit meer bij elkaar vandaan. Nu ga ik vlug douchen.' Hij kijkt haar lief aan en vervolgt: 'Wil jij een kop koffie voor me maken, dan kan ik snel weg. Jammer, hè, van ons rustige ontbijtje? Nou ja, volgende keer beter.'
Nicky kijkt op de wekker, kwart over acht is het pas. Best vroeg voor de zondagochtend.
'En je schoonzus dan?' vraagt ze slaperig.

'O ja, nou ja, ze moet maar iets anders regelen, niks aan te doen.'
Een kwartier later kijkt ze Rick na, als hij met z'n auto wegrijdt. Langzaam loopt ze terug naar binnen. Eerst maar eens rustig ontbijten. Terwijl ze op een beschuitje knabbelt, denkt ze na over de afgelopen vierentwintig uur. Wat is er ontzettend veel gebeurd! Rick, die haar ten huwelijk heeft gevraagd, de plannen voor Tsjechië en ten slotte de nacht... Ze weet eigenlijk niet of ze spijt heeft van wat er gebeurd is. Het was goed, ze houden immers van elkaar. Maar toch, ze heeft haar principes wel opzijgezet. En naar de kerk is ze ook al een hele poos niet geweest, Rick praat daar ook nooit over. In het begin heeft hij toch verteld dat hij ook gewend is om naar de kerk te gaan? Nee, ze doen het niet goed, dit is geen goed begin van hun relatie. Nicky neemt zich voor hier de volgende keer met Rick over te spreken en dan ook samen naar de kerk te gaan. Nu gaat ze opschieten, dan kan ze in elk geval deze ochtend wel gaan.
Met dit goede voornemen staat ze op en even later staat ze te zingen onder de douche. Het leven is mooi!

8

Steeds vaker en langer achter elkaar is Peter van huis. Jenneke heeft allang afgeleerd om te vragen waar hij naartoe is geweest. Ze vertrouwt die hele Paul, voor wie haar man werkt, niet. Ze heeft hem nog nooit gezien, maar ze krijgt steeds meer de overtuiging dat het geen zuivere koffie is met dat bedrijf van hem. Sinds een paar weken is Peter nu ook aan het bouwproject in België begonnen, waardoor hij bijna elk weekend van huis is. Geld komt er nog steeds in royale mate binnen, maar het plezier daarin verdwijnt steeds meer.
Nadat ze samen in België zijn wezen kijken, en Jenneke heeft gezegd dat ze terug zou gaan naar Drenthe, is er niet meer over gesproken. Natuurlijk is ze gebleven waar ze was en ook Peter is er niet meer op teruggekomen. Een paar weken geleden heeft hij langs zijn neus weg opgemerkt dat hij het volgende weekend zou gaan beginnen met de verbouwing daar. Op zaterdagochtend is hij al vroeg weggegaan en pas zondag is hij in de loop van de dag teruggekomen. Dit lijkt nu het patroon te worden voor alle zaterdagen en zondagen.
Peter lijkt een andere man te zijn geworden. Hij had nooit veel geduld met de kinderen, maar nu krijgen ze helemaal geen aandacht meer van hem.
Jenneke is blij als haar ouders een dag op bezoek komen. Het is zaterdag en Peter heeft toegezegd vandaag niet naar België te gaan, maar erbij te zijn als zijn schoonouders komen. Toch is hij vanochtend, na een telefoontje van Paul, alweer weggegaan.
'Een kort ritje, op Schiphol iets afhalen en afleveren in Amsterdam. Begin van de middag ben ik er weer', zegt hij als hij gehaast de autosleutels pakt.
'Als je naar België moet, ben je wel vrij in het weekend, waarom moet je dan net nu weer weg voor hem?' vraagt Jenneke.
'Zeur niet zo, Jen! Ik kan niet altijd nee zeggen tegen hem, wat maakt dat nou uit!' ontwijkt hij haar vraag.
Om halfelf, als Peter goed en wel de deur uit is, staan de ouders van Jenneke voor de deur van de flat.

'Waar is Peet?' vraagt Jennekes moeder als ze in de kamer zitten en Jenneke naar de keuken loopt om de koffie in te schenken.
'Weg voor z'n werk, over een paar uurtjes is hij er weer,' roept ze vanuit de keuken.
De kinderen moeten gewoon weer even wennen aan opa en oma, ze hebben elkaar al een hele poos niet gezien. Maar al snel is het weer vertrouwd en klimmen de jongens op schoot bij hun grootouders. Als de koffie op is, Mark met z'n legostenen zit te spelen en Jeroen met een autootje door de kamer rijdt, kijkt vader De Groot zijn dochter onderzoekend aan. 'Gaat het wel goed met jou, meissie?' vraagt hij.
Jenneke forceert een glimlach. 'Ja hoor, pa, beetje druk met drie kleine kinders, maar verder gaat het goed.'
'Naar je zin hier in de stad?' Het klinkt alsof hij het zich niet kan voorstellen.
'Mmm, het heeft z'n voordelen en z'n nadelen natuurlijk. Ik was eerlijk gezegd liever in Drenthe gebleven, dichter bij jullie in de buurt, maar ja...'
'Peter heeft het wel goed voor elkaar in z'n werk zeker?' Nu kijkt haar moeder kritisch naar haar dochter. 'Als ik je kleren zie, en die sieraden... die komen niet van de Hema, volgens mij. Wat voor werk doet hij nou eigenlijk precies? Je had het over een pakketdienst, maar daarmee verdien je toch niet zo veel?'
'Gerda, daar hebben wij ons toch niet mee te bemoeien!'
Moeder De Groot haalt verontschuldigend de schouders op. 'Het is maar een opmerking, hoor, we zijn het nooit zo ruim gewend geweest en jullie toch ook niet?'
Jenneke weet niet goed hoe ze moet reageren. 'Ach,' zegt ze dan, 'Peter maakt lange dagen en ook in het weekend moet hij vaak weg. Daar krijgt hij natuurlijk allemaal extra voor betaald.'
'Red jij het dan wel alleen met die kleintjes als hij zo vaak weg is? Geld is leuk, maar toch ook niet alles. Jullie hadden veel beter gewoon bij ons in het dorp kunnen blijven wonen, zeker nu hij zo vaak weg is, dan hadden wij nog eens kunnen bijspringen.'

'Laten we het nu maar eens ergens anders over hebben,' zegt Jenneke ontwijkend. 'Hoe is het allemaal in het dorp, nog nieuwtjes?'
Moeder begint enthousiast te vertellen over het buurmeisje dat gaat trouwen en over een oude vriendin die eindelijk haar winkeltje van de hand wil doen. 'Zo koppig is Ans, hè, ze kan bijna niet meer lopen, en toch elke dag zelf achter de toonbank. Maar er wordt steeds minder gehandwerkt, ze verkoopt bijna niks meer, en toch is ze elke dag in het oude pandje. Maar nu heeft ze de knoop doorgehakt en gaat ze...' Midden in haar zin stopt ze en vraagt: 'Luister je eigenlijk wel, Jenneke?'
'Hè, wat? Ja, natuurlijk luister ik. Rina gaat binnenkort trouwen en ze heeft een huis gekocht aan de Achterstraat...'
'Zie je wel dat je helemaal niet luistert, ik heb het over Ans.'
'Gaat Ans trouwen, ze is toch al minstens zeventig?'
'Laat maar,' zegt moeder De Groot. 'Pa heeft gelijk, je ziet er moe uit. Als er wat is, kun je het ons vertellen, hè?'
Jenneke knikt. 'Er is niks,' zegt ze. Maar haar stem heeft een rare bibber en haar ogen worden nat. Mark kijkt verschrikt op van zijn spel. 'Mama?'
Jenneke slikt de tranen weg en lacht naar hem. 'Mama verslikt zich in de koffie,' zegt ze.
Het kereltje loopt naar haar toe en kijkt in de mok die nog op tafel staat. 'Koffie is op!' zegt hij en hij kijkt wantrouwend naar zijn moeder.
Vader De Groot staat op. 'Als wij nou eens een stukje gingen wandelen,' zegt hij tegen Mark. 'Opa wil weleens zien waar al die winkels zijn. Misschien kunnen we wel wat lekkers kopen voor straks bij de boterham. Een lekker visje of zo?'
'Blèh,' doet Mark, 'vis is vies! Maar ze hebben wel ijsjes in de winkel, opa!'
'Dan moet dat het maar worden, zullen we Jeroen ook meenemen, of lust hij nog geen ijsjes?'
Mark kijkt van zijn broertje naar opa. 'Wel een leeg hoorntje, daar smeert mama dan een beetje ijs aan. Dat vindt hij lekker.'

'Kom op, dan doen we dat.' Hij tilt Jeroen uit de box. 'Moet hij een jasje aan, nee, hè, het is lekker buiten.'
Jenneke staat op en zegt: 'We kunnen ook wel met z'n allen gaan, maar dan moeten we nog even wachten tot Eva de fles heeft gehad, ze kan elk moment wakker worden. Zullen we dat doen?'
'Nee, laat mij maar alleen gaan met de jongens, dan kun jij eens rustig met je moeder praten.'
'Ik heb niks bijzonders te bespreken, hoor,' probeert Jenneke zo luchtig mogelijk te zeggen. Ze wil geen vertrouwelijk gesprek, ze is veel te bang dat ze er alles uit zal gooien en wat heeft dat voor nut? Het enige gevolg zal zijn dat haar ouders vanavond met een hart vol zorgen naar huis zullen rijden en hier lost het niks op.
Maar haar vader reageert niet op haar woorden. 'Zo, kom op, kerel, jij in je wagen... hoe moet dat ding vast, Jenneke? En jij opa een handje geven, anders verdwaalt opa!'
Even later kijkt Jenneke ze na als ze naar de lift lopen. Wat gaat pa toch leuk om met de jongens, waarom kan Peter dat niet, hij is nota bene hun vader! Of kunnen opa's dat altijd beter dan vaders? Maar als ze terugdenkt aan haar eigen jeugd, herinnert ze zich een vader die, hoewel ook druk met zijn werk, toch altijd tijd en aandacht voor haar en haar zusjes had.
Met een zucht doet ze de voordeur dicht en loopt terug naar de kamer. Maar eerst luistert ze even aan de deur van de babykamer: hoort ze Eva nog niet? Nee, alles is nog stil. Jammer, dat was een mooie reden geweest om onder een gesprek met haar moeder uit te komen.
Langzaam gaat ze de kamer binnen. 'Zal ik wat te drinken inschenken, dubbelfris of zo?'
'Nee, kom nou eens rustig zitten. Hier,' moeder klopt naast zich op de bank, 'kom eens rustig naast me zitten en vertel nou eens wat er is. Heb je heimwee naar Drenthe of zit je wat anders dwars?'
Jenneke ploft naast haar moeder op de bank. 'Een beetje wel misschien,' zegt ze voorzichtig. 'Het is een prachtige flat natuurlijk, maar ik mis jullie allemaal. Peter is druk, dus ik ben veel alleen met de kin-

deren. En ja, dan krijg je soms vanzelf last van heimwee.' Ze kiest haar woorden voorzichtig, bang om te veel te verraden.
'Gaat het verder wel goed tussen jullie? Ik weet dat dat mij niet aangaat, maar de laatste keer dat we hier waren had ik het gevoel dat de sfeer wat gespannen was, klopt dat?'
Onwillig haalt Jenneke de schouders op. 'Peet is vreselijk druk, ma, en dan loopt het niet altijd even soepel, dat is toch logisch?' Ze staat op. 'Volgens mij hoor ik Eva, even kijken.'
Maar met een voor haar moeder ongewone doortastendheid wordt Jenneke bij de hand gepakt en teruggetrokken op de bank. 'Ik hoor niks, ze slaapt vast nog. Ik merk dat je er niet over wilt praten, maar mag ik je dan nog één vraag stellen: 'Ben je gelukkig, Jenneke?'
Nu beginnen toch opeens de tranen te stromen, ze kan het niet langer tegenhouden. 'Hou toch op!' roept ze, 'nee, als je het weten wilt, ik ben dood- en doodongelukkig! Ik stik hier op die rotflat, ik heb een man die vaker niet dan wel thuis is. En áls hij er dan een keer is, heb ik nog niks aan hem. Hij trekt zich niets van mij en de kinderen aan en gaat zijn eigen gang. Dagen en soms nachten is hij weg, en nu heeft hij het ook nog in zijn hoofd gehaald om een hotel in België te gaan verbouwen en dat te gaan exploiteren. Ook alweer samen met een of andere vage kerel. Als dat klaar is, vertrekken we naar België en gaan we in de middle of nowhere wonen! Of ik dat nou leuk vind of niet. En tot die tijd is hij bijna elk weekend daar bezig, terwijl ik hier alleen met die kinderen zit te wachten tot meneer weer eens opduikt! Dus als je weten wilt hoe het met me gaat: beroerd dus!'
Jenneke slaat de handen voor de ogen en zegt dan gesmoord: 'Ik wilde jullie daar helemaal niet mee belasten, vergeet het maar weer.'
Moeder De Groot slaat haar arm om haar dochter heen. 'Meid toch,' zegt ze, 'wat erg allemaal! Ik had geen idee... ik weet gewoon niet wat ik zeggen moet. Maar dat gaat toch niet zo, zal ik vragen of pa eens met hem praat?'
'Nee zeg, alsjeblieft niet!' Geschrokken kijkt ze haar moeder aan. 'Ma, beloof me dat jullie er niets over zeggen en ook niet laten merken dat je het weet. Ik overdrijf misschien ook wel een beetje, zó erg is het

nou ook weer niet.' Maar haar gezicht vertelt iets anders dan haar woorden.
Haar moeder zucht. 'Kind toch...' Meer weet ze niet te zeggen.
Jenneke veegt haar gezicht af en snuit haar neus. 'Het lucht al op om er eens over te kunnen praten,' zegt ze. 'En dat België... misschien is dat niet zo erg als het nu lijkt, alles beter dan deze flat, die vind ik echt vreselijk. Dáár zal tenminste ruimte zijn voor de kinderen om buiten te spelen. En als we daar samen in dat hotel gaan werken, is Peet ook vanzelf meer thuis. Misschien wordt alles dan weer beter tussen ons, hij heeft het gewoon te druk, daarom is hij ook zo ongeduldig tegen de kinderen, denk ik.'
'Ik hoop het,' zegt haar moeder, 'laten we eerlijk zijn, Jen, hij is nooit een echt gemakkelijke jongen geweest. Egoïstisch is hij, daar hebben we het in jullie verkeringstijd ook al eens over gehad.'
Jenneke gaat staan. 'Dat valt wel mee hoor,' zegt ze afwerend. 'Hij heeft ook zijn goede kanten, anders was ik nooit met hem getrouwd. Ik ga Eva halen, nu huilt ze wel. Of wil jij het doen, dan fris ik me even op.'
Het is duidelijk dat ze niet verder wil praten. Moeder De Groot loopt naar de babykamer, haalt haar kleindochter uit de wieg en knuffelt het kleintje, haar hart is zwaar van zorgen over haar dochter. Toch is ze ook trots op haar, want als ze even later met de baby op haar arm in de woonkamer heen en weer loopt, komt Jenneke binnen met de fles, alle sporen van de tranen zijn weggewerkt en ze slaagt erin om op opgewekte toon te zeggen: 'Zo, meisje, ben je wakker? Dan gaat oma jou je flesje geven, hoor.'
Wat is ze sterk, die dochter van haar!
Korte tijd later horen ze de stemmetjes van de jongens alweer op de galerij en Jenneke gaat de deur opendoen. Jeroen sabbelt nog op een stukje van een ijsbekertje en Mark pakt met twee kleverige handjes zijn moeders been vast. Druk vertelt hij over het ijsje met spikkels en de heel grote hond die er opeens aankwam. 'Hij deed hap! En toen was Marks ijsje weg,' vertelt hij. 'En toen ging de meneer een nieuw ijsje kopen voor Mark.'

Jenneke kijkt vragend naar haar vader. 'Echt waar?'
Hij grinnikt. 'Ja, Mark had net een paar likjes van z'n ijsje op toen er een man met een flinke hond langskwam en voor we het in de gaten hadden hapte het beest het halve ijsje uit z'n hand, het was geen gezicht! Brullen natuurlijk, vooral van de schrik, denk ik. Gelukkig was het een fatsoenlijke kerel, hij putte zich uit in excuses en ging gelijk een nieuw ijsje voor Mark halen, met spikkels dus, om het goed te maken.'
Jenneke bekijkt zorgvuldig de handjes van haar zoon. 'Hij heeft hem toch niet gebeten, hè?'
'Nee hoor, het ging hem echt om het ijsje, had dat beest ook eens een goede dag!'
'Nou, we gaan eerst die handen maar eens goed wassen, je plakt helemaal.'
Daarna gaan ze een boterham eten, het is gezellig en het gesprek tussen moeder en dochter raakt helemaal op de achtergrond. Toch ziet Jenneke best dat haar moeder af en toe een bezorgde blik op haar werpt. Maar ze glimlacht en knikt eens naar haar, alsof ze zeggen wil: het gaat goed, hoor ma! Ze heeft allang spijt dat ze zich zo heeft laten gaan. Het lost immers niks op, en wat voor zin heeft het als haar ouders zich zorgen gaan zitten maken, daarginds in Drenthe.
Na het eten gaan beide jongetjes naar bed en ook Eva ligt weer in haar ledikantje. Jenneke rommelt wat in de keuken, ze treuzelt met naar de kamer gaan, ze is bang dat haar moeder weer terugkomt op het gesprek. Ze is opgelucht als ze even later de sleutel in het slot van de voordeur hoort, gelukkig, daar is Peter! Maar tegelijk is ze weer bang dat haar moeder verkeerde dingen tegen hem zal zeggen of in elk geval zal laten merken dat Jenneke bepaalde dingen heeft verteld. Maar ze merkt al snel dat ze daar niet bang voor hoeft te zijn. De sfeer is gewoon, vader De Groot informeert naar het werk van Peter en deze vertelt ontspannen over de vele ritten die hij door het hele land moet maken. Over België zegt hij niks.
We lijken net een gewoon, gelukkig gezinnetje, denkt Jenneke schamper.

Later, als de kinderen uit bed zijn, is het weer druk, van een gesprek komt niet veel meer. Opa en oma houden zich vooral met de kleintjes bezig en oma verzucht: 'Wat jammer toch dat jullie zo ver weg zijn gaan wonen, we missen zo veel van de kinderen!'
'Ach, het is toch goed te doen, binnen twee uurtjes ben je hier,' zegt Peter. Opnieuw zwijgt hij over de plannen om naar België te verhuizen. Maar nu kan Jenneke niet langer haar mond houden.
'Nu nog wel,' zegt ze. 'Hoewel ik twee uur al heel wat vind, maar als jij je plannen doorzet om naar België te gaan verhuizen, dan komen er nog wel een paar uurtjes bij en zien we pa en ma bijna helemaal niet meer.'
'Wat zeg je nou?' Vader De Groot kijkt verbaasd van de een naar de ander. 'België, zeg je nou echt België?' En als er niet direct antwoord komt, vraagt hij opnieuw: 'Willen jullie naar België?'
Peter zegt niks, maar Jenneke antwoordt: 'Nou, willen, dat is een erg groot woord, tenminste, wat mij betreft. Maar Peet heeft plannen in die richting.' Ze voelt alweer die vervelende tranen omhoogkomen, maar ze weet zich te beheersen. Niet huilen waar haar ouders en de kinderen bij zijn, geen emoties, laat Peter zich maar verantwoorden, zij zegt niks meer!
Eindelijk zegt Peter: 'Ach ja, het is nog niet helemaal zeker, maar ik ben betrokken bij een klein project, net over de grens in Brabant. Iemand is daar een hotel aan het renoveren en ik werk daar af en toe aan mee. Op die manier verdien ik wat extra's bij en ja, als het allemaal klaar is kan ik daar wellicht ook aan het werk. Jenneke en de kinderen zouden dan heerlijk buitenaf wonen, want op zo'n flat is toch ook niet ideaal voor ze. Maar het is allemaal nog niet zeker hoor, maak je geen zorgen, voorlopig zitten we nog hier.'
Jenneke verbijt zich. Wat weet hij het allemaal mooi voor te stellen! 'Ik werk er af en toe aan mee', zegt hij, terwijl hij bijna ieder weekend weg is. En hoor hem nu slijmen over het buiten wonen, over de flat, die zo vervelend is voor de kinderen.
Maar vader De Groot is niet zo gemakkelijk om de tuin te leiden.
'Als je die flat zo vervelend vindt voor de kinderen, dan snap ik niet

dat je hier bent gaan wonen. Je zit net te vertellen dat je door het hele land rijdt met je baas of de pakjes die je moet bezorgen. Dan had je toch niet midden in een stadswijk hoeven te gaan wonen? En als je wat centraler moest wonen, had dat toch ook een dorp in Gelderland of zo kunnen zijn? Dan hadden ze ook buiten kunnen spelen. En België... jongen, wat haal je je in je hoofd! Daar zou ik nog maar eens goed over denken, hoor! Ik weet: het zijn mijn zaken niet, maar toch...' Hij schudt het hoofd en kijkt dan naar Jenneke: 'Wat vind jij daarvan, zie je dat wel zitten? België is niet het andere eind van de wereld, maar het is toch een ander land. Lijkt het jou wel wat?'
'Niet echt, maar je hoort het: Peter zegt dat het allemaal nog niet zeker is, dus misschien gaat het helemaal niet door, hè Peet?' Ze kijkt hem strak aan. Als hij de komende tijd weer over België begint, zal ze hem deze woorden in herinnering brengen. Want dat het allemaal nog niet zeker zou zijn, is voor haar ook nieuw.
Peter zit er met gefronste wenkbrauwen bij. 'We zien nog wel,' zegt hij. 'Laten we voorlopig maar blij zijn dat ik zo'n dik belegde boterham verdien. Als we in Drenthe waren gebleven was dat wel even anders geweest.'
Vader De Groot zit zijn schoonzoon stilletjes te observeren. 'Het valt me op dat jij zelfs helemaal geen dialect meer spreekt, hè, jij hebt je wel goed aangepast aan je nieuwe baan.'
'Tja, dat zal wel moeten, hè, ik kom met allerlei mensen in contact, dan kun je niet plat praten. Nou, zal ik eens wat inschenken, tijd voor een borrel! Pa?'
'Doe mij maar een glaasje appelsap,' zegt zijn schoonvader rustig.
Jenneke kijkt van de een naar de ander. Waarschijnlijk hoeft haar moeder straks terug in de auto niet veel te vertellen over de situatie hier in huis. Want al doet ze nog zo haar best, ze weet dat haar vader het allemaal heel goed doorheeft. Ook al is hij een ongeletterde, eenvoudige stratenmaker, hij heeft heel wat mensenkennis en levenswijsheid.
Opeens lijkt Peter een blaaskaak, vergeleken bij pa.
Als haar ouders na het eten afscheid nemen en vertrekken, voelt ze

zich bijna opgelucht. Eindelijk mag de opgewekte glimlach van haar gezicht en kan ze weer zichzelf zijn.
'Tjonge, wat een chagrijnig gezicht!' hoort ze haar man schamper opmerken, 'een beetje vrolijk voor je man mag ook wel, hoor! Tenslotte ben je dat ook als je pa en ma er zijn.'
Zonder antwoord te geven staat ze op. 'Kom jongens, we gaan in bad en dan lekker slapen, het is al laat.' Ze neemt een tegenstribbelend jongetje op de arm, pakt de ander bij de hand en neemt ze mee naar de badkamer. Terwijl het bad volloopt, kleedt ze Jeroen uit en spoort Mark aan om alvast zelf te beginnen om zijn kleren uit te trekken. Even later zitten ze samen in het grote bad. Jenneke zit er op een krukje bij, maar ze hoort het gebabbel van de twee kleintjes nauwelijks. Wat ze wel hoort, is hoe de voordeur met een klap wordt dichtgetrokken. Zonder een groet voor haar of de jongens is Peter de deur uit gegaan.
In de box jengelt Eva.
Als ze zonder er echt haar aandacht bij te hebben de jongens wat later afdroogt en in hun pyjamaatjes helpt, vraagt ze zich opnieuw af of ze misschien toch maar beter, samen met haar kinderen, terug kan gaan naar Drenthe. Maar nog steeds schrikt ze terug voor die gedachte. Ergens moet toch de oude Peter te vinden zijn, de jongen waar ze tien jaar geleden verliefd op werd en die vol aandacht voor haar was? Waar is het dan toch misgegaan? Ze weet het niet, maar ze geeft het nog niet op!

Later op de avond, als de kinderen allang slapen, hoort ze hem weer thuiskomen. Hij loopt gelijk door naar de keuken en komt dan de kamer binnen met een flesje bier in zijn hand.
'Peet, moeten we niet eens praten, zo gaat het toch niet goed?'
Hij haalt zijn schouders op en neemt een slok uit het flesje.
'Hier, kom nou eens zitten. Ik wil het zo niet, Peet. Waarom lijken we elkaar helemaal kwijt te zijn? Zeg maar wat ik anders moet doen, er moet toch een manier zijn om elkaar weer te bereiken?'
Hij gaat tegenover haar zitten en kijkt haar aan. 'Jij moet accepteren

dat ik geen baan van 's morgens zeven tot 's middags vier meer heb, zoals in de bouw,' zegt hij. 'Ik heb je al zo vaak gezegd: ik doe het voor jou en de kinderen. We kunnen ons alles permitteren wat we maar willen, maar daar moet natuurlijk wat tegenover staan en dat is: tijd.'
'Dat begrijp ik best.' Jenneke is blij dat er eindelijk eens een normaal gesprek mogelijk lijkt. 'Maar geld alleen is niet alles. We zouden geld genoeg hebben om met vakantie te gaan, maar zonder tijd lukt dat dus ook niet. Deze zomer zijn we nog geen weekje weg geweest, ik zit maar op deze flat met die kleine kinderen. Je begrijpt toch wel dat ik ook weleens even iets anders wil?'
'Jawel, maar dit is nou eenmaal een drukke periode. Het wordt wel weer wat rustiger.'
'Dat heb je al zo vaak gezegd. En, Peet, dat België, moet dat nou echt?' Haar stem klinkt zacht en smekend. 'Kunnen we niet ergens anders gaan wonen, ergens in een dorp of een kleine stad, maar wel hier in Nederland? Je hebt het toch goed naar je zin in het werk dat je nu doet, dan is het werken in zo'n hotel toch niks voor jou? Je bent al je vrijheid weer kwijt, je houdt er toch zo van om veel langs de weg te zijn? Nou, dan moet je je niet begraven in zo'n gat in België.'
'Daar heb ik zelf ook al over gedacht, maar ja, ik heb beloofd om wel te helpen met de verbouwing, dus dat maak ik af. Tijdens de weekeinden moet ik dus voorlopig nog wel weg. Ik kan die mensen niet opeens laten zitten, dat begrijp je toch wel?'
Jenneke antwoordt niet direct, maar dan zegt ze voorzichtig: 'De kinderen komen wel wat aandacht te kort van hun vader, je bent er bijna nooit.'
'Dat is maar tijdelijk.'
Jenneke gaat er niet verder op in, ze denkt wat schamper bij zichzelf: ja, ja, tijdelijk! Dat zeg je al maanden.
'Vindt je baas het eigenlijk goed dat je elk weekend met de bedrijfsauto naar België gaat? En wat draag je eigenlijk voor kleding als je daar aan het werk bent? Moet je geen overall of zo meenemen, of hebben ze die daar voor je?'
'Paul vindt het prima, ik mag toch net zo veel privé rijden als ik wil?

En over mijn kleren hoef je je geen zorgen te maken, de nette broek en trui zitten veilig onder de werkoverall, ik kom toch nooit smerig thuis? Zorg jij nou maar voor de kindjes en laat het werk en alles wat daarbij hoort, maar aan mij over.' Hij staat op en zet de tv aan. 'Trouwens,' gaat hij verder, 'als jij behoefte hebt aan vakantie, waarom ga je dan niet af en toe een weekje naar je ouders of je zus? Ik red me wel, hoor, gaan jij en de kinderen gerust maar eens naar Drenthe.'
'Eerlijk gezegd stelde mijn moeder dat vanmiddag ook voor,' zegt Jenneke, 'maar ik dacht dat jij dat vervelend zou vinden.'
'Welnee, helemaal niet. Bel ze morgen maar en spreek gelijk maar wat af. Dan ga je een hele week, voor mijn part twee weken. Dan heb je echt een vakantiegevoel. Dan ga ik in die tijd wat extra aan het werk in België, des te eerder ben ik daar klaar, goed idee?'
Aarzelend knikt ze. 'Mmm, twee weken lijkt me wel erg lang, maar een weekje is wel lekker.'
'Maak er tien dagen van, dan breng ik jullie op vrijdag weg en maandag of dinsdag haal ik je weer op. Dan heb ik twee weekends mijn handen vrij.'
'Je handen vrij?'
'Om in België te klussen natuurlijk. Goed idee?'
'Ja, leuk! Ik heb er echt zin in, weet je zeker dat je het niet vervelend vindt?'
'Heel zeker! Je hebt het verdiend om er eens lekker uit te zijn, ik red me wel.' Hij trekt haar naar zich toe en geeft haar een kus. 'Je bent een lieverd,' zegt hij. 'Kom, dan gaan we naar bed.'
Als ze later in zijn armen ligt, voelt ze zich sinds tijden weer gelukkig. Zie je wel, met een rustig gesprek worden veel problemen opgelost.

9

NICKY STAAT DONDERDAGOCHTEND OP HET PUNT OM NAAR HAAR WERK te gaan als Rick haar belt. 'Ik ga zo rijden hoor, ik bel je wel als ik daar ben aangekomen, het is een flinke rit, dus ik ben de hele dag onderweg. Je hoort van me als ik er ben.'

'Oké, nou, doe voorzichtig en succes! Spannend hoor. Hè, ik wilde dat ik mee kon. Gisteren heb ik toch nog geprobeerd om vrij te krijgen deze dagen, maar het is niet gelukt, jammer hoor!'

'Ik kan veel beter eerst alleen gaan kijken. Als ik wat meer weet, kunnen we altijd samen gaan kijken, toch?'

'Zal ik me ziek melden en toch meegaan?'

'Nee, zeg, ben je mal! Dat kun je niet maken hoor! Ik moet trouwens een collega het eerste gedeelte meenemen, hij heeft een afspraak in Duitsland, dus het is gemakkelijker om via Utrecht en Arnhem te rijden.'

'Het was ook maar een grapje, van dat ziek melden. Natuurlijk zou ik dat niet doen.'

'Nu moet ik echt gaan hoor. Je hoort vanavond van me, als ik in m'n hotel ben. Dag lieverd!'

De hele dag reist Nicky in gedachten met Rick mee. Waar zou hij nu zijn, vraagt ze zich steeds af, en hoe zou het eruitzien daar? Ze is nog nooit in Tsjechië geweest, maar de verhalen van Rick tijdens het afgelopen weekend hebben haar ook enthousiast gemaakt. Toch overvalt haar soms opeens de twijfel. Zou het echt zo gemakkelijk gaan als Rick deed voorkomen? En wil ze daar wel wonen? Maar meestal wint het enthousiasme het van de twijfel. Want ach, wat laat ze hier nu achter? Papa zit in Zwitserland en het zou haar niks verbazen als hij daar nog heel lang blijft. Broer Floris en zijn Jetty ziet ze een paar keer per jaar, dus ook hen zal ze niet missen. Haar vriendinnen, ja, hen zal ze wel missen, maar er zal van alles voor in de plaats komen. Ze ziet Irene en Saskia, haar beste vriendinnen, de laatste tijd toch al steeds minder. Ze studeren beiden in Utrecht en sinds ze een vaste relatie hebben blijft er steeds minder tijd over voor een afspraak.

Natuurlijk komt daar ook bij dat zijzelf op zaterdag moet werken, dus blijft alleen de zondag over. Nee, voor hen hoeft ze ook niet in Nederland te blijven.
Terwijl ze automatisch het haar van haar klant uitspoelt, zijn haar gedachten in Tsjechië. Ze ziet zichzelf al samen met Rick op de camping. Misschien kunnen ze ook een soort kinderboerderijtje aanleggen, of in elk geval een weitje met wat geiten of schapen. Ze weet nog hoe leuk ze dat zelf vroeger vond. Toen Floris en zij klein waren, zijn ze ook weleens wezen kamperen. Eén keer maar, want papa vond het helemaal niks. Mama had hem overgehaald om een keer een caravan te huren, dus zo primitief was het nog niet eens. Het was een ruime caravan met alles erop en eraan, maar ja, het bleef natuurlijk kamperen. Pap houdt meer van hotels of desnoods een vakantiebungalow, dus dat was het de volgende jaren geworden. Maar Nicky weet nog steeds hoe geweldig zijzelf het leven op de camping had gevonden.
Verstrooid geeft ze antwoord op de vragen van de mevrouw wiens haar ze nu aan het knippen is. Het is inmiddels halfvijf, als het een beetje mee heeft gezeten, dan heeft Rick het grootste deel van de reis er nu wel op zitten.
Maar ze moet lang wachten, pas 's avonds om halfelf gaat de telefoon en meldt hij zich.
'Ik moet het kort houden, schat,' zegt hij, 'de batterij van mijn mobiel moet nodig opgeladen worden, hij is bijna leeg. Maar ik heb een goede reis gehad, wel wat files, en nu ben ik doodmoe. Ik ga gauw slapen, morgen ga ik op onderzoek uit, dan hoor je weer van me, oké? Hoe is...' Dan wordt opeens de verbinding verbroken, nadat Nicky op het laatste moment kindergehuil hoort.
'Telefoon leeg natuurlijk!' moppert Nicky zacht in zichzelf. Hopelijk slaapt hij goed, maar zo te horen was het een onrustig hotel, ja, ze heeft wel begrepen dat het daar allemaal lang niet zo luxe is als zij hier gewend zijn.
Kort nadat het gesprek beëindigd is, gaat de telefoon opnieuw. 'Nog even met mij, er is een erg slechte ontvangst in dat hotel, nu sta ik buiten, ik wilde je toch nog even welterusten zeggen. Dus voordat

de verbinding weer wegvalt: slaap lekker en tot morgen!'
Later, in bed, ligt Nicky lang wakker. Ze vraagt zich opeens af hoe haar vader zal reageren op hun plannen. Morgen zal ze papa eens een uitgebreide mail sturen, wellicht heeft hij ook nog tips voor hen. Want eerlijk gezegd vond ze dat Rick er wel erg gemakkelijk over praatte, afgelopen zaterdag. Zouden er echt geen speciale vergunningen of diploma's nodig zijn? En hoe pak je zoiets het beste aan? Rick is een handige jongen, maar hij heeft natuurlijk ook geen enkele ervaring in het exploiteren van een camping. Werken bij de marine of campingbaas worden, dat is nogal een verschil!
Maar de volgende avond, als Nicky in de trein zit op weg naar huis, belt Rick weer. Zijn stem klinkt opgewonden als hij zegt: 'Lieverd, met mij, ik moet je wat geweldigs vertellen, ik heb een prachtig stuk grond gevonden, geknipt voor een camping! Sterker nog, het ís al bijna een camping, de huidige eigenaar, een vrouw, heeft de grond dit voorjaar samen met haar man gekocht met de bedoeling er een camping van te maken. Ze waren dus al begonnen met de aanleg, maar helaas is de man deze zomer plotseling overleden. De vrouw wil nu van de camping-in-aanleg af, maar zoals ik je dit weekend al vertelde: de Tsjechen zelf hebben vaak geen geld voor dit soort dingen, zien er ook geen brood in om een camping te beginnen, zodoende is het moeilijk verkoopbaar. Dus lijkt het geknipt voor ons, wat zeg je daarvan?'
'Nou, dat klinkt prachtig, hoewel het natuurlijk zielig is voor die vrouw, dat wel.' Het kost Nicky moeite om niet te gaan gillen van plezier, midden in de volle trein. Rustiger gaat ze verder: 'Tja, dan moeten we snel een keer samen gaan, hè, want we zullen vast geen maanden de tijd hebben om te beslissen. Misschien kan ik volgende week dinsdag vrij nemen, dan gaan we zondag heen en dinsdag terug, en hebben we de maandag om eventueel zaken te doen. O Rick, wat spannend!'
'Dat is nou net het probleem, Nick, die vrouw heeft snel geld nodig, ze kan niet eens de rekening van de begrafenis betalen, zielig hoor. En nu wordt er ook nog door haar huisbaas gedreigd dat hij haar uit

huis zet als ze niet binnen vierentwintig uur de huurachterstand betaalt. Je kunt je zoiets in Nederland toch niet voorstellen, hè? Maar ze ziet me echt als de oplossing van haar problemen. En ja, het heeft voor ons ook alleen maar voordelen, want natuurlijk hoeft ze geen topbedrag, ze is veel te blij als ze van die grond af is en haar schulden kan betalen. Maar ja, ik begrijp dat jij ook wel graag eerst alles wil zien...'

'Joh, wat een vreselijk verhaal, onvoorstelbaar zeg! Weet je, ik moet zo uitstappen, onderweg naar huis denk ik er nog even over na, dan bel ik je zodra ik thuis ben en dan praten we er verder over, oké?'

'Ik bel jou wel, ik stap nu in de auto naar mijn hotel. Ik bel je over een uurtje, goed? Ach, ik moet steeds maar aan die arme vrouw denken...'

'Dat begrijp ik, lief van je dat je zo met haar meeleeft. De trein is er, ik spreek je over een uurtje weer, daag!'

Onderweg van Roermond naar huis kan Nicky aan niets anders meer denken. Wat moeten ze doen? Steeds meer krijgt ze de overtuiging dat ze gewoon de knoop maar moeten doorhakken, Rick weet echt wel wat hij doet. Het zou natuurlijk leuker zijn als ze zelf ook eerst kon gaan kijken, maar ja, dit zijn wel heel bijzondere omstandigheden. Misschien moet ze zo eerst haar vader bellen en het hem voorleggen. Al heeft Rick nog geen bedrag genoemd, ze begrijpt heel goed dat het om een flinke som geld zal gaan.

Thuisgekomen loopt ze direct naar de telefoon en toetst het nummer van haar vader in. Het is inmiddels bijna zeven uur, dus grote kans dat papa in zijn appartement is. Maar er wordt niet opgenomen, ze hoort de toonloze computerstem melden dat ze de voicemail van haar vader hoort. Ze neemt niet de moeite om een boodschap in te spreken, ze zal het later op de avond nog weleens proberen.

Korte tijd later belt Rick weer. 'Zo, ik heb nu even de tijd en de rust om te praten,' zegt hij. 'Heb je er al een beetje over na kunnen denken?'

'Ja, natuurlijk ben ik er de hele verdere terugreis mee bezig geweest. Weet je, Rick, ik zou er natuurlijk graag eerst verder over willen praten en ook zelf gaan kijken. Maar ik snap dat daar niet zo veel tijd voor is, als we die vrouw wat tegemoet willen komen. Dus moet jij de beslissing maar nemen. Ik zal vanavond mijn vader proberen te bereiken en ook met hem overleggen, maar verder... tja, dan moeten we daarna misschien de knoop maar doorhakken, hè?'

'Waarom moet je je vader daarmee belasten? Hij kan dat toch vanuit de verte niet beoordelen? Nee, ik zou hem niet bellen, misschien vindt hij het helemaal geen goed idee dat je uit Nederland vertrekt en brengt hij jou weer aan het twijfelen. Laten we dit zelf beslissen, je bent toch geen kind meer?'

'Ja, maar misschien...'

'Kom op, Nicky,' zegt Rick, en ze hoort dat zijn stem wat ongeduldig klinkt, 'wees nou eens een grote meid en neem je eigen beslissingen. Je vader zal juist trots op je zijn als je dat doet. Hij heeft toch óok niet met jou overlegd voor hij naar Zwitserland ging, of wel?'

'Nee, dat niet, daar heb je wel gelijk in,' zegt ze aarzelend, 'maar toch, ik weet het niet, hoor. Het is wel een grote beslissing.'

'Dat valt nou ook wel weer mee, we hebben niks te verliezen. Als we nu snel toehappen, kan ik aardig wat van de vraagprijs af krijgen. Dus mocht het ons toch niet bevallen daar, dan kunnen we altijd met winst verkopen, zo moet je het ook bekijken.'

'Ja, dat wel, om welk bedrag gaat het eigenlijk?'

'Voorlopig om maar twintigduizend euro, dat is de gevraagde aanbetaling waarmee die vrouw aan haar voorlopige verplichtingen kan voldoen, de huurachterstand, de begrafenis en zo.'

'Zó veel? En jij noemt het 'maar' twintigduizend euro, het is nogal wat, zeg!'

'Het is maar een klein gedeelte van de totaalprijs, maar het is wel even een probleem. Mijn spaargeld staat vast, daar kan ik de komende twee maanden niet aankomen. Ik had zo gedacht: als jij dit bedrag zou kunnen overmaken, dan zorg ik voor de rest. Ik heb flink wat kunnen sparen de afgelopen jaren, dus dat is geen probleem, we hoeven maar een kleine hypotheek te nemen, de rest betalen we zelf. Is dat een probleem voor jou?'

'Twintigduizend euro... Op zich staat dat wel op mijn spaarrekening, maar ik weet niet of ik dat zo kan opnemen. Het is nogal wat... Weet je zeker dat het safe is allemaal?'

'Natuurlijk is dat safe. Je kunt toch internetbankieren, dan maak je het zo over van je spaarrekening naar je lopende rekening, en dan geef je direct opdracht om het daarna over te maken naar mijn rekening. Wacht, ik geef je mijn rekeningnummer even, heb je pen en papier bij de hand?' Hij noemt langzaam de cijfers op. 'Heb je het? Dan zorg ik dat het bij de makelaar van mevrouw Kegau terechtkomt.'

'Mevrouw wie?'

'Kegau, de weduwe. Joh, ik snap dat het je allemaal een beetje overvalt, maar ik heb zo'n medelijden met die vrouw, ik wil haar echt graag helpen. Maar als jij vindt dat we dat niet moeten doen en het alleen zakelijk moeten bekijken, ja, dan laten we dit natuurlijk overgaan en kunnen we later weleens samen op zoek naar een ander terrein hier of daar. Tenslotte zijn wij natuurlijk niet verantwoordelijk voor een onbekende Tsjechische...'

'Nee nee,' haast Nicky zich te zeggen, 'ik vind het echt lief van je, en als jij denkt dat het allemaal klopt, dan doen we het gewoon. O Rick, het idee dat we volgend jaar om deze tijd al samen op onze eigen camping zitten!'

'Goed hè? Ik kan bijna niet wachten om je hier alles te kunnen laten zien, we gaan heel binnenkort een keer samen kijken, hoor. Jouw handtekening zal trouwens ook nodig zijn voor 't een en ander, maar dat komt wel. Kun jij vandaag of uiterlijk morgen dat geld storten, denk je? Dan maak ik de aanbetaling over en zet alvast mijn handtekening, dan kunnen ze niet meer van ons af.'

'Goed, ik ga zo direct eens kijken of dat lukt, ik bel je straks nog. Heb jij al gegeten?'

'Nee, ik ga zo naar m'n hotel. Ik bel jou later op de avond nog, oké?'

'Goed, ik hou van je!'

'En ik van jou.'

Dan drukt ze de telefoon uit en laat zich languit achterover op de

bank vallen. Ze hebben een camping! Nou ja, de grond ervoor, het is bijna niet te geloven!
Terwijl ze in de keuken aan de gang gaat om haar eten klaar te maken, blijven de gedachten door haar hoofd vliegen. Het gaat zo snel allemaal, is het wel te vertrouwen? Is Rick wel voorzichtig genoeg?
Ze proeft nauwelijks wat ze eet en direct na het eten besluit ze om nogmaals te proberen om haar vader telefonisch te bereiken. Deze keer heeft ze meer succes. Na kort wat heen en weer gepraat te hebben, zegt Nicky: 'Pap, ik heb je advies nodig, we... eh, Rick is zich aan het oriënteren om grond te kopen in Tsjechië. Hij wil daar een camping beginnen, enne... ik zie dat ook wel zitten.'
'Een camping? In Tsjechië? Hoe komen jullie daar nou toch bij?' Er klinkt grote verbazing in haar vaders stem.
'Rick heeft contact met iemand die dat ook heeft gedaan en het schijnt prima te lopen, er is daar blijkbaar behoefte aan goede campings en de grond is niet zo duur.'
'Wat noem je niet zo duur, over wat voor bedragen praat je dan?'
'Ik weet het niet precies, maar Rick zei dat het goed te doen is.'
'Ik zou er eerst maar eens goed over nadenken en je uitgebreid laten voorlichten. Jullie moeten eerst maar eens informatie inwinnen bij het kadaster daar. En zorg voor een betrouwbare notaris tegen die tijd. Hoe zit het trouwens met vergunningen? Je kunt daar vast niet zo maar iets beginnen. Nou ja,' voegt hij eraan toe, 'binnenkort kom ik toch maar eens een weekend naar huis, dan praten we er wel uitgebreid over. Ik moet nu neerleggen, er wordt op me gewacht. Verder geen bijzonderheden daar?'
'Nee hoor, alles gaat goed, dag pap.' Langzaam legt ze de telefoon neer. Wat nu? Ze gaat achter de computer zitten en logt in bij haar bank. Ja, er staat genoeg geld op haar rekening, ach, wat kan er ook misgaan? Rick weet echt wel wat hij doet. En hij heeft gelijk, ze is geen kind meer, pap ziet altijd overal leeuwen en beren, ze kan haar eigen beslissingen wel nemen.
Resoluut tikt ze de benodigde cijfers in en vijf minuten later is het

bedrag van haar rekening overgeschreven op die van Rick. Ziezo, de eerste stap naar de camping, hun camping, is gezet!
Een uurtje later belt Rick alweer. 'Is het gelukt?' vraagt hij.
'Ja, ik heb het overgemaakt, maar, Rick, ik heb mijn vader nog gebeld, en hij raadde ons aan toch nog eens goed te informeren bij het kadaster en zo.'
'Dat heb ik natuurlijk al gedaan, wat zei hij verder van het plan?' Nicky hoort de spanning in zijn stem.
'Nou, eigenlijk heb ik niet verteld dat het allemaal zo snel gaat. Hij wil er binnenkort met je over praten, als hij een weekend hier is. Misschien moeten we het toch een beetje rustig aan doen allemaal?' Ze gaat toch weer twijfelen.
'Lieverd, ik beloof je dat je geld veilig is bij mij. Ik ga morgen alles nog eens nauwkeurig na voor ik het overmaak op de rekening van mevrouw Megau.'
'Het was toch iets met een K?'
'Wat bedoel je?'
'De naam van die vrouw.'
'O ja, Kegau dan, ik weet het niet precies uit m'n hoofd. Het komt in elk geval allemaal goed. Ik moet nu stoppen met bellen, de makelaar zit op me te wachten, hij wil nog het een en ander bespreken. Ik spreek je gauw weer, welterusten schat, droom maar over onze toekomst hier!'
Nicky slaapt die nacht onrustig en de volgende ochtend is ze alweer vroeg wakker. Het is maar goed dat ze moet werken, nu heeft ze tenminste iets omhanden, anders zou de dag helemaal zo lang duren. De hele dag wacht ze op Ricks telefoontje, maar hij belt niet.
Zaterdagavond overweegt ze even om naar Irene of Saskia te gaan, maar ze durft niet van huis te gaan, bang dat ze zijn telefoontje zal missen.
Om negen uur heeft ze nog steeds niks gehoord, en Rick neemt zijn telefoon niet op als zij probeert te bellen. Ten slotte besluit ze te gaan kijken of Irene toevallig thuis is, van dat in haar eentje afwachten wordt ze echt gek. Waarom belt Rick toch niet, er zal toch geen

ongeluk gebeurd zijn? Ze trekt juist de deur achter zich dicht, als ze een auto hoort stoppen. Ze draait zich om en haar mond zakt een beetje open van verbazing.
'Hè, hoe kan dat?'

10

De volgende vrijdag al brengt Peter Jenneke en de kinderen naar Drenthe. Haar ouders vonden het een geweldig plan en Jenneke zelf kreeg er met de dag meer zin in.
'Zal ik niet een paar weken wachten?' stelde ze in eerste instantie voor, 'ze zijn pas nog hier geweest.'
'Welnee,' antwoordde Peter, 'het is nu nog lekker weer, straks als het omslaat zitten we misschien gelijk in de herfst, geniet er maar fijn van. Voor de jongens ook leuk als ze lekker buiten kunnen spelen.'
'Je hebt wel gelijk, ja. O Peet, ik heb er zo'n zin in, weet je zeker dat je het redt alleen thuis? Ik zet wel wat dingen in de vriezer, goed?'
'Maak je geen zorgen, dat komt wel goed hoor. Ik mag altijd op kosten van de baas onderweg eten, als dat zo uitkomt. Normaal maak ik daar nauwelijks gebruik van omdat ik dan liever naar huis ga, maar in dit geval... En af en toe een lekkere pizza gaat er ook wel in, nee, dat komt wel goed.'
'Wanneer kom je ons dan weer halen? Ik vind een week eigenlijk lang genoeg, hoor.'
'Dat zien we wel, kijk eerst maar eens of jullie het naar je zin hebben.'
'Nou, daar hoef je niet aan te twijfelen! Ik ga heerlijk de hele familie en al mijn vriendinnen opzoeken. Misschien wil ik wel helemaal niet meer terug.' Het is een grapje, maar er zit een ondertoon van ernst in haar stem.
'Tja, dan moet je daar maar blijven, hè?' Peters woorden klinken nog minder luchtig. Jenneke schrikt ervan, maar ze gaat er niet op in. Ze zucht, maar ze wil zich nu niet in de put laten duwen, ze gaat genieten van deze korte vakantie. Daarna zien ze wel weer.
Vrijdagmiddag, als ze in de auto zitten en richting het noorden rijden, valt het Jenneke weer op dat Peter opgewekter is dan tijden het geval was. Is hij blij dat we weggaan? vraagt ze zich in stilte af. Maar opnieuw duwt ze de sombere gedachten weg, ze gaat naar Drenthe, naar huis!

De ontvangst bij haar ouders is hartelijk, maar Jenneke voelt de bezorgdheid van haar moeder. En ook haar vaders gezicht betrekt als Peter luchtig opmerkt dat Jenneke en de kinderen net zo lang mogen blijven als zijzelf maar wil.
'Je blijft vannacht toch wel slapen?' vraagt zijn schoonmoeder hem.
Even aarzelt hij. 'Ach ja, dat kan ik wel doen,' zegt hij dan. 'Dan rij ik morgen wel bijtijds weg, dan heb ik nog wat aan m'n dag.'
'Moet je morgen naar België?' vraagt pa.
'Naar België, hoezo?' antwoordt Peter wat verstrooid. Maar dan zegt hij: 'Nee, morgen heb ik een ritje voor mijn baas, wel naar het zuiden. Dus ik ben eigenlijk van plan om een goedkoop hotelletje te zoeken, zodat ik zondagochtend daar lekker vroeg aan het werk kan.'
'Op zondag?' vraagt Jennekes moeder nu, met afkeuring in haar stem. 'Ik weet dat jullie niet veel meer in de kerk komen, maar om nou op zondag een hotel te gaan slopen, dat vind ik wel een beetje ver gaan.'
Niemand geeft antwoord, daarom gaat ze, zachter nu, verder: 'Nou ja, daar heb ik natuurlijk niks mee te maken...'
'Precies!' zegt Peter scherp.
'Peet!' Jenneke kijkt verschrikt van haar man naar haar moeder. Ze is blij dat de jongens binnen komen hollen, daardoor wordt de spanning die er opeens hangt, gebroken.
Peter loopt naar buiten, even later ziet ze hem in de achtertuin staan, de mobiele telefoon in zijn hand. Er ligt nu weer een glimlach op zijn gezicht. Ja, denkt ze bitter, als baas Paul belt, dan is hij de vrolijke attente man. Maar voor haar en de kinderen... Ze sust de twee jongetjes die ruzie maken over een bal en stuurt ze weer naar buiten. 'Nog vijf minuutjes hoor,' zegt ze tegen hen, 'dan gaan we eten. Misschien wil papa wel even met jullie voetballen.' Ze kijkt ze na als ze weer naar buiten hollen, Mark voorop en Jeroen erachteraan, recht op hun vader af. Maar ze ziet ook hoe Peter geïrriteerd het hoofd schudt en de tuin uit loopt, de telefoon nog steeds aan zijn oor.
Ze zucht opnieuw en ze betrapt zich erop dat ze bijna niet kan wachten tot hij vertrokken zal zijn.
Na het eten gaat Peters telefoon opnieuw, hij praat kort en na het

gesprek zegt hij: 'Het spijt me, ik moet vanavond al gaan. Paul heeft me morgenvroeg al nodig.'
'Misschien hebben je vrouw en kinderen je ook wel nodig,' zegt vader De Groot, zonder zijn schoonzoon aan te kijken.
'Pa!'
'Ze hebben mijn loon ook nodig,' zegt Peter, even rustig als zijn schoonvader.
'Het maakt niet uit,' zegt Jenneke. Zenuwachtig kijkt ze van de één naar de ander. 'Dat ene nachtje slapen maakt toch niet uit? Zal ik gauw koffiezetten, dan kun je nog een kopje meedrinken voor je gaat rijden.'
'Doe geen moeite.' Peter schuift met een ruk zijn stoel naar achteren en staat op. 'Ik ga, volgens mij wordt het hier dan pas echt gezellig.'
'Hè Peter,' probeert moeder De Groot te sussen, 'doe nou niet zo onaardig voor je weggaat. Dat is toch ook niet leuk voor Jenneke.'
Mark kijkt met grote ogen van de één naar de ander. 'Is papa boos?' vraagt hij.
'Nee hoor,' antwoordt Jenneke, 'papa moet weg, werken.'
'O.' Zijn aandacht is alweer weg. 'Mag ik met Jeroen in het grote bad, oma?'
'Ja hoor, maar eerst even papa gedag zwaaien, hè?'
'Hoeft niet!' Mark is de trap al op.
Jenneke ziet opeens met de ogen van haar ouders haar gezin. De ongeïnteresseerde houding van Peet ten opzichte van de kinderen, en omgekeerd. Voor haarzelf is dat onderhand gewoon, maar op een ander komt het vast raar over. Ze schaamt zich, maar tegelijkertijd voelt ze zich opgelucht dat ze vorige week met haar moeder heeft gesproken over de situatie. Nu hoeft ze in elk geval niet te proberen om de schijn op te houden, het is al moeilijk genoeg allemaal.
Tien minuten later gaat Peter de deur uit. Hij heeft de jongens een snelle kus gegeven en naar Eva, die in de box ligt, vergeet hij zelfs maar te kijken. Jenneke schudt geërgerd het hoofd, het wordt steeds erger. Maar ze zegt niks, ze hoopt dat het haar ouders ontgaan is. Dat

het tussen Peter en haar niet lekker loopt, weten ze nu wel, maar zijn desinteresse in de kinderen vindt ze eigenlijk nog erger en daarvoor schaamt ze zich.
Als een uurtje later de kinderen in bed liggen, en ze eindelijk rustig in de kamer kunnen gaan zitten, zegt vader De Groot: 'Kind, ik wil niet veel zeggen, maar...'
'Alsjeblieft, pa, zeg dan liever maar helemaal niks,' onderbreekt Jenneke hem. 'Ik wil gewoon een weekje lekker genieten van het hier zijn. Als ik behoefte heb om te praten, dan weet ik jullie te vinden, goed?' Smekend kijkt ze hem aan.
'Wat je wilt...' zegt hij, na een lichte aarzeling.

Het worden heerlijke dagen. Het weer werkt mee en Jenneke geniet van de ontmoetingen met haar familieleden en vriendinnen. Ook bij de ouders van Peter gaat ze regelmatig met de kinderen langs. Het is alsof ze nooit is weg geweest. Over Peter en de problemen in haar huwelijk wordt niet meer gesproken. Ze wil deze dagen alleen maar genieten en niet aan die vervelende dingen denken. Ze weet dat het struisvogelpolitiek is, maar ze wil zich deze week ontspannen. Volgende week, als dit weer achter haar ligt, is het vroeg genoeg om weer te gaan tobben over hoe het toch verder moet.
Peter belt af en toe, maar hun gesprekken zijn kort en nietszeggend. Hij vertelt steeds dat het prima gaat en dat hij druk is met zijn werk. Het weekend is hij bezig geweest in België, maar ook daarover weidt hij niet verder uit. Jenneke vindt het wel best zo. Iedereen ziet een opgewekte Jenneke, die desgevraagd vertelt dat ze het goed heeft in Utrecht. Oké, misschien is het niet helemaal zoals 'thuis' in Drenthe, maar prima uit te houden, hoor. Haar ouders moedigen haar aan om 's avonds eens gezellig te gaan buurten bij familie of vriendinnen van vroeger, zij passen wel op. 'Nu heb je de gelegenheid, dus moet je die waarnemen ook,' vindt haar moeder. Jenneke geniet ervan om iedereen weer eens te zien en te spreken, maar zelfs bij haar eigen zussen laat ze niks los over haar werkelijke leven met Peter in Utrecht.

Maar als ze op woensdagavond bij haar beste vriendin Marion is, kan ze die rol niet langer volhouden.
Marion is leerkracht aan de plaatselijke basisschool. Ze woont alleen in een klein huisje, midden in het dorp. Ze kennen elkaar al vanaf hun vierde jaar, toen ze samen in de kleutergroep zaten van hetzelfde schooltje waar Marion nu werkt.
Na wat heen en weer gepraat over allerlei kleine dingen, vertelt Marion wat over haar werk in de combinatiegroep 1-2, en over de dreiging dat de school gesloten zal worden. Er zijn te weinig leerlingen, veel jonge mensen trekken weg uit het dorp dus ook het aantal leerlingen loopt langzaam maar zeker terug.
Jenneke luistert en knikt, maar haar gedachten dwalen af. Hè, woonde zij maar weer hier, dat zou voor de school alvast weer drie nieuwe leerlingen voor de toekomst betekenen. Maar ja...
'Luister je eigenlijk wel?' vraagt Marion opeens, 'volgens mij zit je met je gedachten heel ergens anders.' Ze kijkt haar vriendin onderzoekend aan. 'Gaat het wel goed met jou, niet echt, hè?'
'Ja hoor, maar ik zat te bedenken dat wij drie nieuwe leerlingen zouden kunnen leveren als we hier maar weer zouden wonen.' Ze hoort zelf hoe verlangend haar stem klinkt.
'Je hebt het helemaal niet zo goed naar je zin als je zegt, hè?'
Jenneke schudt het hoofd en zucht. 'Nee, niet echt!'
'Niet echt, of echt niet? Je hoeft je voor mij niet groot te houden, hoor Jen, daarvoor kennen we elkaar al te lang en te goed, toch? Valt het tegen in Utrecht?'
Jenneke slikt, ze voelt zomaar de tranen omhoogkomen. 'Utrecht valt tegen, maar vooral...'
'Vooral wat?' vraagt Marion, 'die flat?'
Jenneke schudt het hoofd. 'Dat is ook niet ideaal, maar het is vooral... het gaat tussen ons niet goed, tussen Peter en mij.'
'Joh!' Meer zegt Marion niet. Geschrokken kijkt ze Jenneke aan. 'Ben je daarom hier, bij je ouders?' vraagt ze dan.
Jenneke haalt haar schouders op. 'Peter stelde zelf voor dat ik als een soort vakantie hiernaartoe zou gaan met de kinderen. Omdat ik

heimwee zou hebben en we helemaal niet met vakantie zijn geweest. Maar er zit veel meer achter, Marion, veel meer.' Nu begint ze toch te huilen, ze kan het niet langer tegenhouden.
Marion is naast haar komen zitten op de bank en slaat een arm om haar heen. Jenneke begint te vertellen. Over de nieuwe baan van Peter, een baan en een baas die ze helemaal niet vertrouwt. 'Ik denk soms dat hij drugskoerier of zo is,' zegt ze, 'zo veel geld verdienen als het om onschuldige pakketjes gaat, dat kan toch niet? Maar als ik daar voorzichtig een opmerking over maak, wordt Peet kwaad en zegt dat ik me er niet mee moet bemoeien en dat hijzelf ook niet weet wat hij ophaalt en wegbrengt. Dat is zijn verantwoordelijkheid niet, zegt hij. Maar zo'n antwoord is voor mij eigenlijk een bewijs dat hij het zelf ook niet vertrouwt.' Ze schudt haar hoofd. 'Vandaag of morgen wordt hij nog opgepakt door de politie... Maar weet je, het klinkt misschien gek, maar toch is dat allemaal het ergste nog niet, die onzekerheid bedoel ik. Het is vooral dat Peet Peet niet meer is. Ik moet eerlijk toegeven dat hij nooit veel tijd en aandacht aan de kinderen heeft besteed, vanaf het begin al niet. Maar de laatste maanden kan hij helemaal niks meer van ze hebben, en uit zichzelf geeft hij ze absoluut geen aandacht. Soms lijkt het eerder of ze een blok aan zijn been zijn. Als hij al thuis is! Want dat is ook iets wat ik niet begrijp: hij is steeds vaker en langer van huis. Soms komt hij pas tegen middernacht thuis en af en toe blijft hij zelfs een hele nacht weg. Allemaal voor zijn werk, zegt hij. Maar op een of andere manier vertrouw ik hem niet meer. Dan denk ik: zou hij zelf in de drugshandel zitten, zelfs dealer zijn of zo? Hij rijdt maar rond in die mooie auto, keurig in de dure kleding. De telefoon zit zowat vastgeplakt aan zijn hand, zodra hij overgaat, loopt hij naar buiten. Ik mag zijn nummer niet eens weten, laat staan ook maar met een vinger aan die telefoon zitten. Dat kan toch geen zuivere koffie zijn...'
Jenneke heeft alles er achter elkaar uitgegooid, nu slaat ze de handen voor haar gezicht: 'Het spijt me, Marion, dat ik jou hiermee belast, vergeet het maar weer, jij kunt er toch ook niks aan doen en misschien overdrijf ik alles wel.'

'Meid toch...' Marion streelt haar kalmerend over haar schouder, 'wat een verhaal, ik had geen idee! Maar het is goed dat je het er eens allemaal uitgooit, ook al heb ik geen pasklare oplossing. Weten je ouders hiervan?'
'Ik heb wel iets verteld, maar niet alles, wat heeft het ook voor zin? Ze maken zich alleen maar zorgen. Ik heb eigenlijk al te veel tegen ze gezegd.'
Het blijft even stil, dan vraagt Marion: 'Denk je dat hij zelf drugs of zo gebruikt?'
'Nee, dat geloof ik niet, al weet je dat natuurlijk nooit helemaal zeker. Hoewel ik soms denk dat hij wel iets moet slikken om dat drukke leven vol te houden. Want dat heb ik je nog niet verteld: momenteel is hij in de weekends in België bezig om een of ander oud hotel te verbouwen. En hij was van plan om daar dan naartoe te verhuizen, maar dat laatste lijkt nu weer een beetje van de baan te zijn. Weet je, soms is hij opeens weer lief en begrijpend, dan denk ik dat het allemaal wel mee zal vallen. Maar de volgende dag is hij weer afstandelijk en kortaf, dan lijkt hij wel een vreemde voor me.'
'Ik ken hem natuurlijk ook al heel wat jaartjes, en soms heb ik weleens gedacht... nou ja, je moet het me maar niet kwalijk nemen, maar soms heb ik weleens getwijfeld of hij niet een of andere autistische afwijking heeft, misschien het syndroom van Asperger, weet je wat dat is?'
'Ik heb er weleens van gehoord, maar precies weet ik het niet.'
'Tijdens mijn opleiding en ook in m'n werk heb ik er wel mee te maken gehad, je moet er maar eens wat over opzoeken op internet. Maar om terug te komen op Peter, ik geloof niet dat dat het nou echt bij hem is, hoewel ik sommige dingen er wel op vind lijken. Ook wat jij nu vertelt over zijn relatie met de kinderen, dat lijkt toch wel weer op één van de kenmerken van Asperger. Ik weet het niet, maar ergens klopt er iets niet bij hem. Ik heb dikwijls het gevoel gehad dat hij niet echt is, dat hij een rol speelt. In gesprekken lijkt het vaak of je niet echt tot hem kan doordringen. Maar ja, ik ken hem natuurlijk lang niet zo goed als jij, misschien zit ik er helemaal naast en is het gewoon een karaktertrek van hem.'

Jenneke knikt, het blijft even stil, dan zegt ze: 'Ik voel me eigenlijk een beetje schuldig dat ik zo over Peet zit te praten. Je mag het echt verder tegen niemand zeggen, hoor, hoe het allemaal zit bij ons.'
'Nee, natuurlijk niet, dat weet je zelf ook wel. En je hoeft je niet schuldig te voelen, iedereen heeft er toch behoefte aan om z'n hart eens te luchten? Je kunt dat beter hier doen dan bij je ouders, die maken zich, zoals je zegt, alleen maar zorgen om je.'
Jenneke zucht eens diep en zegt: 'Nu ik het allemaal eens heb uitgesproken, lijkt het al minder erg allemaal. In elk huwelijk zal weleens wat zijn, toch?'
'Tja, daar heb ik zelf nog geen ervaring in, maar dat geloof ik ook wel. Toch wil dat niet zeggen dat jij alles maar moet slikken van Peter hoor. Als ik jou zo hoor, is het wel allemaal extreem bij jullie. Om te beginnen mag je toch wel van hem eisen dat hij wat meer tijd aan de kinderen besteedt. En misschien moet je afspreken om minimaal één keer per week samen iets te doen. Als geld geen probleem is, kun je toch wel af en toe een oppas nemen en samen lekker uit eten gaan, of naar de film, ik zeg maar wat. Gewoon een beetje kwaliteit in je huwelijk brengen.'
Jenneke knikt. 'Ja, ik zal zoiets eens voorstellen. Het is toch te gek voor woorden dat hij zes, zeven dagen per week klaar moet staan voor z'n baas. Tot 's avonds laat toe gaat soms opeens die telefoon en moet hij weer iets ophalen of wegbrengen. Ja, zelfs op zondag is hij tegenwoordig weleens weg. En nu, met dat rare België-gedoe, lijkt hij opeens elk weekend wel tijd te hebben om daarnaartoe te gaan.'
Marion is opgestaan en loopt naar de computer. 'Hoe heet dat bedrijf, dan zal ik het eens googelen, of heb jij dat zelf al eens geprobeerd?'
'Nee, maar ik weet ook geen bedrijfsnaam, daar deed Peet, toen ik het in het begin vroeg, ook al vaag over. Het is een eenmansbedrijfje en die baas heet Paul Jansen, meer weet ik niet.'
Marion heeft de naam al ingetikt. 'Mmm, er zijn heel wat hondjes die Fikkie heten!' zegt ze, 'Paul Jansens heb je in allerlei beroepen, maar een pakketdienst zie ik er niet bij.'
'Zie je wel, ik vertrouw het echt helemaal niet. Maar wat doe je

eraan... ik ben wel blij dat hij nu goed verdient, dus ik profiteer wel mee, of dat zaakje nu klopt of niet.'
'Dat is zijn verantwoordelijkheid,' vindt Marion, 'maar ik zou er toch nog eens naar informeren bij hem. Heb jij die Paul weleens ontmoet?'
Jenneke schudt het hoofd. 'Ik maak me eerlijk gezegd meer zorgen om Peter dan om die Paul. En als je ziet hoeveel uur per week hij beschikbaar moet zijn, is het ook niet raar dat hij flink verdient, dat zal heus allemaal wel goed zijn. En ik zou het niet eens zo erg vinden dat hij veel van huis is, als hij maar anders was tegen de kinderen en mij op de momenten dat hij wel thuis is. Ik vraag me steeds meer af of ik de echte Peter nog wel ken.'
'Héb je die ooit wel gekend, ik bedoel, de echte Peter?'
Jenneke geeft geen antwoord, ze haalt alleen de schouders op.
'Soms ben ik het zo beu,' zegt ze. 'laten we er maar over ophouden, het helpt toch allemaal niet. Ik ben blij dat ik mijn hart eens kon uitstorten, maar laten we het nu maar over wat leukers hebben.'
'Wat jij wilt! Zal ik een glas wijn inschenken of heb je liever iets anders?'
'Doe maar een wijntje, misschien vrolijk ik daar een beetje van op,' zegt Jenneke met een scheve glimlach.
Even later hebben ze beiden een glas rode wijn voor zich staan.
'Op jullie huwelijk!' Marion heft het glas, 'en op je prachtige kindertjes, ik hoop dat ik ook nog eens zo rijk word, maar dan zal ik eerst de ware Jacob tegen moeten komen, hè?'
Het klinkt luchtig, maar Jenneke hoort een ondertoon van teleurstelling in de woorden van haar vriendin.
'Nou, dat kan toch nog gemakkelijk, zo oud zijn we nog niet.'
'Oud niet, maar de mannen staan niet echt in de rij voor me. Zelfs nieuwe kinderen op school moeten altijd aan me wennen.' Haar hand gaat even over de linkerkant van haar gezicht, waar grote littekens te zien zijn. 'Een verbrande zijkant is niet echt iets waar mannen voor vallen, toch? Laten we maar eerlijk zijn.' Nu klinkt er berusting in haar stem.
Jenneke kijkt haar vriendin aan. 'Weet je dat ik het niet eens meer zie als ik met je praat?'

'Dat komt omdat jij eraan gewend bent, je kent me bijna al niet anders meer. We waren nog zo jong toen het gebeurde.'
'Je praat er eigenlijk nooit over, het leek altijd of je er zelf helemaal niet mee zat.'
'Ik zit er ook niet echt mee, ik heb het wel geaccepteerd. Hoewel ik het in mijn puberteit natuurlijk best heel moeilijk vond. Iedereen kreeg een vriendje, maar mij zagen ze niet staan. Daarom deed ik altijd alsof ik helemaal geen behoefte had aan een vriend, er nog helemaal niet mee bezig was. Maar ik heb wat gejankt in mijn bed!'
'Maar we waren vriendinnen, waarom praatte je daar nooit over? Ik heb echt altijd gedacht dat je met andere dingen bezig was en geen aandacht had voor jongens.' Jenneke kijkt haar geschokt aan. 'Lekkere vriendin was ik al die jaren!'
'Ik wilde het zelf zo, ik weet toch dat ik er met jou over had kunnen praten? Maar dat kon ik niet, ik wilde er zelf uitkomen, en dat is me gelukt. Ja, nu heb ik de laatste tijd weer een nieuwe strijd, want geen man betekent ook geen kinderen. En dat vind ik wel heel moeilijk. Maar ook daar zal ik beslist weer uitkomen.' Het klinkt overtuigend.
'Hoe dan? Ik bedoel, hoe ga je daarmee om?' Jenneke is haar eigen problemen even vergeten, ze is bijna jaloers op de rust en de kracht die Marion uitstraalt.
'Ik kom daar niet alleen uit, ik heb de beste hulpverlener ingeschakeld die je je maar wensen kunt, God!'
'God?' herhaalt Jenneke verbaasd, 'hoe bedoel je?'
'Precies zoals ik het zeg, al vanaf de tijd na de brand heb ik ontdekt dat God me helpt. Bij Hem kan ik al mijn verdriet en frustraties kwijt, hij troost me en geeft me steeds weer moed om door te gaan.'
Jenneke weet niet hoe ze moet reageren. Ten slotte zegt ze: 'Ik wist wel dat jij nog steeds naar de kerk gaat en zo, maar ik wist niet dat het zo belangrijk voor je is. Ik ga zelf bijna nooit meer, sinds we in Utrecht wonen eigenlijk helemaal niet meer. Peet heeft er geen zin in en geen tijd voor, zegt hij. En ik heb er eerlijk gezegd ook niet zo'n behoefte meer aan, nu het zo beroerd gaat bij ons al helemaal niet meer. Eva is niet gedoopt, ik heb er niet eens over nagedacht,

ik zou niet weten waar de dichtstbijzijnde kerk is.'
'Jullie staan toch ingeschreven, is er dan nooit iemand geweest om jullie welkom te heten of zo?'
'Vast wel, maar Peter wimpelt elk contact met de kerk direct af. Hij heeft er geen zin in, zei hij een keer. En ik... nou ja, dat zei ik net al, ik heb m'n handen vol aan mezelf en de kinderen.'
'Misschien moet je, juist omdat het allemaal niet zo gemakkelijk is, contact zoeken.'
'Met wie, met de kerk of met God?' vraagt Jenneke gewild luchtig.
'Met allebei!'
Kort daarna staat Jenneke op. Het gesprek wil op een of andere manier niet meer vlotten.
'Ik ga maar weer eens, pa en ma blijven op tot ik thuis ben, ik voel me net weer vijftien.' Marion loopt met haar mee naar buiten, het is een warme avond.
'Nou, ik kom in elk geval nog even met de kinderen gedag zeggen voor ik weer vertrek, ik weet nog niet precies wanneer Peter ons komt halen. Ik wacht maar af, hij is de baas.' Het klinkt bitter.
Marion omhelst haar stevig. 'Sterkte, meid!' zegt ze hartelijk, 'en je weet het, hè, als je wilt praten, altijd welkom. Ik ben er voor je!'
'Bedankt, jij ook het beste. En er komt heus wel een slimme vent die door de buitenkant heen kijkt en ziet dat je een geweldige griet bent!'
Marion glimlacht. 'Met mij komt het wel goed hoor,' zegt ze. 'Pas jij maar goed op jezelf, enne... denk eens na over mijn hulpverlener, 't is gratis!'
Langzaam loopt Jenneke door de zwoele avond naar het huis van haar ouders. Later, in bed op haar oude meisjeskamer, laat ze de hele avond nog eens de revue passeren. Ze is nog steeds verbaasd over de bekentenissen van Marion. Dat ze toch nooit iets heeft gemerkt van haar frustraties en verdriet toen zijzelf druk was met haar vriendjes. Dan komen de woorden van Marion haar weer in gedachten over God, haar hulpverlener, zoals ze Hem noemde. Nee, daar kan ze niks mee. Maar ze is er toch wel een beetje jaloers op. Eindelijk valt ze in slaap.

11

Met open mond kijkt Nicky toe hoe Rick uit de auto stapt en naar haar toe komt.
'Hè, hoe kan dat nou, ben je nu alweer terug?'
'Niet goed? Dan ga ik weer, hoor!' zegt hij lachend, terwijl hij zijn armen om haar heen slaat.
'Mmm ja, natuurlijk wel,' zegt ze tussen twee kussen door, 'maar hoe kan dat nou? Je had vanochtend toch nog een afspraak met die makelaar?'
'Alles is in orde,' zegt hij, en hij kust haar opnieuw.
Eindelijk doet ze een stapje naar achteren, en ze trekt hem aan zijn hand mee naar binnen. 'Kom, dan krijg je wat te drinken en dan moet je alles precies vertellen. Gaat het allemaal nog door? O, ik vind het toch zo spannend!'
Even later zitten ze samen in de kamer. Rick neemt een grote slok van zijn biertje en begint te vertellen. 'Zoals ik je al eerder meldde, was die vrouw ten einde raad. Rot voor haar, maar een meevaller voor ons natuurlijk. Gisteravond heb ik een en ander nog met de makelaar geregeld en vanochtend vroeg konden we al bij de notaris terecht.'
'Op zaterdag?' vraagt Nicky verbaasd, 'dat is apart!'
'Voor ons idee wel, maar daar gaat het allemaal heel anders. Daar was het notariskantoor vandaag gewoon geopend. Enfin, om tien uur was alles rond, ik heb de aanbetaling geregeld, mijn handtekening gezet, en toen was er geen enkele reden meer om niet vlug in de auto te stappen en hiernaartoe te rijden. Ik blijf vannacht hier, dan rijd ik morgen in de loop van de middag weer naar huis.'
'Ik dacht dat je morgen dienst had, dat zei je vorige week toch?'
'Dat is dan veranderd, en volgend weekend ben ik ook vrij, wat zeg je daarvan? Mag ik niet blijven, heb je liever dat ik thuis slaap?'
'Waar is je thuis eigenlijk?'
'Hè, hoe bedoel je, je weet toch dat ik in Den Helder woon?'
'Ja, maar je bent toch ook weleens buiten de marinekazerne? Daar zat

ik van de week opeens over te denken: je hebt toch wel een plekje voor jezelf, voor als je vrij bent?'
'Nee, ik heb een eigen kamer binnen de kazerne. Maar dat is ook één van de redenen dat ik er weg wil. Ik wil eindelijk weleens een echte plek voor mezelf. Die heb ik nooit gehad, eerst altijd een kamertje bij mijn oma en toen de kazerne. Nee, ik heb het daar wel gezien! Nog een halfjaartje, dan trekken we samen in ons huisje bij de camping! O schat, je had het moeten zien, het ziet er prachtig uit!' En als ze niet direct antwoord geeft, gaat hij verder: "Wat ben je stil, je hebt er toch ook zin in?'
'Ja, natuurlijk, maar het gaat allemaal wel erg snel. Ik begrijp het niet, mijn handtekening was toch ook nodig en het kadaster... Ik had het graag zelf ook eerst gezien, en papa...'
'Je bent oud genoeg om je eigen beslissingen te nemen,' zegt hij wat kortaf. 'En als ik had gewacht tot jij mee kon, was deze kans ons beslist ontgaan, zeker voor die prijs. Jouw handtekening is pas op een later moment nodig, we hebben nu een voorlopig koopcontract, daarvoor was mijn handtekening voldoende.'
Nicky knikt. 'Ja, je zult wel gelijk hebben, maar ik zie er toch tegen op om aan mijn vader te vertellen dat alles al rond is.'
'Nou, simpel, dan vertel je dat toch niet? Je laat hem gewoon langzaam aan het idee wennen dat we onze plannen aan het maken zijn.'
'Dat vind ik niet eerlijk. Trouwens, mijn geld zit er al in.'
'Dat hoef je hem ook niet te vertellen, kom op, wees volwassen Nicky!'
'Je hebt gelijk.' Ze nestelt zich tegen hem aan. 'Nog één vraag: je weet toch zeker dat het allemaal safe is, hè?'
'Tuurlijk schatje, laat dat maar aan mij over, bij mij zijn jouw eurotjes veilig!' Er speelt een lieve glimlach om zijn lippen. 'Veiliger dan bij de bank, reken maar!'
Die avond is het al bijna vanzelfsprekend dat ze dicht tegen hem aan ligt in bed, ze houden immers van elkaar? Vol liefde geeft ze zich aan hem over.

De volgende dag belt Nicky's vader. 'Nick, ik heb nog eens nagedacht over die plannen van je, maar ik vind het niet echt een goed idee. Toevallig sprak ik er gisteravond met een collega over en hij vertelde dat het helemaal niet zo gemakkelijk is om een camping daar te beginnen. O ja, de grond kopen, dat gaat prima, er een camping van maken gaat ook nog, maar in praktijk valt het tegen om voldoende gasten te krijgen. Je moet echt veel investeren wil je een camping krijgen die anders is, meer te bieden heeft dan een ander. En zo veel geld zal je vriend toch ook niet hebben, of wel?'
'Ik weet het niet precies, maar volgens Rick is het prima te doen allemaal. En ik heb toch ook mijn spaargeld nog? Natuurlijk gaan we dat ook gebruiken.'
'Daar zou ik helemáál maar voorzichtig mee zijn. Beloof me dat je geen overhaaste dingen doet, Nicky. Volgende week kom ik een lang weekend naar huis, dan wil ik er graag eens rustig over praten met jou en je Rick. Ik heb nota bene nog niet eens kennis met hem gemaakt, en jij hebt intussen al plannen om met hem naar het buitenland te verhuizen.'
'Dat ligt aan jou, pap, je bent hier nooit, Rick is hier vaak genoeg.'
Vader De Graaf reageert niet op die licht verwijtende woorden van zijn dochter.
'Ik hoop alleen dat je voorzichtig doet en de dingen niet overhaast. Als je mij het adres van die makelaar daar mailt, zal ik er ook eens naar kijken, mag dat?'
'Ik kijk wel... Wanneer kom je precies naar huis, weet je dat al?'
'Ik denk zaterdagmorgen, ben je dan thuis?'
'Ik denk het wel; fijn, pap, tot wanneer blijf je?'
'Tja, ik denk dat ik een kleine week blijf. Ik heb dingen op kantoor te regelen en ik wil ook een en ander met jou doorspreken.'
'Iets bijzonders, toch geen narigheid?' schrikt ze.
'Nee hoor, je hoort het volgend weekend wel. Zeg, ik moet nu neerleggen. Komt je vriend vandaag nog, of heeft hij dienst?'
'Hij is er al. Nou, tot zaterdag, pap, doei!'
Vlug verbreekt ze de verbinding. Zonder dat hij het hoeft te zeggen,

weet ze dat haar vader het geen goed idee zal vinden dat Rick, die hij nog nooit ontmoet heeft, het hele weekend bij haar doorbrengt. Wat dat betreft is papa best ouderwets. Ze schrikt even van haar eigen gedachten. Vindt ze haar vader ouderwets? Nog maar kortgeleden had ze dezelfde principes wat dit betreft, als hij.
Fluitend komt Rick de badkamer uit, slechts gekleed in een boxershort. Nee, dit gaat volgende week zo niet!
'Ik had mijn pa aan de telefoon,' zegt ze. 'Volgende week zaterdag komt hij thuis. Het komt goed uit dat jij dan vrij bent, dan kun je komen kennismaken. Hij wil ook met ons over Tsjechië praten, hij vroeg trouwens waar onze camping te koop staat, bij welke makelaar.'
'Waarvoor? Nicky, ik ben een volwassen kerel, ik heb geen zin in een schoonvader die zich overal mee bemoeit!'
'Hij bedoelt het goed,' zegt Nicky vergoelijkend. 'Als je hem binnenkort ontmoet, zul je zien dat jullie elkaar gewoon aardig vinden.'
'Ik weet nog niet zeker, hoor, of ik volgende week kan komen. Nu ik dit weekend vrij ben, heb je kans dat ik volgende week moet werken.'
'En gisteren zei je dat je het volgende weekend ook vrij zou zijn!'
'In principe is dat ook zo, maar ja, je weet dat nooit helemaal zeker.'
'Ik vind het maar raar dat je dat nooit van tevoren weet,' vindt Nicky. 'Er moet toch enige regelmaat in die diensten zitten.'
'Tja, eigenlijk wel. Maar in de praktijk loopt het vaak anders.'
'Wat zullen we vandaag gaan doen?' stapt Nicky over op een ander onderwerp.
'Dit!' Hij tilt haar op, draagt haar de slaapkamer binnen en legt haar op het bed. 'Schatje, ik krijg nooit genoeg van jou!' Hij gaat bij haar liggen, maar dan schiet hij opeens rechtop. 'Je slikt toch wel de pil, hè?'
Nicky geeft niet direct antwoord, maar dan knikt ze. 'Ja, ik ben afgelopen week bij mijn huisarts geweest.'
Hij neemt haar weer in zijn armen, ze ziet de hartstocht in zijn ogen en laat zich opnieuw meevoeren. Dit kan niet anders dan goed zijn, ze houdt van hem met heel haar hart en heel haar lijf!
Maar later, als Rick uit bed is gegaan en beneden koffiezet, ligt Nicky

naar het plafond te staren. Ja, ze houdt van Rick, maar toch is het niet goed wat ze doet. Ze moet opeens aan haar moeder denken, de gesprekken die ze samen hadden, ook over liefde en alles wat daarbij hoort.
'Bewaar jezelf voor de man met wie je trouwt, en loop niet vooruit op die dingen,' ze hoort in gedachten haar moeders stem weer. *'Een man die jou respecteert en echt van je houdt, zal ook willen wachten als je dat van hem vraagt. En o, dat kan soms heus moeilijk zijn, maar is zeker de moeite waard, geloof me...'*
'Hé, blijf je de hele dag in bed liggen, of kom je beneden een lekker vers bakkie koffie drinken?' Rick kijkt om de hoek van de slaapkamerdeur.
'Ja, ik kom.' Ze neemt zich voor om met Rick te praten, maar nu niet.

Later op de dag stelt Nicky voor om nu eindelijk eens samen naar de oma van Rick te gaan.
'Nee, ik vind het geen goed plan. Ze is erg in de war, ik ga straks even alleen langs, voor ik naar huis rijd,' zegt hij. 'Ze hebben in het tehuis ook aangeraden haar niet te veel prikkels te geven. Ze leeft een beetje in het verleden, en daarin ben ik haar kleine jongen. Ik heb haar wel over jou verteld, maar het dringt niet echt tot haar door. Volgens de verzorging kan het binnenkort wel weer wat beter gaan, dan is het vroeg genoeg om je voor te stellen. Nu zou het haar alleen maar onrustig maken. Vind je het erg?'
'Och nee, als het beter is voor haar... Maar ik wil echt graag kennis met haar maken, tenslotte is ze zo ongeveer de belangrijkste persoon in je leven. Het is eigenlijk wel raar, hè, we hebben trouwplannen en toch kennen we nog niemand van elkaars familie. Kom je nog steeds geregeld bij je schoonzus en de kinderen?'
'Nee, nu is mijn broer weer thuis, dan vermijd ik ze liever. Hij ziet me liever gaan dan komen.'
'Raar hoor. Maar ja, ik begrijp het wel. Ik heb ook nauwelijks contact met Floris en Jetty. We leiden elk zo'n heel ander leven. Toch soms wel jammer. Waar woont Robert eigenlijk?'
'Robert?' Niet-begrijpend kijkt hij haar aan.

'Robert, je broer.'
'O, Rob! Hij woont tegenwoordig in Utrecht. Ze woonden eerst in het noorden van het land, maar het maakt niet uit waar hij woont, contact hebben we nauwelijks.'
'Jammer, hè?' Nicky kijkt stil voor zich uit. 'O Rick, leefde mijn moeder nog maar! Ik weet zeker dat ze direct van je gehouden zou hebben. Ik kan haar nog zó missen.'
'Dat begrijp ik best. Helaas kan ik je ook geen schoonmoeder aanbieden. Nee, veel familie hebben we niet, geen van beiden.' Hij streelt zachtjes haar nek.
'Als we later kinderen krijgen, hebben ze maar één opa, verder helemaal geen grootouders, dat is eigenlijk wel triest, hè?' bedenkt Nicky. Als Rick niet reageert kijkt ze hem verschrikt aan: 'Je wilt toch wel kinderen, hè?' vraagt ze.
'Kinderen? Ja ja, natuurlijk wel.' Dan staat hij op, rekt zich uit en zegt: 'Ik moest zo maar eens gaan, dan ben ik lekker op tijd thuis.'
'Hè, je hebt toch de hele dag vrij, waarom wil je nu al weg?'
'Zoals ik al zei, even langs m'n oma. Daar zit ik toch gauw een uurtje, dus dan is het halfvijf als ik weer in de auto zit. Ik heb wat hoofdpijn, dan ga ik vanavond lekker vroeg naar bed. Morgen om halfzes loopt mijn wekker alweer af.'
Nicky geeft geen antwoord. Ze vindt het raar dat Rick nu opeens weg wil. Wat heeft ze fout gedaan?
'Ben je boos of zo?'
'Welnee, waarom zou ik?'
Ze schokschoudert. 'Dat je nu al weggaat...'
'Ik ben gewoon moe, lieverd, ik heb intensieve dagen achter de rug. Gisteren ruim duizend kilometer gereden en vannacht hield jij me bezig...'
Nicky voelt dat ze bloost. 'Ach ja, natuurlijk, je hebt drukke dagen achter de rug, dat vergat ik helemaal. Ga maar en doe lekker rustig aan.'
Even later loopt ze met hem mee naar zijn auto. Als hij is ingestapt, gaat ze nog even naast hem zitten op de passagiersstoel. 'Ik mis je nu

al,' zegt ze, 'maar ik snap het best, hoor, dat je moe bent. Doe je de groeten aan je oma?'
'Ja, dat zal ik doen.'
Nog een laatste omhelzing, dan doet Nicky het portier weer open. Juist als ze uitstapt, valt haar oog op iets wat half onder de bank ligt. Ze bukt zich en dan houdt ze een roze fopspeentje in haar hand. *I love mama* staat erop. 'Hè, hoe kom je daar nou aan?' Verbaasd kijkt ze naar Rick.
Hij fronst even. 'Zeker nog van een van de kinderen van m'n schoonzus,' zegt hij dan schouderophalend.
'Heeft ze nog een baby dan, ik dacht dat die kinderen al wat groter waren?'
'Mmm, de jongste loopt nog weleens met zo'n ding in haar mond, geloof ik. Gooi maar weg als je wilt, het ligt al weken in de auto blijkbaar, en voorlopig zie ik ze toch niet. Nou, dag schat!'
Dan zwaait ze hem na, tot hij uit het zicht is verdwenen.
Als ze alleen is, piekert ze weer over zijn oma. Waarom wil hij haar toch niet mee hebben? Waarschijnlijk schaamt hij zich voor de dementie van zijn oma. Maar dat is toch helemaal niet nodig?
Opeens krijgt ze een plan, ja, dat zal ze doen! Morgen is het maandag, haar vrije dag. dan gaat ze gewoon zelf eens op bezoek bij de oude dame. Misschien zegt ze niet eens wie ze is, dat ligt eraan hoe ze ontvangen zal worden.
De rest van de dag bladert ze wat in de atlas en bekijkt nogmaals de streek waar zij volgend jaar hun camping zullen beginnen. Het leven is goed! En haar gedachten van vanochtend? Ach, misschien was mama ook wel wat ouderwets in die dingen. Rick is immers de man met wie ze gaat trouwen, dus ze heeft zich toch 'bewaard', zoals mama dat noemde, voor hem? Wel neemt ze zich opnieuw voor weer eens wat trouwer te worden in haar kerkgang.

Maandag, aan het eind van de ochtend gaat Nicky naar Weert. Het is lekker weer en ze besluit om vanaf het station te gaan lopen naar het verzorgingshuis, het is nauwelijks twee kilometer.

Een halfuurtje later staat ze voor het gebouw. Ze gaat naar binnen en vraagt naar de kamer van mevrouw Van Noorden.
'Mevrouw Van Noorden?' De vrouw trekt haar wenkbrauwen even op. 'O, mevrouw Van Noord,' zegt ze dan, 'loop maar mee, dan breng ik je even naar haar toe, ze zit, denk ik, in de gemeenschappelijk zitkamer. Ben je familie van haar?' vraagt ze, terwijl ze door een gang lopen.
'Bijna,' glimlacht Nicky, 'ik hoop binnenkort familie van haar te worden.'
Er volgt geen reactie, zwijgend lopen ze verder. Vrolijke dame, denkt Nicky bij zichzelf. Ze gaan een deur door en dan staat ze voor een broze, oude dame in een rolstoel. 'Kijk eens aan, mevrouw Van Noord, bezoek voor u!'
Voor Nicky een opmerking kan maken over de verbastering van de naam van Ricks oma, is de verzorgster alweer verdwenen.
'Goedemorgen,' zegt de oude dame, terwijl ze haar hand uitsteekt, 'leuk dat u komt, maar wie bent u eigenlijk?'
Nicky drukt de hand van de vrouw en noemt haar naam. 'Zegt mijn naam u iets?' vraagt ze glimlachend.
'Nou nee, eerlijk gezegd niet,' zegt de vrouw aarzelend. 'Maar ja, soms laat mijn geheugen me een beetje in de steek, dus help me maar eens?' Afwachtend kijkt ze Nicky aan.
'Ik ben Nicky, Nicky de Graaf,' herhaalt deze, 'weet u het nu weer?'
De oude vrouw schudt het hoofd. 'Nee, het spijt me, ben je van de kerk of zo?'
'Nee, ik ben de aanstaande vrouw van Rick!'
'Rick?' Nu kijkt de vrouw haar echt verbaasd aan. 'Rick, het spijt me, ik ken ook geen Rick.'
Nicky trekt een stoel bij. 'Mag ik even gaan zitten?' vraagt ze, terwijl ze bedenkt dat Rick niet heeft overdreven, zijn oma is echt wat in de war.
'Uw kleinzoon Rick, weet u wel? Rick en ik hopen volgend voorjaar te gaan trouwen.'
Nog steeds komt er geen blik van herkenning op het gezicht tegenover haar.

'Rick heeft me veel over u verteld, hoe u hem na de dood van zijn ouders hebt opgevoed. Hij houdt veel van u.'
Nicky praat maar door.
Maar dan steekt de oude dame haar hand op. 'Ho eens even, jongedame, je moet in de war zijn. Ik héb helemaal geen kleinzoon, sterker nog: ik ben nooit getrouwd geweest. Dus ik denk dat je je in de kamer hebt vergist. Bij wie moet je zijn? Misschien kan ik je helpen met het zoeken naar de juiste persoon.'
'O, neemt u me niet kwalijk,' zegt Nicky, 'zijn er hier meer mevrouwen Van Noordens?'
'Wat zeg je dat grappig, mevrouwen Van Noordens. Nee, ik ben de enige voor zover ik weet. Maar ik vind het wel leuk dat je er bent, zo veel bezoek krijg ik meestal niet. Dat gaat zo, hè, als je geen kinderen hebt. De neefjes en nichtjes vergeten me meestal, ze hebben het druk met hun eigen ouders en familie, dat begrijp ik best. Maar vertel eens wat over jezelf? Of moet je direct weer weg? Laten we net doen alsof je mijn kleindochter bent, dat lijkt me wel wat, zo'n mooie jonge vrouw!'
Nicky glimlacht, terwijl ze opnieuw aan de woorden van Rick denkt. *Mijn oma begint flink te dementeren*, zei hij, nou, dat is duidelijk.
'Dat is goed,' zegt ze, 'nu ik er toch ben kunnen we net zo goed samen wat praten, hè? Ik ben dus Nicky de Graaf en ik woon vlak bij Roermond. Mijn moeder is ruim een jaar geleden overleden en mijn vader werkt momenteel in het buitenland, in Zwitserland. En ik ben dus zoiets als verloofd met Rick.' Opnieuw kijkt ze verwachtingsvol naar het gezicht van de oude dame, zou ze deze keer misschien wel reageren op Ricks naam? Maar nee, het gezicht van de vrouw drukt alleen medelijden uit.
'Ach kindje, wat erg, je moeder al zo jong te verliezen. Dat is vast erg moeilijk voor je.'
Nicky knikt, ze krijgt een brok in haar keel door de lieve woorden van de vrouw.
'Welnu,' gaat deze verder, 'dan zal ik ook wat over mezelf vertellen. Ik heet Hannah, ik ben negenentachtig jaar en ik ben geboren in

Gouda, in Zuid-Holland. Toen ik een jaar of zes was, is ons gezin naar Limburg verhuisd. Ik was de jongste van vijf meisjes, dus je kunt je voorstellen wat een kippenhok het vroeger bij ons thuis was.' Ze glimlacht bij de herinnering. 'Alle vier mijn zussen zijn al overleden, dat gaat dikwijls zo als je de jongste bent, hè? Zoals ik je net al vertelde, ben ik nooit getrouwd geweest, wel verloofd. Mijn verloofde is gesneuveld bij de Grebbenberg in 1940, een groot verdriet was dat. De eerste jaren was ik verdoofd door dat verdriet, in diezelfde tijd werd mijn moeder ziek en ging ik voor haar zorgen. Toen zij ten slotte overleed, was ik al, wat je toen noemde, een ouwe vrijster geworden. De meeste mannen van mijn leeftijd waren, als ze de oorlog al overleefd hadden, getrouwd. Ik had voor de oorlog op de kweekschool gezeten, dus nadat mijn moeder overleed, ben ik eindelijk voor de klas gegaan. En ik moet je zeggen, dat werk heb ik met veel liefde en plezier gedaan. Tot ik vijfenzestig werd, toen was ik klaar en toen was er alweer een nieuwe taak voor me: mijn oudste zuster werd hulpbehoevend en haar zoon en schoondochter waren naar Canada vertrokken. Dus je begrijpt het al, ik ben bij haar ingetrokken en heb haar tot haar dood verzorgd. Ook een mooie, maar wel zware taak. Drieënnegentig is zij geworden en na haar dood was bij mij de fut er ook een beetje uit. Inmiddels was ik zelf ook niet meer een van de jongsten en zodoende ben ik hier terechtgekomen. En ik moet je zeggen, ik heb het hier prima! Zeker als er op een mooie maandagmorgen zomaar zo'n aardige jongedame als jij komt binnenwandelen.'

Nicky knikt haar hartelijk toe. 'Ik vond het ook gezellig om zo even met u te praten. Dus uw moeder is ook niet oud geworden, net zo min als mijn moeder.'

'Precies, kind, en daarom snap ik ook heel goed hoe moeilijk dat voor je zal zijn. Was je moeder lang ziek, of kreeg ze een ongeluk? En hoe gaat je vader ermee om?'

Voor Nicky het in de gaten heeft, stort ze haar hart uit bij de oma van Rick.

Deze laat haar maar vertellen, en klopt haar, als ze eindelijk zwijgt,

troostend op de hand. 'Ik zal voor je bidden, kind, ben je zelf ook gelovig?'
'Ja, ik ben katholiek,' knikt Nicky, 'u ook?'
De oude vrouw glimlacht. 'Van huis uit ben ik eigenlijk protestant, maar hier, in Weert, ben ik vanzelf een beetje katholiek geworden. Maar weet je, dat maakt allemaal niks uit, als we Jezus maar kennen, toch? Ik denk niet dat er in de hemel onderscheid gemaakt zal worden tussen protestanten en rooms-katholieken. Het gaat om geloof en vertrouwen, daar ben ik in de loop van de tijd wel achter gekomen.'
Nicky knikt. 'Tja, daar heeft u, denk ik, wel gelijk in.' Ze staat op van de stoel en schuift hem terug onder de tafel. 'Ik moet er weer vandoor, ik vond het heel fijn om kennis met u te maken en met u te praten. Zal ik Rick de groeten doen?' probeert ze nog eens.
'Doe die Rick van jou gerust de groeten en zeg hem dat hij boft met zo'n lieve verloofde! Enne... als je nog eens in de buurt komt, op zoek naar de juiste oma, altijd welkom!'
'Ik kom zeker nog eens terug, ik denk samen met Rick,' antwoordt Nicky.
'Dat moet je zeker doen, ik wil die jongeman van jou ook weleens leren kennen!'
Nicky buigt zich spontaan over de oude vrouw heen en geeft haar een kus op de wang. 'Ik zeg maar: dag oma!'
'Dag kind.' Glimlachend zwaait de vrouw haar na, als Nicky de deur uit loopt.
Terwijl ze haar weg naar de uitgang zoekt, dwarrelen allerlei gedachten door haar hoofd. Wat een vreemd bezoek! Aan de ene kant klopt Ricks verhaal helemaal, zijn oma is zo in de war dat ze zich niet eens de naam van Rick kan herinneren. Maar aan de andere kant: tijdens hun gesprek maakte ze totaal geen verwarde indruk. Integendeel juist, dus ergens klopt er iets niet.
Vlak bij de deur loopt ze de zuster die haar binnenbracht weer tegen het lijf. Nu glimlacht ze en zegt: 'Zo, je gaat er weer vandoor? Ze vond het zeker wel gezellig, zo veel bezoek krijgt ze doorgaans niet.'

'Ja,' antwoordt Nicky, 'het was leuk.' Even aarzelt ze, dan gaat ze verder: 'Mag ik u iets vragen?'
'Ja natuurlijk,' antwoordt de vrouw, 'zeg het maar.'
'Mevrouw Van Noorden is de oma van mijn vriend. Hij vertelde me dat ze behoorlijk aan het dementeren was. Maar ik vond haar eigenlijk heel helder. Behalve dan dat de naam van haar kleinzoon haar helemaal niks zei. Hoe kan dat?'
De vrouw tegenover haar schiet nu spontaan in de lach en zegt: 'Dat kan kloppen, ik bedoel dat mevrouw Van Noord je vriend niet kent, ze heeft namelijk helemaal geen kleinzoon, zelfs geen kinderen. En dement? Nee, allesbehalve dat! Ze is oud, maar nog heel goed bij de tijd. Ik denk dat er ergens een vergissing in het spel is, want ik hoor je steeds over mevrouw Van Noorden praten, en dit was mevrouw Van Noord.'
'Ach, wat stom!' Nu moet Nicky ook lachen. 'Nou ja, in elk geval was het een gezellig bezoekje. Maar mijn vraag blijft: waar vind ik de echte mevrouw Van Noorden?'
'Van Noorden? Nou, voor zover ik weet woont hier helemaal geen mevrouw Van Noorden. Maar misschien toch op een andere afdeling, loop maar even bij de administratie langs, daar kunnen ze je vast wel verder helpen. Hier de hoek om, en dan de tweede deur rechts.'
'Dank u wel!' Met een glimlach op haar gezicht loopt Nicky in de aangegeven richting. 'Op zoek naar de echte oma Van Noorden!' mompelt ze in zichzelf.
Maar als ze bij het loket van de receptie komt, zit daar niemand. Er is een briefje opgeplakt waarop staat geschreven: 'Ik ben tot één uur afwezig, voor spoed bel het onderstaande telefoonnummer...'
Nicky kijkt op haar horloge, het is nauwelijks halfeen. Ze heeft geen zin om zo lang te wachten, ze kan beter aan Rick vragen naar de afdeling en het kamernummer van zijn oma. Even later loopt ze weer in de zon. Ze neemt zich stellig voor om zeker ook nog eens bij mevrouw Van Noord te gaan kijken, wellicht kan ze dat een keer combineren met een bezoekje aan de oma van Rick.

12

Op zondagmiddag, ruim een week nadat hij ze weggebracht heeft, komt Peter Jenneke en de kinderen weer ophalen.
Ondanks dat ze ertegen opziet om weer naar Utrecht te gaan, is Jenneke blij om Peter te zien. Hij is ontspannen en vrolijk, geeft de kinderen aandacht en praat gemoedelijk met zijn schoonouders.
Was hij maar altijd zo, denkt Jenneke, wat zouden we het dan fijn hebben.
Na een halfuurtje nemen ze afscheid van Jennekes ouders, de koffers gaan achter in de auto, en nu gaan ze op weg naar de ouders van Peter. Ook daar hebben ze nog een gezellige middag. Ten slotte maakt Peters moeder een grote pan soep warm en na het eten rijden ze dan eindelijk weer richting Utrecht. Mark vertelt het eerste stuk van de rit nog volop over wat hij allemaal beleefd heeft de afgelopen week, maar na een poosje wordt hij stil en als Jenneke achteromkijkt, ziet ze dat alle drie de kinderen in slaap gevallen zijn. Ook Peter is stiller geworden, hij reageert kort als Jenneke naar zijn ervaringen van de afgelopen week vraagt.
'Ook nog in België geweest?' probeert ze ten slotte.
Hij knikt. 'Ja.'
'Schiet het werk daar een beetje op?'
'Mmm.'
Jenneke laat het er maar bij, het is duidelijk dat het goede humeur van Peter is achtergebleven in Drenthe.
'Heb je ons gemist?' vraagt ze na een poosje.
Opnieuw mompelt hij iets onverstaanbaars.
Jenneke zucht verdrietig, de rest van de reis wordt er nauwelijks gesproken.

Jenneke heeft veel moeite om weer te wennen op de flat. Wat was het heerlijk om weer in Drenthe te zijn! Hoewel het huis van haar ouders niet groot is vergeleken bij hun eigen ruime appartement, zou ze zo willen ruilen. Ze mist de tuin, het zomaar naar buiten kunnen lopen,

en natuurlijk ook de familie en vrienden die ze in Drenthe achterliet. Hier in Utrecht is het haar nog steeds niet gelukt om nieuwe contacten te maken. Ach ja, ze maakt een praatje met de andere moeders buiten bij een speeltuintje, of de mensen met wie ze toevallig tegelijk in de lift staat, maar daar blijft het ook bij.
Als ze erover begint tegen Peter, zegt hij: 'Dat is je eigen schuld, je doet er zelf ook geen moeite voor. Sluit je aan bij een of andere vereniging of sportclub, dan ontmoet je vanzelf meer mensen.'
Jenneke snuift. 'Ja, dat gaat nogal handig met drie kleine kinderen en een man die nooit op vaste tijden of avonden thuis is.'
Peter haalt alleen zijn schouders op. 'Tja, je moet er wat voor overhebben.'
'Waarvoor?'
'Voor het royale leventje dat je kunt leiden.'
'Daar gaan we weer! Ik hoef dat 'royale leventje', zoals jij dat noemt, helemaal niet. Peet, serieus, kunnen we echt niet terug naar Drenthe?'
'Alsjeblieft, Jen! Hou daar nu eens over op. Als je per se wilt, dan ga je maar. Maar ik blijf hier.'
Gekwetst gaat Jenneke de kamer uit. Elk gesprek over dit onderwerp eindigt hetzelfde.
De dagen erna is Peter weer steeds meer van huis en áls hij al thuis is, gedraagt hij zich onverschillig naar de kinderen en Jenneke. Hij gedraagt zich als een logé, maar dan een die alleen komt slapen en eten en verder geen contact zoekt met zijn omgeving.
Jenneke lijdt er steeds meer onder en keer op keer probeert ze met een gesprek tot hem door te dringen, maar alles ketst af op een stukje onverschilligheid. Hij is niet slecht voor haar en de kinderen, maar daar is ook alles mee gezegd.
Steeds meer begint Jenneke zich af te vragen wat ze eigenlijk nog betekent voor Peter. Ze krijgt meer en meer het gevoel dat ze een blok aan zijn been is. Dat zowel zij als de kinderen hem alleen maar in de weg lopen. Waarom kan ze zich niet van hem losmaken, waarom vertrekt ze niet gewoon? Het is immers duidelijk dat zijn liefde

voor haar niks meer voorstelt. En toch, ergens moet toch nog die oude Peter verborgen zitten, ergens onder dat onverschillige gedrag woont toch nog de man die verliefd op haar werd, die met haar wilde trouwen.
Dagenlang worstelt Jenneke met haar eigen gevoelens. Zal ze weggaan met de kinderen, een eind maken aan hun huwelijk? Ze weet dat ze het niet kan, en wel om de simpele reden dat ze nog altijd, ondanks alles, van hem houdt. Daarom blijft ze haar best doen, kookt zijn lievelingskostje, en zorgt dat alles in huis op rolletjes loopt.
Soms, opeens, lijkt het of de oude Peter er weer is. Dan is hij vrolijk, speelt met de kinderen, en zegt lieve dingen tegen Jenneke. Aan die momenten klampt ze zich vast. Zie je wel, het komt wel weer goed!
Op andere momenten veracht ze zichzelf om die bijna slaafse houding. Dan is ze boos en opstandig als hij kortaf doet tegen de kinderen, en vaak en lang van huis is.
Telkens komt dan weer de bange vraag bij haar op in wat voor zaken hij toch verwikkeld is. Geld komt er nog steeds in ruime mate binnen, dat is duidelijk. De ene keer wordt er een prachtige muziekinstallatie gebracht, dan weer een mega-tv. Maar al die mooie, dure dingen maken Jenneke alleen maar angstig. Hoelang kan dit goed gaan?

Op een donderdagavond komt Peter al vroeg thuis. 'We gaan verhuizen,' zegt hij plompverloren.
'We gaan verhuizen?' herhaalt Jenneke. 'Wanneer en waarnaartoe?'
'Naar Drenthe, je wilde toch zo graag terug naar Drenthe?'
'O Peet, wat fijn, wat lief van je! Zullen we dit weekend direct informeren bij een makelaar wat er allemaal te koop is?'
'Dat is al gebeurd, we gaan naar Assen. Ik heb een huis in de stad gehuurd.'
'Hè, in de stad, waarom niet in het dorp? Als we dan toch gaan, had ik dat leuker gevonden. Maar het maakt niet uit hoor,' zegt ze er snel achteraan, als ze ziet dat Peter zijn wenkbrauwen fronst, 'ik ben hartstikke blij dat we weer naar het noorden gaan. Per wanneer gaat de huur in?'

'Die is al ingegaan, dit weekend gaan we over.'
Sprakeloos kijkt ze hem aan. 'Dat gaat toch niet, Peet! Hoe verzin je het? We kunnen toch onmogelijk in twee dagen alles inpakken en verhuizen?'
'Het zal wel moeten, maandag moet het hier leeg zijn.'
'Van wie moet dat? Je hebt toch een maand opzegtermijn?'
'Deze flat is van Paul, hij wil dat het hier maandag leeg is. Ik breng de kinderen morgen wel naar jouw of mijn ouders, dan kunnen we hier doorwerken.'
Jenneke is neergezakt op een stoel. Ze schudt langzaam haar hoofd. 'Wat is dit voor idioot gedoe, waar ben je toch me bezig, Peet? Wat is die Paul voor een kerel, wat voor zaken doet hij toch? Ik ben bang, Peter, ik ben echt bang dat jij in dingen verwikkeld raakt die niet kloppen.'
'Praat toch geen onzin, waar slaat dat nou op? Bel liever naar je moeder en spreek af dat de jongens morgen daarnaartoe gaan. En kunnen we een beetje op tijd eten, ik moet nog weg.'
Jenneke zegt niks, ze loopt naar de keuken en zet het eten op. Daarna pakt ze de telefoon en toetst het nummer van haar moeder in. In de hal hoort ze Peter praten tegen Mark en Jeroen. Zijn stem klinkt aardig en geduldig. Ze schudt het hoofd, ze snapt er niks meer van, moe is ze, doodmoe van het denken. Als haar moeder de telefoon opneemt, kost het Jenneke moeite om haar stem opgewekt te laten klinken, als ze zegt: 'Ha ma, met Jenneke, alles goed? Zeg, luister eens, ik heb mooi nieuws...' In de hal hoort ze de jongens schateren met hun vader.

De volgende ochtend rijden ze al vroeg naar Drenthe. Mark en Jeroen zitten met nog slaperige gezichtjes achter in de auto. Eva slaapt in de Maxi-Cosi. Er wordt niet veel gesproken onderweg, ook Jenneke is moe. Vannacht heeft ze bijna geen oog dichtgedaan, ze heeft het grootste deel van de nacht in het donker liggen staren, terwijl Peter naast haar zachtjes snurkte. Wat gaat er toch om in die man, waar is hij toch mee bezig? Op zich vindt ze het heerlijk om

terug te gaan naar Drenthe, maar het is toch raar dat ze zo abrupt weg moeten? Ze betrapt zich erop dat ze in termen als weg 'moeten' denkt. Is dat zo, moet Peter weg uit Utrecht? Is hij voor iets of iemand op de vlucht?
'Kunnen we voor we straks weer naar huis gaan, eerst in Assen bij het nieuwe huis gaan kijken? En moet er niet schoongemaakt worden?' vraagt ze, als ze bijna in het dorp zijn aangekomen.
'We rijden er wel even langs, ja. En het wordt schoongemaakt, verder ziet het er goed uit en hoeft er niet veel te gebeuren. Gemakkelijk toch?'
Jenneke geeft geen antwoord, de situatie is te bizar voor woorden, ze kan het nog steeds nauwelijks vatten. Morgen of overmorgen gaan ze verhuizen en ze heeft haar nieuwe huis zelfs nog niet gezien!
Dan stopt Peter al bij het huis van zijn schoonouders. Ze worden hartelijk begroet door Jenneke ouders, maar ook zij hebben veel vragen over de plotselinge verhuizing.
'We wisten het al even, hoor,' zegt Peter met een charmante glimlach, 'maar we vonden het leuk om jullie te verrassen, hè Jen? Maar dat het nu zo snel zou gaan, ja, dat was voor ons toch ook een beetje onverwacht. Maar het huis kwam een maand eerder vrij dan was gezegd, dus waarom zouden we langer wachten. Elke dag dat Jenneke eerder in Drenthe terug is, is belangrijk voor haar, toch?' Hij legt even een arm om haar schouder en kijkt zijn schoonmoeder aan. 'Maar het is natuurlijk geweldig dat de kinderen hier zo onverwacht een paar dagen kunnen logeren.'
'Dat spreekt vanzelf,' zegt Jennekes moeder.
Jenneke zwijgt, ze staat perplex door de ommezwaai die Peter blijkbaar heel gemakkelijk maakt, zodra hij hier binnenstapt.
Even later nemen ze al afscheid van de kinderen en in een druilerige regen rijden ze door naar Assen. Het huis staat in een buitenwijk, het heeft een aardige tuin en ook het huis zelf ziet er leuk uit. Boven zijn drie slaapkamers en een ruime badkamer en op de tweede verdieping zijn nog twee kleine kamertjes. Beneden is er een ruime L-vormige woonkamer met open keuken. Achter in de tuin staat een schuurtje

en in de tuin zelf is een breed terras aangelegd met daarlangs een border met vaste planten. Het huis ziet er netjes onderhouden uit en juist als ze weg willen gaan, komen er twee vrouwen aan, gewapend met emmers en schoonmaakspullen.
Ze wisselen kort een paar woorden, daarna gaan de vrouwen naar binnen en Peter en Jenneke stappen in de auto. 'Waar komen die vrouwen in vredesnaam vandaan, en hoe kom je aan ze?' vraagt Jenneke als ze wegrijden uit de straat.
'Daar heeft Paul voor gezorgd.' Meer zegt hij niet en zwijgend rijden ze richting Utrecht.
Paul, altijd weer die Paul! Jenneke zucht zachtjes, het blije gevoel dat ze even heeft gekregen toen ze het huis bekeken, ebt alweer weg. Wat zal de toekomst nu weer brengen? Hoe lang blijven ze hier wonen? Waarschijnlijk zo lang meneer Paul het goedvindt en geen dag langer!
Vol heimwee denkt ze aan hun kleine huisje in het dorp, waar de jongens geboren zijn. De tijd dat Peter in de bouw werkte, toen hij ook wel zijn buien en nukken had, maar waar ze toch gelukkig waren. Die tijd lijkt heel lang geleden.
'En,' zegt Peter naast haar, 'staat het je een beetje aan?'
'O, ja hoor...' Meer enthousiasme dan deze woorden kan ze niet opbrengen.
Ook Peter zegt niets meer, maar hij fluit zachtjes terwijl hij met flinke vaart over de snelweg rijdt.

Er volgen een paar drukke dagen. Zaterdagochtend staat er een grote vrachtwagen beneden bij de flat en na een paar uur is alles al ingeladen. 'Hoe kom je aan die auto van een verhuisbedrijf, ik zie geen naam staan?' vraagt Jenneke, als ze zelf ook wegrijden.
'Connectie van Paul.' Meer zegt Peter niet.
Jenneke geeft geen antwoord. Natuurlijk, dat had ik kunnen weten, meneer Paul... denkt ze verachtelijk.
Ondanks zichzelf krijgt Jenneke er toch langzaam maar zeker plezier in als alle meubels het nieuwe huis binnen worden gedragen. Oké,

het is dan wel niet haar oude dorp, maar ze woont wel weer in Drenthe, nauwelijks een halfuurtje rijden bij haar ouders en verdere familie en vrienden vandaan.
Peter is de hele dag wat onrustig geweest, maar als 's avonds om tien uur alles op z'n plek staat, de bedden zijn opgemaakt en zelfs de kleding van de kinderen alweer in de kast ligt, lijkt hij zich te ontspannen.
'Ik schenk een lekker wijntje voor je in,' zegt hij, 'en dan gaan we niet te laat naar bed.'
Jenneke knikt, ze vindt alles best, ze is doodmoe, maar wel tevreden.
'Prima, dan halen we morgenochtend bijtijds de kinderen op, hè, dan kunnen ze ook hun nieuwe huis verkennen. Ik ben echt blij, Peet, dat we weer terug zijn in Drenthe! Enne... hoe moet het nou verder met België, dat is toch bijna niet te doen van hieruit?'
'Tja, ik zit toch nog wel even vast aan die afspraak, hoor, ik zal nog wel wat langer van huis zijn. Maar tegen het volgende voorjaar is dat wel weer klaar, denk ik.'
'Kun je er niet eerder onderuit?' probeert ze nog. 'Voor het geld hoef je het toch niet te doen?'
'Zeur nou niet, Jen, ik kan daar niet zomaar mee stoppen. Hier,' hij overhandigt haar een glas rode wijn. 'Op ons!' Hij lacht en gaat verder: 'Op het grote geld!'
'Waar slaat dat nou op! Gezondheid en je gezin zijn meer waard dan geld, toch?'
'Allebei dan maar.' Peter gaat zitten en kijkt Jenneke aan. 'Jen,' zegt hij, op een toon die ze lange tijd niet gehoord heeft, 'Jen, de komende tijd zal ik nog wat vaker van huis zijn, maar daarna... daarna wordt het allemaal weer wat rustiger. Beloof me dat je me zult steunen, oké?' Zijn stem klinkt bijna smekend. Jenneke kijkt hem wat verbaasd aan.
'Ik steun je toch altijd, hoe bedoel je dat precies? En waarom moet je nog vaker van huis, wat moet je doen?'
'En aantal extra en belangrijke ritjes voor Paul. Er moeten wat dingen weggebracht worden, maar als dat klaar is, breekt er gewoon een rustiger periode aan, heeft Paul gezegd.'

'Peet, wat bezorg je nou precies voor pakketjes, wat zit erin? Het is toch wel eerlijke handel, hè?'
'Dat heb je al twintig keer gevraagd.' Nu klinkt zijn stem weer wrevelig. 'Er is niks mis met de pakketjes, ze moeten gewoon bezorgd worden en dat is toevallig mijn werk. Laten we het nou gezellig houden, Jen, jij bemoeit je met de dingen hier in huis, de kinderen en zo, en ik zorg voor de centen!'
'De kinderen zijn ook van jou, daar mag je je ook weleens wat meer mee bemoeien, om jouw woorden te gebruiken.'
'Ook dat komt wel weer, als ik het rustiger krijg.'
'Echt beloofd?' Ze gaat op de leuning van z'n stoel zitten en streelt door zijn haren. 'We hebben je nodig, hoor Peet,' zegt ze zacht.
'Dat weet ik toch wel, het komt wel goed.'
'Peet... hou je van me?'
'Ja, natuurlijk, dat weet je toch? Anders zou ik niet zo hard voor je werken.'
Jenneke zegt niks meer, dit is immers niet het antwoord dat ze zo graag wil horen. Ze gaat weer op haar eigen stoel zitten en drinkt langzaam de wijn op.
'Ik ga naar bed,' zegt ze dan, 'kom jij ook?'
'Ik kom zo,' zegt hij. Maar als Jenneke, doodmoe van de verhuizing in slaap valt, is de plaats naast haar nog leeg.

Zondagochtend zijn ze allebei alweer vroeg op. 'Zullen we straks eerst de kinderen ophalen?' stelt Jenneke voor.
'Je vader en moeder zitten nu toch in de kerk? Laten we maar wachten tot vanmiddag.'
'Ze zijn natuurlijk niet allebei naar de kerk, hoe kan dat nou met de kinderen. Ma zal wel thuisgebleven zijn. Laten we dan aan het eind van de ochtend gaan, wellicht kunnen we een hapje mee-eten, ik heb niet veel in huis. En bij mijn moeder is er altijd genoeg, in elk geval een grote pan soep.'
'We kijken wel,' mompelt Peter, 'hier, wat is dit, Jen, in welke kast-

moet dat?' Hij staat met een plastic tasje vol met kindersokken in zijn hand.
'Die sokjes zijn Jeroen te klein, leg ze maar achter in de kast bij Eva, wellicht kan zij ze volgend jaar zomer aan.'
Jenneke is blij verrast dat Peet zo meehelpt met het leegmaken van de dozen en het inruimen van de kasten. Maar dat duurt niet lang, even later vindt ze hem beneden op de bank met een tijdschrift. Ze zegt er maar niks van, bang om de goede sfeer weer te verknoeien.
Om een uur of één vertrekken ze om de kinderen op te gaan halen. Zoals Jenneke al verwachtte, staat er een grote pan soep op het gasfornuis. 'Ik had al op jullie gerekend, hoor,' zegt haar moeder. 'En, hoe lijkt het nieuwe huis, staat alles een beetje op z'n plek? Ik wil gerust morgen een dagje komen, hoor, om te helpen uitpakken.'
Nog voor Jenneke kan reageren, zegt Peter: 'Dat is niet nodig, ik ben morgen ook nog vrij. Dus we kunnen samen de laatste dingetjes uitpakken en ophangen.'
'Nou... laatste dingetjes,' mompelt Jenneke, 'er moet nog heel wat gebeuren, hoor! Misschien kun je later in de week een dag komen, als Peet weer aan het werk is?'
'Ook goed, dat spreken we nog wel af. Ziezo, nu gaan we eerst eens eten.'

Op woensdag is Jennekes moeder er al bijtijds. Samen lopen ze het hele huis door, en daarna schenkt Jenneke koffie in.
'Meid, wat heerlijk dat jullie weer zo dichtbij wonen en wat een prachtig huis hebben jullie nu, zo heerlijk ruim!' zegt moeder Gerda, 'dat kleine kamertje beneden, wat doe je daarmee?'
'Ik denk dat ik daar maar een soort speelkamertje voor de jongens van maak,' zegt Jenneke, 'dan hebben ze lekker een eigen plekje waar ze hun legobouwwerken en zo kunnen laten staan.'
'Niet zo'n gek idee, dan heb je minder rommel in de woonkamer. Nou, zeg het maar, wat moet er gebeuren?' vraagt ze als ze de koffie op hebben.
'Ach ma, misschien wil je eerst eens naar de kledingkasten van de jon-

gens kijken. Peet heeft die het weekend al ingeruimd, maar echt op een mannenmanier. Alles ligt door elkaar, zomer- en winterkleren. Misschien wil je dat een beetje uitzoeken, langzamerhand moet de winterkleding weer wat naar voren komen. Ik heb de jongens gisteren al het een en ander laten passen, er kan aardig wat van Mark doorschuiven naar Jeroen, ze zijn allebei zo hard gegroeid deze zomer.'

'Ik zal weleens kijken, waar ik niet uitkom, leg ik wel apart, dan kun je zelf zien wat ermee moet.'

'Prima, dan ga ik beneden aan de gang. Over een uurtje drinken we een tweede kopje koffie, goed?'

Nog voor het uur voorbij is, komt Jennekes moeder de trap af, op de voet gevolgd door Mark en Jeroen.

'Zo, de jongens hebben me goed geholpen, hoor,' zegt ze met een lach. 'Zij wisten precies wat van wie was. Ik heb ook even in Eva's kast gekeken, maar daar klopte het aardig, heb je zeker zelf ingeruimd?'

'Ja, inderdaad.' Jenneke lacht ook. 'Maar toch lief van Peet dat hij heeft geholpen. Wat heb je daar?' vraagt ze dan, wijzend op een plastic tasje in haar moeders hand.

'O, dat vond ik in Eva's kast, maar volgens mij zijn dat sokken van de jongens, toch?'

'Ja, dat klopt. Alleen, ze zijn Jeroen te klein, dus we hadden ze in Eva's kast gelegd om volgend jaar te passen of er iets voor haar bij zit. Het zijn wel meest donkere kleurtjes, maar goed, onder een spijkerbroekje kan dat best. Geef maar, dan nemen we het straks wel weer mee naar boven.' Ze neemt het tasje van haar moeder aan en legt het op tafel. 'Zo, nu eerst koffie! Jongens, allebei sap?' Ze loopt naar de keuken en wijst onderwijl naar de box, waarin Eva ligt. 'Misschien wil je na de koffie haar even een flesje geven?'

'Ja, graag!'

Tien minuutjes later is de fles warm en tilt Jenneke haar dochter uit de box. 'Zo, jij gaat lekker bij oma je flesje drinken,' praat ze tegen het kleintje, 'daarna ga je weer lekker slapen, hè?'

Ze geeft Eva aan haar moeder en draait zich om naar de jongens.

'Jullie mogen in de tuin, ik zal de fietsjes buiten zetten, maar denk erom, niet in de bloemetjes lopen, hè?'
Als de twee kleine mannen in de tuin zijn, pakt Jenneke het plastic tasje met de sokken en gaat naar boven. 'Ik kijk wel uit het raam of het daar buiten goed gaat, hoor,' zegt ze tegen haar moeder, 'geniet maar even lekker van je kleindochter.'
Daarna loopt ze de trap op. Ach, eigenlijk kan ze gelijk die sokjes wel even uitzoeken, de heel donkere, die ook al wat lelijk zijn, gooit ze dan direct weg. De wat feller gekleurde kunnen bewaard blijven voor Eva. Ze gooit het tasje leeg op de grond en pakt een paar donkerblauwe, in elkaar gerolde sokjes op. Hè, het lijkt wel of er iets inzit. Jenneke haalt de sokjes uit elkaar en tot haar verbazing valt er een minuscuul plastic zakje uit het ene sokje. Er zit een wit goedje in. Wat is dit? Ze pakt een ander paar, rolt ze uiteen, en daarin vindt ze hetzelfde. Een ogenblik kijkt ze er niet-begrijpend naar, maar dan begint een vreselijk vermoeden in haar hoofd op te komen. Nee, dat mag niet waar zijn! Met trillende handen zoekt ze verder en in veel van de sokken zitten dergelijke zakjes, in sommige sokken zelfs twee. Ten slotte liggen er twintig kleine zakjes, elk gevuld met een wit poeder, op de grond. Jenneke is ernaast neergezakt, ze weet niet wat ze moet doen. Dan twijfelt ze toch, is dit niet gewoon iets van de kinderen? Ze pakt een zakje op en ruikt eraan. Ze ruikt niks, ze zijn goed afgesloten. Dan herinnert ze zich Peters ijver om de sokjes op te bergen achter in de kast van de babykamer. Daarna was zijn werklust ook verdwenen. Wat nu, wat moet ze hier nu mee? Doodstil blijft ze een poos zitten, tot geschreeuw van buiten duidelijk maakt dat het niet helemaal goed gaat in de tuin.
'Laat maar Jen, ik ga wel even,' hoort ze haar moeder van beneden roepen.
Opeens zenuwachtig, begint ze de zakjes weer in de sokken te duwen. Haar handen trillen zo dat ze het nauwelijks voor elkaar krijgt. Ziezo, alles weer in de plastic zak en achter in de kast. Ze staat op, dan ziet ze een zakje dat is achtergebleven op de grond. In een impuls stopt ze het in haar broekzak. Dan hoort ze voetstappen op de trap.

'Moet ze naar bed, Jen?' Haar moeder komt de trap op met Eva op de arm.
Jenneke knikt. 'Ja, geef haar maar, dan verschoon ik haar even. Gaat het goed met de jongens?'
'Ja hoor. Is er iets?' Onderzoekend kijkt haar moeder haar aan. 'Je ziet zo bleek?'
'Nee hoor, een beetje moe, denk ik, van die drukke dagen de afgelopen week. Maar nu is het meeste gelukkig gebeurd. Hopelijk krijgen we nu eens een poosje rust en wil Peter niet weer verhuizen binnen een halfjaar.' Ze praat maar wat, ze weet nauwelijks zelf wat ze zegt.
'Er staan nog een paar dozen in de keuken, wil je die uitgepakt hebben? Of doe je dat liever zelf, zodat je weet waar alles terechtkomt?'
'Het maakt me niet uit, doe maar wat...'
'Ik weet iets beters: als jij die dozen uitpakt, ga ik voor je strijken en de was opvouwen, er ligt een hele stapel, zag ik, goed?'
Jenneke knikt maar wat. 'Best hoor.'
Haar moeder kijkt haar nog eens goed aan. 'En straks, na het eten, ga jij samen met de jongens een dutje doen.'
'Mark slaapt niet meer 's middags en Eva is dan juist ook weer wakker.'
'Dan komt het goed uit dat ik er ben, ik hou die twee wel bezig. Dan ga jij tegelijk met Jeroen een poosje slapen.'
Jenneke sputtert niet tegen, ze wil graag even alleen zijn, ze moet nadenken. Nadenken over hoe ze nu verder moet. Haar grootste angst is werkelijkheid geworden: haar man handelt in drugs!
's Avonds, als haar moeder weer vertrokken is, zit ze alleen in de kamer. Hoe moet ze reageren als Peter straks thuiskomt? Wat moet ze zeggen? Of moet ze juist helemaal niks zeggen en afwachten? Maar is ze dan niet medeplichtig als het een keer uitkomt, als Peter opgepakt wordt? Ze is misselijk van angst.
Om negen uur gaat de telefoon, het is Peter. 'Schat, ik kom vannacht niet naar huis, ik blijf in Utrecht bij Paul. Morgen moet ik om zes uur alweer rijden, dus dat wordt een beetje krap allemaal.'

Ze stamelt wat en is blij dat hij niet vraagt hoe het allemaal gaat. Opgelucht beëindigt ze het gesprek. Morgen, morgen zal ze bedenken hoe het verder moet. Nu gaat ze naar bed, ze is doodmoe.
Maar toch komt er van slapen weinig die nacht, ze woelt en draait in haar bed. Och, kon ze maar iemand in vertrouwen nemen, maar ze zou niet weten wie. Haar ouders en Peters ouders of familie zeker niet. Marion dan? Ach nee, ze schaamt zich zo vreselijk voor hem, ze kan het niemand vertellen. Maar wat dan? Zal ze de tas met sokjes en al ergens in het water dumpen? Maar lost dat wat op? Hoogstens krijgt ze Peters woede over zich heen en stoppen met zijn handel zal hij daardoor ook vast niet. Wat dan? Ze komt er niet uit.
Ze valt pas in een onrustige slaap als het al licht begint te worden.

13

In de loop van de week bellen Nicky en Rick regelmatig met elkaar, maar steeds vergeet Nicky te vertellen dat ze op zoek is geweest naar Ricks oma. Haar hoofd is veel te vol met de toekomstplannen in Tsjechië.
Vrijdagavond belt Rick weer. 'Sorry, meisje,' zegt hij, 'maar waar ik al bang voor was, is uitgekomen. Ze hebben me dit weekend extra dienst gegeven, dus helaas kan ik niet komen als je vader er is. Die ontmoeting zal dus even moeten wachten.'
'Wat jammer! Maar hij blijft de hele week, dus misschien kun je dan op een andere dag komen?'
'Ik durf het nog niet te beloven, maar dat hoor je nog. Trouwens, nu even wat anders. Ik kreeg een telefoontje van de notaris in Tsjechië, er moet binnen een paar dagen een bedrag van tweeduizend euro overgemaakt worden. Zou jij daar nog voor kunnen zorgen?'
'Tweeduizend euro? Waar is dat dan voor? Het is nogal wat, zeg. Weet je zeker dat dat allemaal in orde is? Misschien moet ik het zaterdag toch eens met papa bespreken, hij heeft er wellicht meer verstand van dan wij.'
'Laat ook maar, ik kijk zelf wel of ik het van mijn spaarrekening kan opnemen, het zal me hooguit een flink bedrag aan gemiste rente kosten.' Ricks stem klinkt kortaf.
'Hé, waarom doe je nou zo boos? Ik zeg toch niet dat ik het niet kan betalen? Ik denk alleen dat het goed is om mijn vader mee te laten denken, vind je dat vervelend?'
'Ja, eigenlijk wel. Ik ben een volwassen kerel van tweeëndertig, Nicky, ik wil mijn eigen plannen maken en zelf de dingen regelen, dat kun je toch wel begrijpen? Je vader reageerde direct al niet enthousiast, dus je zult zien dat hij jou van alles gaat afraden, en daar heb ik geen zin in.'
'Tweeëndertig?'
'Wat tweeëndertig?'

'Dat zeg je. Je zegt dat je tweeëndertig bent, maar je bent toch achtentwintig, wat is nou waar?'
Het blijft even stil aan de andere kant, dan zegt hij gelaten: 'Oké, je hebt gelijk, ik ben niet helemaal eerlijk tegen je geweest. Ik ben tweeëndertig, maar ik was in het begin bang dat je me te oud zou vinden als ik de waarheid zou vertellen. En later heb ik er nooit meer aan gedacht om dat recht te trekken. Sorry! Maar daar hebben we het nu niet over en zo belangrijk zijn die paar jaartjes toch niet?'
'Ik vind dat niet leuk, Rick. Natuurlijk is het niet belangrijk hoe oud je precies bent. Maar ik wil wel graag dat je eerlijk tegen me bent, ook in kleine dingen.'
'Je hebt gelijk, liefje, ik zal nooit meer liegen tegen je, afgesproken? Maar nu nog even over dat geld, hoe gaan we dat doen?'
'Ik maak het wel over naar jouw rekening.'
'En je vader?'
'Mmm, ik weet het niet, ik heb geen zin om er zo geheimzinnig over te doen, Rick, dat is toch niet nodig?'
'Nee, dat is ook zo. Ik ben alleen bang dat je pa je overhaalt om niet naar Tsjechië te gaan, omdat hij bang is dat onze plannen niet verwezenlijkt kunnen worden. Of omdat hij vindt dat we elkaar niet lang genoeg kennen of zo.'
'Dat zal wel meevallen, hoor.'
'Laten we dan zo afspreken: jij vertelt je vader van onze plannen, maar vertel hem nog maar niet dat we al een aanbetaling hebben gedaan. Ik zorg dat volgende maand die twintigduizend euro weer teruggestort zijn op jouw rekening. Dan hoeft hij zich daar niet bezorgd over te maken. Goed idee?'
'Ja, misschien wel. Maar probeer jij dan wel te komen kennismaken voor hij weer teruggaat?'
'Ik doe m'n best. Doe hem alvast mijn groeten.'
'Doe ik, tot gauw! Ik hou van je!'
'En ik van jou!'

Zaterdag tegen de middag komt Nicky's vader thuis. Hij heeft vanaf

het vliegveld een taxi genomen, en al eerder dan ze dacht staat hij voor haar neus.
'Hé, papa, dat is vroeg!' Nicky omhelst haar vader stevig.
'Ik had alleen handbagage, dus dan gaat het snel. Dag meisje, ik ben blij je weer eens te zien, je ziet er goed uit!'
'Jij ook, pap! Maar hoe kan dat, alleen handbagage, je zou toch een week blijven? Gaat dat niet door?' Teleurgesteld kijkt Nicky haar vader aan.
'Sorry schat, ik moet inderdaad maandag alweer terug. Eigenlijk leek het erop dat ik helemaal niet weg kon, dat leg ik je later wel uit. Maar ik wilde per se komen, omdat ik me zorgen maak over jou en over je plannen wat betreft die camping. Daar moeten we eens goed over praten straks.'
Terwijl hij mee naar binnen loopt, kijkt hij rond. 'Is Rick er nog niet?'
'Nee, hij kon dit weekend geen vrij krijgen. Ik had gehoopt dat jullie elkaar in de loop van de week zouden ontmoeten, maar dat gaat dus ook niet gebeuren als je maandag alweer terug moet. Echt jammer, pap, kan het echt niet anders?'
'Nee schat, dat gaat echt niet.' Hij loopt de kamer in en gaat zitten.
'Zal ik koffie maken?' vraagt Nicky.
'Dat is goed, doe maar.'
Als ze wat later binnenkomt met in elke hand een mok, ziet ze haar vader voor het raam staan. Als hij haar hoort, draait hij zich om en loopt wat onrustig heen en weer door de kamer.
'Alsjeblieft, koffie, pap.'
'Ja, dank je.' Hij gaat op het puntje van een stoel zitten.
'Is er iets?'
'Nee, nee. Vertel jij eerst eens over die campingplannen van jullie. Waar in Tsjechië ligt die grond en wat is precies de bedoeling?'
'Nou, gewoon, een camping. Het is zo'n vijftig kilometer onder Praag, het dorpje heet Dublovice.'
'En Rick is daar al wezen kijken, begrijp ik? Heb je er iets van, een tekening of een plattegrond?'

‘Nee, niet hier. Hij heeft het allemaal daar bekeken en ook al contact gehad met het kadaster en een notaris.’
‘Een notaris? Hij heeft toch hopelijk nog niks getekend?’
‘Welnee,’ zegt Nicky wat kortaf, ‘Rick weet echt wel wat hij doet, hoor.’
‘Maar wat dan, hebben jullie een optie of zo?’
‘Zoiets, ja.’
‘Nou ja, doe het in elk geval maar rustig aan, laat je eerst goed informeren voor je verdere stappen doet. Het is heel wat, en zal een flinke investering vragen.’ Nicky’s vader is weer opgestaan en loopt weer heen en weer.
‘Wat ben je onrustig, pap, wat is er nou aan de hand? Maak je je zo druk over onze plannen, of is er iets anders?’
Met een ruk draait hij zich naar haar toe. ‘Ik moet je iets vertellen, Nick, maar ik vind dat heel moeilijk.’
‘Je bent toch niet ziek of zo?’ vraagt ze verschrikt.
‘Nee, nee. Nicky, ik heb een vrouw leren kennen om wie ik veel ben gaan geven.’
‘Pap! Een andere vrouw in mama’s plaats, dat meen je niet! Nu al! Het is nog maar zo kortgeleden, dat mama...’ Ontzet kijkt ze hem aan.
‘Rustig aan, Nicky. Niet in mama’s plaats, die plaats kan nooit iemand innemen. Maar ik ben eenzaam, en Angela is een lieve vrouw. Je zult haar beslist mogen.’
‘Hoe kom je aan haar, is het een Zwitserse?’
‘Ja, Angela is een collega, met wie ik nauw samenwerk in Basel. Haar man is zes jaar geleden omgekomen bij een verkeersongeluk, ze weet dus wat het betekent om je partner te verliezen.’
‘Maar pap, het is net een jaar geleden dat mama is gestorven!’
‘Dat weet ik, lieverd, en zoals ik al zei: niemand kan haar plaats innemen. Maar er is wel ruimte voor een ander gevoel, een ander soort liefde.’
‘Ik begrijp dat niet!’
‘Het spijt me...’

Even blijft het stil, dan vraagt Nicky: 'Betekent dat dat je daar blijft, of komt ze hier wonen?'
'Voorlopig blijf ik in Basel, daarna zien we wel weer.'
'Hoe voorlopig is voorlopig?'
'In elk geval twee jaar.'
Nicky slikt, haar keel voelt dik. 'En dit huis, ga je dat verkopen?'
Haar vader kijkt haar wat ongemakkelijk aan. 'Tja, daar wil ik met jou over praten. Daarom wil ik ook weten of het allemaal safe is met die campingplannen van jou en Rick. Als dat echt allemaal doorgaat, is er natuurlijk geen enkele reden om dit huis niet te verkopen. Maar allereerst wil ik kennismaken met die jongeman, en de zaken goed met jullie doorspreken. Het komt slecht uit dat hij hier niet kan zijn deze dagen. Ik denk dat we direct een afspraak moeten maken voor een ontmoeting. Misschien kunnen jullie een weekend naar Basel komen? En anders kom ik heel binnenkort weer voor een paar dagen hiernaartoe.'
'Met onze camping komt het wel goed, hoor pap. Rick heeft al een contract getekend en een eerste aanbetaling gedaan. Dat zit wel goed, alles loopt via een notaris. Maar jullie moeten elkaar wel snel eens ontmoeten, dat vind ik ook, en Rick wil dat ook graag.'
'Al getekend? En net zei je dat jullie alleen een optie hadden. Dus het gaat allemaal zeker door? Nou nou, dat gaat wel snel allemaal! Maar als dat is wat je wilt, vind ik het natuurlijk prima. Maar wanneer wil je dan vertrekken en hoe zie je dat voor je, gaan jullie trouwen? Dat wordt dan allemaal wel heel kort dag.'
'We willen er tegen het voorjaar naartoe gaan, er is al een heleboel gedaan door de vorige eigenaren. Helaas is die man toen plotseling overleden, maar voor ons is het natuurlijk heel gunstig, in een paar maanden tijd kan alles klaar zijn. Dan kunnen we aan het begin van het seizoen open. En natuurlijk gaan we trouwen, maar we maken er geen groot feest van. We gebruiken ons geld liever voor de camping. En nu mama er niet meer is...'
'Wanneer wil je trouwen, toch niet nog dit jaar, voor je vertrekt? Dat lukt je nooit meer allemaal.'

'Ik zeg toch, we doen het heel rustig aan, gewoon even naar het gemeentehuis en de kerk, en daarna misschien een etentje of zo. Rick heeft nauwelijks familie, alleen een oude oma en een broer, maar daar heeft hij bijna geen contact mee.'
'Ik weet het niet, hoor Nicky, ik vind echt dat jullie veel te snel van stapel lopen. Dat je geen heel grote bruiloft wilt, oké. Maar wat je nu noemt, klinkt toch wel heel erg simpel. Waarom toch zo'n haast? Laat Rick eerst eens alleen naar Tsjechië gaan, en als alles loopt zoals jullie verwachten, is het vroeg genoeg om samen verdere plannen te maken. Ik vind het allemaal zo vaag.'
Nicky schudt het hoofd. 'Ik wil gewoon bij hem zijn, pap. Jij zegt dat je eenzaam bent, nou, ik ben dat ook! Ik mis mama misschien wel erger dan jij.' Nu komen de tranen, die ze tegen heeft gehouden, toch. 'Jij zegt die Angela nodig te hebben, ik heb Rick nodig!'
Vader Roel gaat naast zijn dochter zitten. 'We hebben elkaar toch ook nog!' zegt hij wat onhandig.
'Daar merk ik weinig van, jij bent weggegaan, ik niet.'
'Je had mee kunnen gaan.'
'Had je Angela dan niet nodig gehad?'
'Dat is anders...'
'Precies. Papa, ik heb Rick nodig, laat ons nou maar. Rick weet heel goed wat hij doet. Hij is een volwassen kerel van tweeëndertig.' Zonder dat ze het in de gaten heeft, herhaalt ze de woorden van Rick, eerder deze week.
'Tweeëndertig? Ik dacht dat hij jonger was.'
'Wat maakt dat nou uit! Heb maar gewoon vertrouwen in hem, in ons. Je zult zien dat het allemaal gaat lukken. Rick heeft flink gespaard, dus de eerste tijd kunnen we het gemakkelijk uitzingen daar. Trouwens, mijn spaarrekening mag er ook zijn, toch?'
'Daar zou ik maar niet gelijk aan komen. Je moet niet alles in een plan stoppen waarvan je niet weet hoe het gaat lopen.'
Nicky geeft geen antwoord, ze wil niet vertellen dat haar spaargeld er al voor een gedeelte inzit. Papa is zo overbezorgd.
Het is weer stil, dan zegt vader Roel langzaam: 'Tja, als de zaken zo

staan, heeft het weinig zin om te wachten met het te koop zetten van ons huis, vind je ook niet? Ik zal vanuit Basel wel contact opnemen met de makelaar hier. Toch wel lastig dat ik daar zit. Maar goed, jij kunt ook zorgen dat alles er netjes uitziet, als er kijkers komen. We overleggen nog wel.'

Hij staat op en rekt zich uit. 'Zo, nu gaan we plannen maken voor dit weekend. Wat dacht je ervan om vanavond eens lekker samen uit eten te gaan? Jij mag zeggen welk restaurant het wordt.'

Hoewel haar vader duidelijk zijn best doet om er een gezellig weekend van te maken, merkt Nicky dat zijn gedachten vaak elders zijn. Tot haar verbazing en opluchting praat hij niet meer over haar toekomstplannen, maar de naam Angela daarentegen valt regelmatig. Hij is duidelijk vol van de Zwitserse vrouw en dat vindt ze toch wel heel moeilijk.

Enerzijds stoort het haar, maar aan de andere kant vindt ze het wel prima zo, hoe minder vragen haar vader over de camping stelt, des te beter. Het zit haar een beetje dwars dat ze niet eerlijk heeft verteld dat haar spaargeld al voor een deel in het project zit. Maar papa is al zo sceptisch, dus beter maar het zo te laten.

Zondagmiddag komen Floris en Jetty langs om vader Roel even te zien. Ook aan hen vertelt hij over Angela en zijn toekomstplannen. Het valt Nicky op dat Floris heel anders reageert dan zijzelf.

'Leuk voor je, pap, alleen is maar alleen, hè?' zegt hij, en Jetty knikt instemmend.

Nicky begrijpt het niet. Zijn Floris en Jetty nou zo nuchter, of is zijzelf abnormaal gevoelig? Het is toch nog maar zo kortgeleden dat mama is overleden, hoe kunnen ze zo verstandelijk reageren op het nieuws van papa?

Eigenlijk is het een soort opluchting als haar vader maandag weer vertrekt. 'Ik neem vandaag nog contact op met die makelaar, dan belt hij jou wel om een afspraak te maken. Zorg dat alles er netjes uitziet, hè?' zegt hij als ze samen nog een kop koffie drinken.

'Ja natuurlijk, pap, dat komt wel goed.' Nicky wil er liever nog niet

aan denken dat haar ouderlijk huis wellicht binnen een aantal maanden verkocht en ontruimd zal zijn.
Haar vader is daar duidelijk wel mee bezig. 'Je moet maar kijken wat je wilt hebben van de meubels en zo, jullie zullen je daar toch ook moeten inrichten.'
Nicky krijgt een brok in haar keel. 'Wil jij dan niks hebben van de spullen van mama en jou?' vraagt ze.
'Angela heeft een compleet ingericht huis, dus je begrijpt...'
'Nee,' zegt ze hard, 'dat begrijp ik niet! Pap, je stapt toch niet helemaal in haar leven zonder herinneringen?'
'De herinneringen zitten in mijn hart, niet in de meubels,' zegt vader Roel wat kortaf. 'Ik dacht dat jij graag het een en ander zou willen hebben.'
'Dat wil ik ook. Nou ja, zover is het nog niet, we zien wel.'
Roel staat op. 'Ik moet zo maar eens gaan,' zegt hij. 'Spreek je wel met Rick af wanneer ik hem kan ontmoeten? Hetzij hier of in Basel? Dat laatste zou misschien het leukst zijn, dan kunnen jullie gelijk ook kennismaken met Angela.'
'Ik zal het erover hebben. Pap, nou weet ik nog steeds niet waarom je zo kort hier was en geen hele week, zoals je van plan was.'
'Het is erg druk op de zaak en Angela wil me morgen voorstellen aan haar zoon. Hij woont aan de andere kant van het land en morgen moet hij in Basel zijn. Dus je begrijpt...'
Nee, ze begrijpt het helemaal níét! Zijn Angela en die zoon nu al veel belangrijker dan een bezoek aan haar? Maar ze zegt niks, ze knikt maar wat.
Dan rijdt de taxi voor. Nicky loopt mee naar de deur, en zwaait haar vader na.
Verdrietig loopt ze weer naar binnen, ze voelt zich weer net zo alleen als toen mama pas was overleden. Flodder duwt zijn kop tegen haar been, gedachteloos aait ze hem.

's Avonds belt Rick. 'Heb je een gezellig weekend gehad?' vraagt hij.
'Gaat wel...' antwoordt ze. 'Ik mis je, Rick.'

'Wat is er, ging het niet goed? Wat heb je allemaal aan je vader verteld over onze plannen?' Ze hoort dat zijn stem gespannen klinkt.
'Mmm, nou, ik kon niet zo veel vertellen, hè? Over geld mocht ik niet praten van jou en verder heb ik niet veel informatie. Papa vroeg of ik iets kon laten zien, waar het precies ligt en zo. Maar ik heb eigenlijk niks.'
'Hé schatje, wat klink je nou boos! Ik heb niet gezegd dat je niet over geld mocht praten. Ik vind alleen dat we dat zelf moeten beslissen en regelen. En verdere informatie? Tja, ik heb zelf ook niet veel. Wacht maar, binnenkort gaan we samen kijken en dan kun je net zo veel foto's maken van de omgeving als je maar wilt, afgesproken?'
'Ja, dat is goed. Rick?'
'Ja?'
'Mijn vader heeft een vriendin daar in Basel. Hij wil ons huis verkopen en voorlopig bij die vrouw intrekken. Ik vind het zo moeilijk!'
'Waarom? Hij is nu toch ook nooit thuis?'
'Begrijp je dat dan niet? Mijn moeder is vorig jaar pas overleden! En nu heeft hij al een ander!'
'Tja, lieverd, ik begrijp dat dat moeilijk voor je is. Maar het leven gaat door, en sommige mannen kunnen moeilijk alleen zijn.'
'Maar hij wil ook niks van de spullen hier uit huis, hij trekt gewoon bij die vrouw in. Alle herinneringen aan mama laat hij achter.'
'Tja...'
'Wij kunnen natuurlijk wel een heleboel spullen meenemen naar Tsjechië, hè, of vind je dat vervelend?'
'Nee, ik vind het best, dat maakt mij niet uit.'
'Hoe was jouw weekend, druk geweest?'
'Nee hoor, gewoon z'n gangetje.'
'Papa wil zo snel mogelijk een afspraak maken om je te ontmoeten, misschien kunnen we samen een weekend naar Basel gaan binnenkort?'
'We zullen wel kijken. Hij had toch al allerlei informatie over me ingewonnen?'
'Dat wil toch niet zeggen dat hij je niet meer wil ontmoeten? Jullie

moeten nodig kennismaken met elkaar. Je neemt het hem kwalijk, hè, dat hij naar je geïnformeerd heeft?'
'Ach, kwalijk... dat is een groot woord. Nou, lieverd, ik moet weer aan het werk, ik bel je gauw weer.'
'Heb je avonddienst?'
'Yep, ik bel je morgen! Welterusten, ik hou van je!'
Als Nicky het gesprek heeft beëindigd, schiet haar te binnen dat ze weer niet naar de afdeling en het kamernummer van Ricks oma heeft gevraagd. Morgen direct doen, neemt ze zich voor.
Dan gaat ze naar bed, ze is moe van alle emoties die het weekend meebracht en morgen moet ze weer aan het werk. Flodder slaapt al op het voeteneind.

De volgende dag belt Rick haar op haar werk.
'Sorry, lief, dat ik je stoor, maar er is een klein probleempje. Het kadaster wil geld zien voor ze verdergaan, er moet per omgaande tienduizend euro gestort worden. Zie jij nog kans vandaag...? Ik ben op missie op een schip en kom voor morgen niet bij m'n computer, dus ik kan niks regelen.'
'Joh, alweer! Tienduizend, dat is nogal wat, er blijft niks over.'
'Ja, heel vervelend, maar het is even niet anders. Zoals ik al zei: als ik in de gelegenheid zou zijn, had ik het zelf overgemaakt, dat bedrag heb ik waarschijnlijk nog wel op m'n lopende rekening, hoewel... dan zou ik wel even flink rood staan. Maar ja, dat gaat dus niet, en het moet echt voor morgenochtend negen uur rond zijn.'
'Op welk nummer moet ik het storten?'
'Gewoon, op mijn rekening, dan stuur ik het door.'
'Dat gaat toch niet als je er niet bent?'
'Ach ja, je hebt gelijk. Nou ja, dan wachten ze maar een uurtje langer op dat geld. Als jij het vanavond overmaakt, kan ik het morgen, zodra ik binnen ben, doorsturen. Nu moet ik gauw verder, lief, ik bel je morgenavond weer. Dan zijn we weer een stapje dichter bij onze toekomst, moet je maar denken! Dag, love you!'
Nicky staat nog even met de telefoon in haar hand als de verbinding

al is verbroken. Als hij het toch pas morgenmiddag kan overschrijven, dan hoeft het toch niet van haar rekening? Nou ja, het is ook niet belangrijk, ze maakt het wel weer over. Maar haar spaargeld gaat wel erg hard, dat is geen fijn gevoel. Ze zal blij zijn als Rick binnenkort weer wat terugstort op haar rekening. Ook al zal het straks allemaal op één grote hoop gaan, toch geeft het haar nu nog een wat zelfstandig gevoel om geld op de bank te hebben staan.
Met haar gedachten in Tsjechië neemt ze de schaar weer in de hand om haar volgende klant te knippen.
Als ze 's avonds thuiskomt, gaat ze achter de computer zitten en maakt tienduizend euro over op de rekening van Rick. Op de een of andere manier geeft het haar een onprettig gevoel als ze ziet dat het saldo op haar spaarrekening nu drieduizend en vierendertig euro is. Het komt natuurlijk omdat ze nog niks heeft gezien van de aankoop daar in Tsjechië. Ze moeten er zo snel mogelijk samen een keer naartoe, dan zal het allemaal wat meer voor haar gaan leven.

De rest van de week gaat snel voorbij. Rick heeft nog een paar keer gebeld en op vrijdagavond staat hij onverwacht voor haar neus.
'Hé, schatje, verrassing! Ik kan tot morgen blijven, wat zeg je daarvan?'
'Ik moet morgen natuurlijk werken, maar waarom moet je morgen alweer terug? Je hebt nu toch zeker wel een heel vrij weekend?'
'Eigenlijk wel, maar ik heb geruild met een collega, zijn vrouw is net bevallen en is ook nog ziek geworden. Dus vroeg hij of ik het heel erg vond een extra dienst te draaien morgenavond.'
Geïrriteerd haalt Nicky de schouders op. 'Ik ben het echt goed zat!' zegt ze, 'jij bent nooit een heel weekend vrij, dat kan toch niet?'
'Kijk, daarom stop ik er ook mee bij de marine en ga ik campingbaas worden!' Hij trekt haar stevig in zijn armen en fluistert: 'Zondag ben ik er dan niet, maar vannacht wel, en dat is toch ook belangrijk?' Hij kust haar hartstóchtelijk.
'Ja, dat wel, maar ik vind het echt niet leuk, Rick!' zegt ze, als hij haar

eindelijk loslaat. 'Ik kan me niet voorstellen dat iedereen zo vaak moet werken als jij.'
'Daar heb je misschien wel gelijk in,' zegt Rick, 'ik zeg ook te snel ja als ze me voor een extra dienst vragen. Ik zorg gewoon dat ik volgende week het hele weekend vrij ben, afgesproken?'
Nicky knikt. 'Goed,' zegt ze, 'misschien kunnen we dan naar mijn vader in Basel vliegen, hij wil erg graag kennismaken.'
'We kijken wel,' wimpelt Rick af, 'eindelijk eens een heel weekend samen hier lijkt me ook wel wat!'
Als ze later samen dicht bij elkaar op de bank zitten, veert Nicky opeens op. 'O ja, dat is waar ook,' zegt ze, 'ik ben maandag bij je oma op bezoek geweest!'
'Je bent wát?' Hij verslikt zich in een slok bier.
Nicky schiet in de lach. 'Ik dacht dat ik bij je oma op bezoek was, maar achteraf bleek het ene mevrouw Van Noord te zijn, in plaats van Van Noorden. Toevallig, hè? Trouwens een heel lief mens, heeft nauwelijks familie, dus veel bezoek krijgt ze niet. Ik heb me voorgenomen om, als ik echt naar je oma ga, nog eens bij haar langs te gaan. Maar wat is het kamernummer van je oma? Ik vroeg het nog aan een verpleegster, maar die wist het niet en de administratie was gesloten, ik was er tussen de middag.'
Rick kijkt haar even zwijgend aan, dan zegt hij kortaf: 'Ik had je toch gezegd er niet alleen naartoe te gaan? Ze zit op de gesloten afdeling, je maakt haar onrustig als je zo onaangekondigd binnenstapt. We gaan heel binnenkort samen wel een keer.'
'Nou zeg, daar hoef je niet zo nijdig over te zijn,' zegt Nicky geschrokken, 'ik bedoelde het goed, hoor! Trouwens, als ze zo in de war is als jij zegt, schrikt ze heus niet als er iemand binnenkomt die ze niet kent. Voor haar zijn waarschijnlijk alle mensen 'vreemden'.'
'Toch vind ik het niet prettig! Ik wil het echt niet, Nicky, nogmaals, heel binnenkort gaan we samen wel een keer naar haar toe.'
'Wat je wilt, dan ga ik nog weleens naar die mevrouw Van Noord, daar ben ik zeker welkom.'
'Kom eens bij me, schatje,' Rick trekt haar naar zich toe. 'Kom, niet

zo boos kijken. Morgen, voor ik naar huis ga, ga ik even bij oma langs en dan zal ik haar vertellen dat ik heel binnenkort haar aanstaande kleindochter kom voorstellen, goed?'
'Dat heeft weinig zin als ze zo dement is als jij zegt.'
Hij grinnikt zachtjes. 'Daar heb je gelijk in,' zegt hij, 'dan zeg ik maar niks. Kom, we gaan zo naar bed, dat is beter dan over mijn oma praten.'
Later, als ze stil in zijn armen ligt, zegt ze met een slaperig stemmetje: 'Rick, gaat het allemaal goed met mijn geld?'
Hij schiet in de lach en trekt haar dichter in zijn armen. 'Romantisch ben jij, zeg! Maar maak je geen zorgen, je geld is net zo veilig als jij in mijn armen bent!' Hij kust haar zacht. 'En nu slapen! Anders knip je morgen scheef!'

14

Het is eind september, buiten regent het. Jenneke ligt wakker in bed, naast haar snurkt Peter zachtjes. Maar zij kan maar niet slapen, telkens schrikt ze wakker. Dat gaat al weken zo, elke dag kijkt ze in de kast van Eva, en elke dag ziet ze daar nog de plastic tas met de sokjes liggen. Ze heeft nog steeds geen idee wat ze moet doen, nee, óf ze wel iets moet doen.

Peter komt en gaat zoals voorheen, al blijft hij steeds vaker een nachtje weg van huis.

'Dat is de consequentie van de verhuizing hiernaartoe,' zegt hij, als Jenneke er vlak na de verhuizing een opmerking over maakt. 'Jij wilde graag weer hier wonen, maar mijn werkterrein ligt vooral in het midden en zuiden van het land.'

'Moet je dan zo vaak juist in het weekend werken? De meeste bedrijven zullen dan toch dicht zijn, lijkt me?'

'Daar gaan we weer! Hou nou eindelijk eens op met je gezeur, Jen!'

Sinds de ontdekking van de plastic zakjes in de sokjes, durft ze helemaal niks meer te zeggen of te vragen. Stilletjes gaat ze door het huis, overdag afgeleid door de zorg voor de drie kleintjes. Maar 's nachts ligt ze uren wakker, ze draait en denkt, piekert en draait nog eens. Peter merkt er niks van, hij komt en gaat zoals altijd. Tegen de kinderen is hij dikwijls kortaf en Jenneke krijgt nauwelijks aandacht van hem. De laatste week is hij kortaangebonden en onrustig, waardoor Jenneke nog nerveuzer wordt dan ze al was.

Ook deze vroege maandagochtend ligt ze stil op haar rug te luisteren naar de geluiden van de beginnende morgen. Ze kijkt eens op de wekker: kwart voor zes, ze kan nog een uurtje slapen. Waarom lukt dat toch maar niet?

Juist als ze toch een beetje indut, schrikt ze wakker van het geluid van de telefoon, Peters telefoon, die altijd vlak naast hem ligt.

'Ja?' hoort ze Peter zacht zeggen. 'Wat...'

'...'

'Oké, ja...'
'...'
'Begrepen!'
Even twijfelt ze, zal ze vragen wie dat was, of zich slapend houden? Ze besluit tot het laatste. Ze draait zich om, en trekt het dekbed over haar hoofd. Maar het ontgaat haar niet dat Peter uit bed is gestapt en snel wat kleding van de stoel grist. Dan gaat hij de kamer uit, de deur zachtjes achter zich dicht trekkend.
Nu zit ze rechtop, ze hoort nog wat gestommel, dan gaat de buitendeur dicht, een auto wordt gestart en rijdt weg. Waar gaat hij in vredesnaam zo vroeg naartoe? Jenneke houdt het niet langer uit in bed, ze trekt haar badjas aan en zachtjes gaat ze naar beneden. Ze kijkt door het raam de tuin in, de regen valt alweer in grote druppels naar beneden, de bomen druipen, alles ziet er somber en mistroostig uit. Ze pakt de waterkoker en laat hem vollopen onder de kraan. Vooruit, een vroeg ontbijt maar! Misschien komt Peter zo wel weer terug.
In een opwelling loopt ze opeens de trap op en zachtjes gaat ze de babykamer binnen. De kastdeur staat half open. Dat is raar, ze laat nooit kasten openstaan. Nog voor ze voorzichtig gevoeld heeft, weet ze het eigenlijk al: de plastic tas met sokjes is weg. Gisteravond lag hij er nog, dat weet ze zeker. Peter moet hem zojuist hebben meegenomen, dat is duidelijk. Even zacht als ze binnenkwam, gaat ze de kamer weer uit, Eva slaapt rustig door. Beneden gekomen gaat ze aan de tafel zitten. Het water heeft allang gekookt, de waterkoker is afgeslagen, maar ze denkt er niet aan om thee te zetten. Er spelen allerlei vragen door haar hoofd: waar is Peter naartoe gegaan met de verdachte zakjes en wie belde hem? Wat moet ze nu doen, wanneer zal hij weer terugkomen, en waarom had hij zo'n haast? Ze zit daar stil en bang.
Dan klinkt de bel door het huis, ze schrikt, wat nu?
Ze staat op en loopt naar de voordeur. Net voor ze de deur opentrekt, ziet ze op de grond de telefoon van Peter liggen. Snel raapt ze hem op en laat hem in de zak van haar badjas glijden. Dan doet ze de deur open en kijkt in de gezichten van twee onbekende mannen.

Wat meer naar achteren staan nog twee mensen.
De één houdt een pasje omhoog. 'Goedemorgen, Van Tienhoven, politie regio Drenthe, is uw man thuis?'
'Nee, hij is er niet.'
'Waar is hij?'
Jenneke haalt de schouders op. 'Ik weet het niet, hij is al vroeg weggegaan.'
'Naar zijn werk? Wat doet hij precies?'
'Hij is chauffeur bij een klein bedrijf, hij moet ook pakketjes bezorgen,' hakkelt ze. 'Er is toch geen ongeluk gebeurd?'
De andere man schudt het hoofd. 'Nee, niet dat ik weet, maar weet u zeker dat hij niet meer thuis is?' Hij draait zich half om en knikt richting de straat. 'Dat is zijn auto toch?'
Jennekes ogen gaan naar de weg en tot haar verbazing ziet ze daar inderdaad de auto van Peter nog staan. Het verbaast haar niet eens dat de man Peters auto kent.
'Ja, dat is zijn auto, wat gek! Ik heb hem echt weg horen gaan, ik hoorde een auto wegrijden.'
'Een auto, niet deze auto dus,' stelt de politieagent vast, 'werd hij door iemand opgehaald?'
'Ik weet het echt niet,' zegt Jenneke. 'En als u het niet erg vindt wil ik graag naar binnen gaan, ik wil me aankleden en de kinderen uit bed halen.'
De man knikt. 'Als u het goedvindt, lopen we even mee naar binnen om te kijken of u zich niet vergist, en uw man toch nog thuis is. En we willen ook graag even rondkijken.'
Jenneke voelt zich boos worden. 'Ik lieg heus niet, hoor!' zegt ze kortaf. 'Kom gerust binnen, maar laat de kinderen niet schrikken door opeens naar binnen te gaan in de slaapkamers.'
Zwijgend lopen de twee mannen achter haar aan naar binnen, vegen hun voeten op de deurmat en doen de voordeur behoedzaam achter zich dicht.
'Mag ik even boven rondkijken?' vraagt de ene agent, terwijl de andere door de kamer heen en weer drentelt.

Jenneke schokschoudert. 'Als u maar niet bij de kinderen naar binnen gaat.'
'Loopt u maar even mee.'
Achter elkaar lopen ze de trap op, Jenneke merkt dat haar benen trillen. Als ze halverwege de trap is, hoort ze Jeroen roepen en tegelijk gaat de deur van Marks slaapkamer open. 'Mama?' Als het jochie de vreemde man ziet, rent hij op zijn moeder af en verbergt zijn gezicht tegen haar badjas.
'Kom maar, kerel, heb je lekker geslapen? Die meneer moet even boven kijken, hij gaat zo weer weg.' Ze tilt Mark op en loopt de slaapkamer van Jeroen in. Ook hij is klaarwakker en staat rechtop in zijn bedje, zijn armen uitgestrekt naar zijn moeder.
Als ze ook hem uit bed heeft getild, ziet ze hoe de politieman rondloopt in haar slaapkamer, een kast opendoet en weer sluit.
'Nog meer slapende kinderen?' vraagt hij.
Jenneke knikt en wijst naar de deur van de babykamer. 'Ja, daar slaapt onze dochter.'
'Als u de kinderen mee naar beneden neemt, kijken wij hier even rond.'
Jenneke voelt zich, ondanks de angst en verwarring, boos worden.
'Kan dat zo maar, ik bedoel, m'n huis binnenstappen en overal rondneuzen?'
'Dat kan inderdaad niet zomaar, maar we hebben een huiszoekingsbevel, en daarmee hebben we toestemming om overal te kijken.'
Van beneden hoort Jenneke nu het geluid van meerdere stemmen. Ze gaat met de beide jongetjes naar beneden, daar treft ze behalve de ene politieman, nu ook de twee mensen aan die ze al buiten had zien staan. Het zijn een wat oudere agent en een nog jonge vrouw. Opeens schaamt ze zich vreselijk. Wat is er gebeurd met haar gezin dat er hier opeens vier politiemensen in haar huis lopen en overal rondneuzen? Voor de kinderen wil ze zich goed houden, ze maakt snel een ontbijt voor hen. Wanneer ze zitten te eten, haalt ze Eva uit haar bedje en maakt voor haar een fles klaar.
Terwijl ze Eva de fles geeft, hoort ze de drie mannen boven rond-

lopen. De vrouw, die zich heeft voorgesteld als Mariska, is beneden gebleven. Ze praat wat tegen de jongens, die duidelijk uit hun doen zijn en zeuren en jengelen. Een van de mannen is naar buiten gegaan, in de achtertuin loopt hij rond en verdwijnt dan in het schuurtje. Na een paar minuten komt hij alweer binnen. Ach ja, in de schuur staat nog nauwelijks iets, alleen de fietsen en wat speelgoed van de kinderen. Jenneke hoort hem nu in de keuken de kastjes opendoen en sluiten, daarna gaat hij weer naar boven.
Mariska is ook even in keuken bezig geweest, nu is ze weer in de kamer. De jongens draaien nu een beetje om haar heen, Mariska probeert ze op hun gemak te stellen. Jenneke zelf geeft korte antwoorden als haar iets gevraagd wordt, verder zwijgt ze. Ze is bang om in huilen uit te barsten als ze nog één woord zegt. In de zak van haar badjas lijkt de telefoon te branden, ze voelt hem voortdurend zitten.
Als de kinderen gegeten hebben, stelt agente Mariska voor: 'Wil je jezelf misschien eerst gaan aankleden? Dan zorg ik dat je boven even de ruimte hebt, hoor.'
'Nee, laat maar,' zegt Jenneke kortaf. Ze durft de badjas niet uit te doen, bang dat de mannen de telefoon van Peter zullen ontdekken. Ze wil hem toch beschermen, hoe kwaad ze ook op hem is. Want kwaad is ze! Hij met z'n mooie praatjes, nu is hij ertussenuit geknepen en zit zij hier met de ellende. En wanneer zal hij weer boven water komen? Wist hij dat de politie aan de deur zou komen? Het lijkt er wel op, waarom zou hij anders zo vroeg vertrokken zijn? En wie heeft hem gebeld, wie heeft hem opgehaald? Al die vragen buitelen door haar hoofd. Ze is kwaad, maar tegelijk bezorgd en bang. Wat gaat er met haar en de kinderen gebeuren? Wat zullen ze nog vinden boven, was er nog meer dan de plastic zakjes in de kindersokjes? Opeens schiet de schrik door haar heen, dat ene zakje dat op de grond was gevallen, zit dat nog steeds in haar broekzak?
'Misschien wil ik me toch zo wel graag even aankleden,' zegt ze. Ze kunnen nog beter zijn telefoon vinden dan dat zakje, toch? Of misschien niet?
'Goed, ik zal even boven kijken hoever de collega's zijn.'

Maar op hetzelfde moment komt een van de mannen al naar beneden. Jenneke ziet het in één oogopslag: hij heeft haar oude spijkerbroek in zijn hand.
'Is deze broek van u?'
Ze knikt. Voor hij verdergaat weet ze al wat er gaat komen.
Nu laat hij zien wat hij in zijn hand heeft. Het kleine zakje met de witte inhoud. Zwijgend laat hij het aan haar zien. 'Weet u wat dat is?'
Ze schudt het hoofd, haar keel zit dicht.
Hij blijft haar afwachtend aankijken, dan zegt ze schor: 'Ik vond het tijdens de verhuizing, het viel ergens uit. Ik heb het in m'n broekzak gestopt en ben het daarna weer vergeten.' Dat is waar, ze liegt niet eens.
De man knikt, hij zegt niks en laat het in een plastic zak glijden. Daarna draait hij zich om en gaat weer naar boven.
Jenneke gaat zitten, haar benen kunnen haar niet langer dragen en ze kan ook haar tranen niet langer binnenhouden. Ze legt haar armen voor zich op tafel en legt haar hoofd erop.
'Mama... mama, wat is er?' Marks stemmetje klinkt bang. 'Heb je je pijn gedaan, mama?' Hij trekt aan haar arm. Ze gaat weer rechtop zitten en trekt het bange jongetje op haar schoot. Met een hand veegt ze langs haar gezicht. Ze moet sterk zijn, sterk voor de kinderen, die hier al helemaal niets aan kunnen doen. 'Ik wil naar boven en ik wil dat die mannen weggaan!' zegt Mark, nog steeds met een huilerig stemmetje.
'Weggaan,' echoot Jeroen.
Opeens voelt Jenneke zich sterk worden. Ze zal voor de kinderen gaan, Peter heeft ze al te lang beschermd. Ze neemt de jongens allebei op schoot. 'Stil maar, hoor, die meneren zijn bijna klaar, dan gaan ze weer weg, en daarna gaan wij ons aankleden.'
Ze draait zich om naar de vrouwelijke agent, die begonnen is om in de kamer snel en systematisch alle kasten leeg te maken en daarna de spullen weer terug te zetten.
'Luister,' zegt Jenneke, 'ik zal je zeggen wat ik weet. Mijn man werkt voor ene Paul Jansen, meer weet ik niet van hem. Maar ik vertrouw-

de het al nooit, hij moet op allerlei gekke tijden pakketjes voor hem wegbrengen en hij verdient er belachelijk veel geld mee. Vorige week zijn we opeens hiernaartoe verhuisd, en tijdens het opbergen van de kinderkleren vond ik een heleboel van die zakjes, verstopt in oude kindersokjes. Ik heb het maar weer teruggelegd in de kast, omdat ik niet wist wat ik ermee aan moest. Eén zakje viel eruit, dat heb ik in mijn broekzak gestopt en daarna ben ik het dus vergeten. En meer weet ik echt niet.'
Mariska luistert rustig en laat haar uitpraten, dan knikt ze even. 'Ben je bereid dat ook op het bureau te verklaren?' vraagt ze dan.
'Ja.'
Weer knikt Mariska. 'Ik geloof je, het komt wel goed, hoor,' zegt ze, en haar stem klinkt vriendelijk. 'We zijn bijna klaar hier, daarna willen mijn collega's je waarschijnlijk nog een paar vragen stellen en dan laten we jou en de kinderen voorlopig met rust.'
De beide jongens lijken te merken dat Jenneke zich sterker voelt, ook zij zijn rustig geworden en laten zich van haar schoot glijden om te gaan spelen. Jenneke pakt Eva uit de box en blijft stil zitten met het kleintje tegen zich aan. Ze hoopt van harte dat de telefoon in haar zak niet zal overgaan, op een of andere manier wil ze het toestel toch niet prijsgeven aan de politiemensen.
Sneller dan ze verwacht heeft, komen de agenten de trap af. Jenneke is juist naar de keuken gelopen om wat drinken voor de kinderen in te schenken. Ze hoort hoe Mariska in de kamer haar collega's op de hoogte stelt van hetgeen zijzelf haar zojuist heeft verteld.
'Heeft u het adres van Paul Jansen?' Een van de agenten is naar de keuken gekomen.
'Nee, hij woont in Utrecht of De Bilt, meer weet ik niet.'
'De kindersokken met de plastic zakjes lagen tot gisteren in de kast op de kinderkamer?'
Jenneke knikt.
'Heeft u al eerder dergelijke zakjes of iets wat er op leek, gezien?'
'Nee, dit was de eerste keer, ik wist echt niet wat ik ermee aan moest...'

De agent knikt. 'We gaan nu weg, heel binnenkort zullen we u vragen om op het bureau uw verklaring nogmaals af te leggen. Verder vraag ik u nadrukkelijk om het ons direct te laten weten als uw man contact met u opneemt. Dat is niet alleen in uw belang, maar ook in dat van uw man.'
Jenneke knikt maar wat, ze wil maar één ding: alleen zijn met haar kinderen.
Even later is het zover, ze ziet de politiemensen in een onopvallende auto stappen en wegrijden.
Ze zakt neer op een stoel, Eva nog steeds op haar arm. Het duizelt haar, ze kan nauwelijks meer nadenken.
'Mama, ik wil mijn broek aan en buiten spelen.' Mark trekt aan haar mouw. 'Gaan we aankleden?'
'Ja ja, kom maar, we gaan naar boven.' Ze dwingt zichzelf op te staan en met de kinderen de trap op te gaan. Later zal ze erover na gaan denken, nu niet. Ze verschoont Eva en legt haar terug in haar bedje. Daarna wast ze snel de jongens en helpt ze hun kleren aan te doen. 'Even lief gaan spelen, dan kleedt mama zich ook snel aan en dan gaan we naar beneden. Het is droog geworden, jullie mogen zo in de tuin, afgesproken?'
Als de jongens samen in de slaapkamer de grote blokkenwagen omkeren, schiet ze snel de badkamer in, vlug een kattenwasje en haar kleren aan. Ze gooit de badjas op de grond, dan glijdt de mobiel van Peter uit haar zak. O ja, die telefoon, wat moet ze daar nou mee? Stel je voor dat hij overgaat, wat moet ze dan eigenlijk zeggen? En waar moet ze hem verstoppen, stel dat die politiemensen weer terugkomen, en hem vinden? Verraadt ze dan Peter niet, of heeft ze dat al gedaan door te vertellen over de kleine zakjes wit poeder? Ze weet het niet meer, haar hart wil hem nog steeds beschermen, maar haar verstand zegt dat ze beter met de politie kan meewerken, het gaat immers ook om haar kinderen?
Ze zucht en staat besluiteloos met de telefoon in haar hand. Als hij plotseling overgaat, schrikt ze zo dat ze hem laat vallen. Ze blijft als aan de grond genageld staan kijken, hij gaat wel acht keer over, maar

ze neemt niet op. Dan wordt het stil. Vastbesloten pakt ze het toestel en gaat de zoldertrap op, ze wil het ding niet meer horen of zien. Onder een stapel kinderkleertjes legt ze hem neer. Ze hebben hier toch al overal gezocht, dus de politiemensen komen hier vast niet meer terug om te zoeken. Nu moet ze eerst nadenken, nadenken over hoe het verder moet.
'Mama, ma-am!' Mark staat te roepen en Jeroentje huilt.
Gék wordt ze! Ze wil alleen zijn, maar dat kan niet.
Ze is net weer met de jongens beneden, als de gewone telefoon gaat. Ze schrikt, maar ziet dan op de nummermelder het nummer van haar ouders. Ze neemt op en noemt haar naam.
'Met ma, wat klink jij zielig, voel je je niet goed?' vraagt haar moeder bezorgd.
'Nee, ik voel me hondsberoerd,' zegt Jenneke volkomen naar waarheid.
'Kind, wat vervelend, Peter zeker naar zijn werk?'
'Ja.'
'Red je het, of zal ik komen helpen?'
Jenneke aarzelt, enerzijds wil ze niets liever dan al haar ellende en angst eruit gooien bij haar moeder, maar tegelijk schaamt ze zich.
'Nee, laat me maar...'
'Of zullen pa en ik de kinderen komen halen, dan kun jij lekker naar bed.'
'Graag, heel graag, ma.' Haar keel zit dicht, het kost grote moeite om niet te gaan huilen. 'Ik... nou ja, graag,' zegt ze moeizaam.
'Prima, we komen er zo aan, tot straks.'
Een halfuurtje later ziet ze de oude auto van haar ouders voor de deur stoppen. 'Daar zijn opa en oma,' zegt ze, 'jullie mogen fijn bij oma spelen, goed?'
Mark rent al naar de deur om open te doen.
'Meid, wat zie jij er beroerd uit, maar gauw je bed in,' zegt moeder Gerda, 'heb je alles voor de kleine meid in de tas gedaan? Flesje, voeding en ook luiers voor haar en Jeroen? En doe hun pyjama er voor alle zekerheid ook bij, dan zien we wel wanneer we ze terugbrengen.'

Jenneke knikt. 'Redden jullie het wel met die drie?' vraagt ze.
'Ja, natuurlijk.'
Vader Teus stapt nu ook binnen, hij zegt: 'Ik zie Peters auto, is hij thuis?'
'Nee, hij is opgehaald vanochtend.'
'Heb je de sleutels toevallig, dan kunnen we de autostoeltjes eruit halen en in onze auto zetten.'
'Die staan boven, hij heeft ze er bijna nooit in, alleen als we met z'n allen weggaan, het is natuurlijk vooral z'n werkauto.'
'O ja, nou, dat is mooi. Je ziet er slecht uit, meid, gaat het verder wel goed?'
Jenneke knikt. 'Ik denk dat ik griep krijg, ik ben blij dat jullie ze meenemen.' Ze aait Jeroen over z'n bol. 'Pak je knuffel, Mark, dan mag je met opa mee in de auto, goed?'
Inmiddels is haar vader naar boven gegaan en komt met de autostoeltjes aanzeulen.
'Weet je hoe ze bevestigd moeten worden?' vraagt Jenneke. Het is haar bijna te veel om zich druk te maken over deze dingen en gewoon te praten met haar ouders, maar het lukt haar toch met de grootste krachtsinspanning.
'Dat lukt wel, al wordt het een volle boel. Die kleine in de Maxi-Cosi moet maar op de voorstoel en oma bij de jongens achterin.' Teus sjouwt naar buiten met de stoeltjes.
'Er waren een boel mannen in Marks kamer, oma,' zegt Mark opeens, vanuit het niets.
Oma Gerda kijkt hem verbaasd aan. 'Mannen in jouw kamer, waarom?'
'Weet niet, en ook een mevrouw, hè mama? En mama was boos.'
Nu kijkt Gerda haar dochter vragend aan. 'Waar heeft hij het nou over?'
Jenneke haalt de schouders op. 'O, mensen van de woningbouw, die het een en ander moesten controleren, zo'n gezeur.'
Nog geen vijf minuten later zitten de kinderen in de auto, opa Teus zet de tas met spulletjes achterin en hij en zijn vrouw stappen ook in.

'Weet je zeker dat je het redt alleen?' vraagt Gerda nog eens bezorgd, 'ga maar snel je bed in, je ziet eruit als een vaatdoek!'
Jenneke produceert met veel moeite een lachje. 'Komt wel goed, hoor, hartstikke bedankt alvast.' Dan rijden ze weg.
Jenneke zwaait hen even na, daarna gaat ze naar binnen, ze loopt direct de trap op naar boven en laat zich op het bed vallen. Eindelijk hoeft ze zich niet langer groot te houden. Ze huilt tot haar hoofd begint te bonken, maar het brengt geen verlichting, ze voelt zich radeloos en woedend tegelijk. Peter is verdwenen, waar zou hij uithangen en wanneer komt hij terug? En dan, wordt hij dan direct gearresteerd? Waarschijnlijk wel, en wat zal er dan met haar en de kinderen gaan gebeuren, en dit huis, hoe zit het daarmee?
Al die gedachten buitelen door haar hoofd, ze staat op en ijsbeert door het huis, maar ze vindt geen rust.

Het wordt middag en nog steeds heeft ze niks van Peter gehoord. Later op de middag belt haar moeder. 'Hoe gaat het, al wat opgeknapt?' vraagt ze.
'Niet echt.'
'Zal ik de kinders vannacht maar hier houden?'
'Ja, heel graag. Gaat alles goed?'
'Ja hoor, ze zijn lekker aan het spelen. Is Peter al thuis?'
'Nee, dat zal nog wel even duren,' antwoordt Jenneke.
'Nou meid, sterkte, red je het alleen?'
'Ja hoor, prima. Bedankt, ma!'
Als het gesprek beëindigd is, staat Jenneke op van de bank. Wat moet ze toch doen? Van de politie heeft ze niks meer gehoord.
Dan gaat haar mobiele telefoon. Als ze opneemt, hoort ze de stem van Peter, hij klinkt gehaast en zegt alleen: 'Jen, ik ben een paar dagen druk voor Paul aan het werk, voorlopig kom ik niet naar Drenthe. Nog iets bijzonders geweest vandaag, en heb je mijn mobiele telefoon gezien?'
Ze hoort de spanning in zijn stem. Even heeft ze de neiging om te zeggen dat alles rustig is, maar dan bedenkt ze zich en ze zegt: 'Die

telefoon ligt hier. Waarom ging je vanochtend zo vroeg weg en waarom heb je je auto niet meegenomen?'
'Ik werd opgehaald, waar is die telefoon nu?'
'Boven, hoezo?'
'Berg hem maar goed op, ik bedoel... zorg dat niemand er aankomt, de kinderen of zo. En niet opnemen als er gebeld wordt.'
'Waarom niet?'
'Daarom niet! En Jen, is er iemand aan de deur geweest?' Zijn stem klinkt nu ongeduldig.
'Ja,' zegt ze, 'vier man politie heeft het hele huis doorzocht, wist je dat van tevoren soms?'
Ze hoort hoe hij langzaam zijn adem laat ontsnappen, dan zegt hij: 'Het hele huis doorzocht... nou, er was niks te vinden, hè?'
'Toch wel,' antwoordt Jenneke, 'miste je er niet één?'
'Eén wat?'
'Eén zakje.'
'Wat weet jij daarvan af, en waar is het?' Nu snauwt hij.
'Och, ik vond pas iets tussen de sokjes, één zakje was op de grond terechtgekomen, dat had ik zo lang in m'n broekzak gestopt, ik dacht dat het iets van de kinderen was. Die politiemensen hebben het meegenomen, ze leken het interessant te vinden. Waar ben je nu trouwens en wanneer kom je...'
Zonder nog een woord te zeggen, heeft Peter het gesprek beëindigd. Jenneke kijkt wat verdwaasd naar de telefoon in haar hand. Ze merkt dat ze helemaal trilt. Toch heeft ze geen spijt dat ze eerlijk tegen hem is geweest.
Wat nu, moet ze nu de politie bellen? Dat hebben ze gezegd: melden als hij contact opneemt. Maar dat kan ze niet, ze gaat hem niet verraden. Hoe boos ze ook op hem is, toch blijft hij haar man, de vader van haar kinderen. En hoe gek het ook is, ze houdt nog van hem. Dat voelt ze opeens, ondanks haar woede en angst.
Maar haar problemen zijn niet bepaald kleiner geworden door zijn telefoontje.

15

Nicky hangt lamlendig op de bank, ze is te moe en te beroerd om op te staan en zich te gaan douchen en aankleden. Gelukkig dat het maandag is, haar vrije dag, ze hoeft in elk geval niets. Het hele weekend voelt ze zich al zo, ze vond het niet eens erg dat Rick zondag weer afbelde. Ze rekt zich uit en kijkt op haar horloge: bijna halftwaalf, ze zal toch maar eens naar boven gaan. Misschien knapt ze juist op als ze een douche neemt. Lusteloos stommelt ze de trap op.
Als ze twintig minuten later weer naar beneden komt, voelt ze zich inderdaad veel beter. In de keuken maakt ze een paar boterhammen klaar en zet koffie. Daarna loopt ze met haar bordje in de ene en de beker koffie in de andere hand naar de kamer. Buiten regent het, het is zo'n donkere, miezerige dag, echt herfst. En dat terwijl het nog niet eens oktober is!
Terwijl ze haar boterhammen eet, die opeens toch wel weer goed smaken, bedenkt ze wat ze vandaag kan gaan doen. Weer een poging om Ricks oma te bezoeken? Ze weet nog steeds het kamernummer niet, maar ze kan in elk geval eens opbellen naar de administratie om navraag te doen.
Ze gaat achter de computer zitten en zoekt het telefoonnummer van het verzorgingshuis op. Direct bellen maar, anders schiet het er weer bij in.
'Goedemiddag, verzorgingshuis Vredeoord, u spreekt met Maartje,' klinkt een vriendelijke stem.
'Hallo, met Nicky de Graaf. Kunt u mij de afdeling of het kamernummer van mevrouw Van Noorden geven?'
'Even kijken hoor, mevrouw Van Noord, zei u, hè?'
'Nee, Van Noordén,' zegt Nicky met de nadruk op het laatste deel van de naam.
'Van Noorden... eens kijken, nee, sorry, er is geen bewoner die zo heet, u weet zeker dat het Noorden met 'en' is?'
'Ja, ze zit op de gesloten afdeling, ze is wat in de war.'
'Maar wij hebben hier helemaal geen gesloten afdeling. Ik denk dat u

toch niet bij ons moet zijn. Woont de mevrouw die u bedoelt misschien in Hiëronymus?'
'O, nou ja, misschien wel... bedankt, dan ga ik daar informeren.'
Nicky blijft met de telefoon in haar hand zitten. Dat is raar, ze heeft het er toch met Rick over gehad. Hoe ging dat gesprek ook alweer? Ze kenden elkaar net en Rick vertelde dat zijn oma in een verzorgingshuis woonde. Noemde hij toen zelf de naam, of heeft zij dat gedaan? In gedachten haalt ze het gesprek weer terug.
'In welk verzorgingshuis woont je oma?'
'Ja, hoe heet het ook alweer...'
'Vredeoord?'
'O ja! Dat is het!'
'Ik ken het gebouw wel, het is toch niet dat oude klooster, hè? Dat heet volgens mij anders, Hiëronymus of zo...'

Zo ongeveer was dat gesprek gegaan, maar ze weet niet meer wat voor antwoord Rick ten slotte gaf. Zou hij toch hebben gezegd dat het inderdaad Hiëronymus was? Ze weet het echt niet meer. Nou, blijkbaar heeft ze dus al die tijd het verkeerde tehuis in gedachten gehad, geen wonder dat ze vorige week de oude dame niet kon vinden. Wat nu, naar Hiëronymus bellen of er gewoon naartoe gaan? Ze besluit tot het laatste, vanmiddag om een uur of drie gaat ze naar Weert. Ze is onderhand toch echt wel heel nieuwsgierig naar de oma van Rick. Als ze op hem moet wachten, ziet ze de oude dame misschien van de winter pas eens. Ze begrijpt echt niet waarom Rick daar zo geheimzinnig over doet. Oké, de oude vrouw zal wat verward zijn, maar dat is toch geen enkele reden om haar, Nicky, van haar weg te houden? Integendeel, stel dat oma steeds verder achteruitgaat, dan wordt het contact steeds moeizamer. En waarschijnlijk vindt ze het prachtig om de toekomstige vrouw van haar kleinzoon te ontmoeten.
's Middags is het weer wat opgeklaard, er komt zelfs een waterig zonnetje tevoorschijn. Om kwart over drie komt Nicky bij het verzorgingshuis aan, ze heeft een klein doosje bonbons gekocht, en opgewekt stapt ze naar binnen.

Ze loopt naar de balie toe en vraagt naar het kamernummer van mevrouw Van Noorden.
'Mevrouw Van Noorden?' herhaalt het meisje achter de balie, 'eens even kijken...' ze zoekt op haar computerscherm. 'Sorry, maar hier woont geen mevrouw Van Noorden. Of is het soms de meisjesnaam van degene die u bedoelt?'
'Nee, ze heet echt Van Noorden, het moet de gesloten afdeling zijn, mevrouw heeft Alzheimer.'
Het meisje achter de balie kijkt nog eens op het scherm, maar schudt het hoofd. 'Nee, sorry, ik kan u echt niet helpen, er is hier niemand met die naam.'
'Daar begrijp ik niks van,' zegt Nicky, 'nou ja, bedankt, ik zal eens verder informeren.' Langzaam loopt ze het oude gebouw uit.
Hier begrijpt ze echt niks van, is ze nou zo in de war? Rick zei toch echt dat zijn oma Van Noorden heette? Hij zei een keer dat het zo grappig was: oma Van Noorden die in het zuiden woont.
Langzaam loopt ze terug naar het station. Eigenlijk had ze nog wat willen gaan winkelen, maar opeens heeft ze er geen zin meer in. Onderweg in de trein zit ze nog steeds te piekeren: hoe zit het toch met die oma van Rick! Het is echt een raar verhaal. Ze pakt haar telefoon en toetst zijn nummer in, wie weet is hij in de gelegenheid op te nemen, ze wil nu eindelijk weten hoe het zit met die oma, die hij steeds maar verstopt voor haar. Maar er wordt niet opgenomen, ze hoort de voicemail. Vanavond nog maar eens bellen.
Maar dat is niet nodig. Als Nicky thuis aankomt, ziet ze Rick bij de deur staan.
'Hè, waar kom jij nou vandaan?' vraagt ze verbaasd.
Hij lacht. 'Ja, dat is een verrassing, hè? Ik heb onverwacht een paar dagen vrij, dus ik dacht: 'kom, ik ga naar mijn lief! Mag ik een paar dagen blijven logeren?'
'Ja, natuurlijk. Maar waar is je auto?'
'Pech onderweg,' zegt hij, 'ik ben weggesleept, net boven Den Bosch. Hij staat daar in een garage en het kan wel een dag of drie duren voor hij klaar is. Dus ik ben met een leenauto verdergegaan.' Hij wijst naar

een grijze auto, die langs de weg geparkeerd staat. 'Het kwam wel mooi uit, ik ben gelijk even naar mijn oma geweest, en toen door naar jou gegaan.' Hij slaat zijn armen om haar heen en kust haar. Nicky kust hem terug, maar maakt zich dan los uit z'n armen.
'Ben je niet blij om me te zien?' vraagt Rick verbaasd.
'Jawel, maar ik wil eerst eens wat van je weten: waar woont jouw oma nou eigenlijk?'
Verbaasd kijkt hij haar aan. 'Dat weet je toch, in Weert.'
'Ja, maar wáár in Weert?'
'In dat verzorgingshuis, hoe heet het ook alweer?'
'Vredeoord of Hiëronymus?'
'Vredeoord heet het, geloof ik... lekker belangrijk, die naam. Ik heb met haar gesproken over jou, volgende week gaan we samen een keer, goed?'
'Rick, ik ben in Hiëronymus en in Vredeoord geweest, in geen van beide huizen hebben ze ooit gehoord van mevrouw Van Noorden.' Ze kijkt hem strak aan.
Even lijkt hij sprakeloos, dan zegt hij luchtig: 'Dat klopt, ze zit daar niet meer. Ze is een paar maanden geleden al overgeplaatst naar een andere instelling in Amsterdam, ik wilde haar wat dichter bij me hebben.'
'En je bent er net geweest, zeg je. Waarom lieg je tegen me, Rick?' Nicky schudt zijn arm van haar schouder.
'Ach, zo belangrijk is het toch niet waar mijn oma woont.'
'Nee, dat is niet belangrijk, maar wel belangrijk is het dat je alweer tegen me hebt gelogen.'
'Weer?'
'Ja, pas ook al over je leeftijd. En oké, dat kon ik me nog een beetje voorstellen. Maar dit, dit slaat helemaal nergens op! Ik begrijp niet waarom je steeds zegt dat je naar je oma gaat of bent geweest, terwijl ze hier helemaal niet meer woont! Waarom doe je dat, Rick?' Ze windt zich op en gaat steeds harder praten. 'Zo kan ik je toch niet meer vertrouwen?'
'Sorry, sorry, sorry! Je hebt helemaal gelijk. Ik weet ook niet waarom

ik zo doe. Ik was bang dat je me raar en sentimenteel zou vinden, omdat ik oma wat dichter bij me in de buurt wilde hebben. En je hebt helemaal gelijk, ik had dat gewoon moeten vertellen en het risico moeten nemen dat je me een softy zou vinden.' Met gebogen hoofd staat hij naast haar en hij steekt voorzichtig een hand naar haar uit. 'Hé, meisje, het spijt me echt!'
Nicky kijkt hem aan, dan doet ze een stap naar hem toe en slaat haar armen om hem heen. 'Natuurlijk vind ik je niet soft!' zegt ze, 'ik vind het juist wel lief van je. Maar ik vind het wel jammer dat je zo geheimzinnig doet. Verdraaid, Rick, we houden toch van elkaar, dan moeten we toch ook alles delen.'
'Je hebt helemaal gelijk, dat zie ik nu ook wel. Ik beloof je dat zoiets niet meer voor zal komen. Maar wat ik net zei was wel echt waar: ik heb oma over jou verteld, en heel binnenkort gaan we samen naar Amsterdam bij haar op bezoek, afgesproken?'
'Goed. Ik stond trouwens wel voor gek, hoor, in die twee verzorgingshuizen, op bezoek bij iemand die ze helemaal niet kenden.'
'Dat maakt toch niet uit, dat zal weleens vaker gebeuren, hoor!' vindt Rick.
'Ik heb je trouwens vanmiddag nog proberen te bellen, maar je nam niet op, je was zeker bij dat garagebedrijf? Heb je niet gezien dat ik gebeld heb?'
'Dat is ook nog zoiets! Ik ben mijn telefoon kwijt. Waarschijnlijk in mijn auto laten liggen, stom natuurlijk! Maar ik heb al een andere, ik zal je zo gelijk mijn nieuwe nummer geven.'
'Wat vervelend, maar waarom heb je een nieuwe telefoon gekocht, je had toch beter even terug kunnen rijden naar dat garagebedrijf? Dat was heel wat voordeliger geweest, lijkt me.' Bevreemd kijkt Nicky hem aan. 'Dat is nou echt weggegooid geld, je had toch best een dure telefoon?'
'Joh, maak je niet druk, ik heb de allergoedkoopste gekocht die ik vinden kon, je weet wel, met bijna meer beltegoed dan het hele toestel kost. Nou, krijg ik nog wat te drinken van je, of blijven we buiten staan?' Zijn stem klinkt wat korzelig.

Ach ja, het is ook niet niks, denkt Nicky, eerst een auto die ermee ophoudt en ook nog z'n telefoon kwijt. Ze pakt hem bij de hand en trekt hem vlug mee naar binnen. 'Ik ben hartstikke blij dat je er bent!' zegt ze, 'tot wanneer kun je blijven?'
'In elk geval tot donderdag, dan moet ik even bellen of ik langer weg mag blijven.'
'Gezellig! Jammer dat ik elke dag moet werken, anders konden we misschien snel een paar dagen op en neer naar Tsjechië.'

's Avonds neemt Rick haar mee uit eten.
'Hebben we iets te vieren?' vraagt Nicky lachend, als hij haar meeneemt naar een luxerestaurant.
'Sinds ik jou ken, heb ik elke dag wat te vieren,' zegt Rick, 'ik ben zo blij met je!'
'Misschien hadden we toch beter thuis iets kunnen klaarmaken,' zegt Nicky zachtjes als ze de menukaart bekijkt. 'Rick, dit is hartstikke duur! We hebben ons geld immers hard nodig voor de camping?'
'Ach, we maken hier ook geen gewoonte van, maar voor één keer moet het kunnen, toch?'
'Ik neem het allergoedkoopste, en een voorgerecht hoef ik niet!' zegt Nicky vastberaden, 'ik vind het echt zonde van ons geld.'
Als later het eten voor hen staat, en Nicky een klein hapje proeft, zegt ze: 'Mmm. Echt lekker! Trouwens, Rick, hoe zit het met de betalingen in Tsjechië? Loopt dat nu allemaal al? En ik wil niet moeilijk doen, maar hoe zit het met mijn geld? Je zou toch nog iets terugstorten op mijn rekening?'
'Ja, als je dat per se wilt...' zegt Rick. 'Ik bedacht later dat dat eigenlijk onzin is. De komende tijd moeten er steeds termijnen worden betaald, en dat gaat dan van mijn rekening af. Maar ja, als jij het liever wel terug hebt, dan maak ik het wel over.'
'Ach nee, laat ook maar. Je hebt natuurlijk wel gelijk, er moet de komende tijd nog genoeg betaald worden. En tenslotte is het van ons samen. Ik vind het alleen niet leuk dat ik er nog zo weinig van gezien heb. Niet op papier, en laat staan in het echt. Wanneer

kunnen we nu samen een paar dagen gaan, Rick?'
'Over twee weken ben ik een lang weekend vrij, als jij dan ook een extra vrije dag aan je weekend vastplakt, kunnen we er wel naartoe rijden, goed?' Hij geeft een kneepje in haar hand. 'En met dat geld komt het wel goed, hoewel het altijd meer kost dan je in eerste instantie denkt. Hoeveel heb jij nu nog op je rekening staan, wat we er eventueel in kunnen stoppen?'
'Echt niet veel meer, hoor, een paar duizend euro. We zullen toch ook wat nodig hebben om ons daar de eerste tijd te kunnen redden? Dus dat laatste beetje wil ik echt laten staan en intussen spaar ik hard verder. Dus voorlopig moet dit de laatste dure uitspatting zijn!'
'Je hebt gelijk, we gaan het rustig aan doen!'
Zwijgend genieten ze van het eten, dan vraagt Nicky: 'En je auto, zal het een dure reparatie zijn? Misschien moet je wat goedkoper gaan rijden, een kleinere auto?'
'Ik heb toch een goede auto nodig om elke keer helemaal hiernaartoe te rijden, maar ik zal weleens kijken.'
Later op de avond zitten ze samen op de bank, buiten is het weer gaan regenen en het is wat kil in huis. Nicky heeft haar benen onder zich getrokken en kijkt tevreden om zich heen. 'Volgend jaar om deze tijd zijn we altijd samen, Rick, gezellig op onze eigen bank in ons eigen huisje,' geniet ze al bij voorbaat.
Rick is weer opgestaan en loopt wat heen en weer door de kamer. 'Tja...' mompelt hij.
'Hé, kom nou eens lekker zitten, wat ben je toch onrustig! Is er wat?'
'Welnee, wat zou er moeten zijn? Heb je een borrel in huis?'
'Een borrel? Nee, wel een biertje of wijn. Kijk zelf maar even in de keuken en schenk voor mij ook gelijk iets in als je wilt.'
Nicky zet de tv aan en zapt wat van de ene naar de andere zender, terwijl ze Rick in de keuken hoort rommelen. Opeens spitst ze haar oren, hoort ze nou iemand praten? O, Rick is blijkbaar aan het telefoneren, ze hoort hem met gedempte stem praten. Heel kort, dan hoort ze weer glaswerk rinkelen. Even later komt hij met twee glazen in zijn handen de kamer weer in.

'Wie had jij aan de telefoon?' vraagt Nicky nieuwsgierig.
'Aan de telefoon? Niemand hoor.'
'Ik dacht dat ik je hoorde praten.'
'Dan dacht je dat verkeerd.' Opnieuw klinkt Ricks stem kortaf.
'Wat heb jij toch?' vraagt Nicky, terwijl ze hem onderzoekend aankijkt. 'Zit je iets dwars?'
'Welnee, ik ben gewoon moe, dat mag toch wel?' Nicky schrikt van zijn stem, ze zegt maar niks meer. Met kleine slokjes drinkt ze van haar wijn. Rick zit naast haar, maar hij slaat niet, zoals hij anders meestal doet, een arm om haar heen. Hij zegt niet veel, en tikt het ene moment ongedurig met een vinger op zijn been, om dan weer heen en weer te schuiven op zijn plaats.
Nicky durft er geen opmerking meer over te maken, ze is bang dat hij weer zal uitvallen.
'Kom, we gaan slapen,' zegt ze na een kwartiertje, 'ik ben hartstikke moe.'
Rick knikt. 'Je hebt gelijk, voor mij was het ook een lange dag.'
Als ze later dicht tegen hem aan ligt, vraagt ze zachtjes: 'Rick, hou je van me?'
'Zeker, dat hoef je toch niet te vragen!' antwoordt hij.
'Wat ga je morgen doen, als ik aan het werk ben?'
'Dat zie ik wel, ik heb hier in de buurt nog een kennis wonen, misschien ga ik die wel opzoeken.'
'O? Waar dan?'
'Dat adres moet ik opzoeken, nu eerst slapen!'
'In Hiëronymus of in Vredeoord?' lacht Nicky zachtjes.
Maar Rick kan haar grapje niet waarderen. 'Welterusten,' zegt hij kortaf, en draait zich om.

De volgende ochtend slaapt Rick nog als Nicky opstaat. Bah, ze voelt zich alweer niet lekker. Langzaam loopt ze de trap af, eerst maar een kopje thee en wat eten voor ze gaat douchen.
Als ze drie kwartier later de deur uit gaat, voelt ze zich nog steeds niet optimaal, maar het gaat wel weer wat beter. Toch voelt ze zich niet

blij, ze heeft slecht geslapen en steeds gingen haar gedachten weer naar de leugens die Rick over zijn grootmoeder verteld heeft. Want waarom heeft hij keer op keer gezegd dat hij net bij zijn oma was geweest of er later langs zou gaan voor het naar huis gaan? Als hij niet wilde zeggen dat ze verhuisd was, had hij toch al die extra leugens niet hoeven vertellen? Ze heeft er een heel vervelend gevoel over. En waarom zei hij gisteravond dat hij niet aan de telefoon was, terwijl ze zeker weet dat ze hem hoorde praten? Heel langzaam bekruipt haar een gevoel van onbehagen: is Rick wel wie hij zegt dat hij is?
De hele weg naar haar werk denkt ze erover na. Steeds meer bekruipt haar de twijfel. Eenmaal aan het werk zijn haar gedachten weer afgeleid, maar tijdens haar middagpauze tobt ze weer verder.
'Ruzie met je vriendje?' vraagt collega Loeky gekscherend. 'Bel hem op en praat het uit!' Dan is ze verdwenen.
Bel hem op... Ja, dat doet ze. Maar ze zoekt niet zijn mobiele telefoonnummer, ze gaat naar de computer op het kantoortje en zoekt naar het nummer van de marinebasis. Daarna toetst ze met trillende vingers het nummer in. Ze wordt een paar keer doorverbonden, dan heeft ze de juiste afdeling blijkbaar te pakken.
'Ik ben op zoek naar Rick van Noorden,' zegt ze, 'werkt hij bij u en is hij aanwezig?'
'Zeker werkt hij hier', antwoordt een vriendelijke stem, 'maar hij is vrij, dus ik kan u niet doorverbinden. Kan ik misschien een boodschap aan hem doorgeven?'
'Nee hoor, bedankt. Ik bel hem later wel op zijn mobiele nummer. Nogmaals bedankt.'
'Graag gedaan, hoor, goedemiddag.'
Nicky zakt neer op de stoel achter het kleine bureau. Ze is opgelucht en tegelijk schaamt ze zich vreselijk. Heeft ze dit echt gedaan? Twijfelde ze zo aan de oprechtheid en eerlijkheid van haar aanstaande man, dat ze hem is gaan controleren? Dat kan toch niet! Berouwvol slaat ze haar handen voor haar gezicht en ze blijft stil zitten.
'Nicky? Ben je niet goed?' Pieter kijkt om het hoekje, 'toch geen narigheid?'

Ze staat op, en wrijft over haar gezicht. 'Nee hoor, ik moest even een belangrijk telefoontje plegen, maar het is al klaar, het is in orde.'
Hij kijkt haar onderzoekend aan. 'Je weet het zeker, hè, je ziet er wat witjes uit.'
Nicky glimlacht. 'Ik ben prima, hoor!' Ze loopt voor hem uit het kantoor uit en maakt in de keuken achter de salon een kopje bouillon voor zichzelf. Maar het smaakt haar niet. Ze giet het bekertje leeg in de gootsteen. Inmiddels is Loeky naast haar komen staan, en zegt: 'Hé, wat doe jij nou, geen soepje? Kind, wat zie je wit, je bent toch niet zwanger, hè?'
'Doe niet zo gek!' snibt Nicky. Ze schrikt toch van de woorden van haar collega. Maar tegelijk weet ze dat het onzin is, ze slikt immers de pil.
'Sorry, Nick!' zegt Loeky, ze legt een hand op Nicky's schouder, 'het was maar een grapje, hoor, jij hebt tenslotte je principes, hè?' Ze knipoogt naar Nicky en schenkt dan heet water in haar eigen soepbeker.
Nicky loopt beschaamd de salon in, het is bijna tijd voor haar volgende afspraak. Principes, het mocht wat! Die heeft ze tegenwoordig blijkbaar niet meer. En daarbij verdenkt ze haar lieve Rick ook nog eens onterecht van leugens, nee, het is maar goed dat Loeky niet verder kan kijken dan haar buitenkant! Want anders zou ze schrikken!
Als ze na het sluiten van de kapsalon naar buiten stapt, komt Rick haar tegemoet lopen. 'Hé, schatje, hard gewerkt vandaag?' Hij geeft haar een kus en met zijn arm om haar schouder lopen ze de straat uit op weg naar de parkeerplaats, waar Ricks geleende auto staat.
'Het was rustig in de zaak, al iets over je auto gehoord?' vraagt Nicky, terwijl ze instapt.
'Hoe bedoel je, van wie iets gehoord?' Fronsend kijkt hij haar aan.
'Van die garage natuurlijk, over de reparatie.'
'Mmm, o ja, nee, nog niks gehoord.' Rick rijdt de parkeerplaats af en mengt zich in het verkeer.
'Wat ben je stil, voel je je niet goed?' Nicky kijkt eens van opzij naar hem, ze ziet nog steeds die frons tussen zijn wenkbrauwen.

Nu ontspant zijn gezicht wat, hij glimlacht en legt een hand op haar knie. 'Niks aan de hand, hoor, hoe was jouw dag, druk geweest?'
'Dat vroeg je net ook al, nee, het was echt rustig. Soms heb je van die dagen. En jij, wat heb jij de hele dag gedaan, die kennis van je nog opgezocht?'
'Kennis opgezocht? Nee, nee, hij is bij mij langs geweest.'
Nicky reageert niet, eigenlijk vindt ze het geen prettig idee dat Rick mensen die zij niet kent, ontvangt in het huis van haar vader.
Rick zegt ook niks meer, na een poosje vraagt Nicky: 'Wie is dat dan, iemand die je van vroeger kent of zo?'
'Zoiets ja.' Weer is het stil.
'Wat is er nou toch?' vraagt ze na een poosje van stilte.
'Niks lieverd, echt niks, een beetje moe.'
Als ze thuis zijn aangekomen laat Nicky de nog steeds zwijgzame Rick achter in de kamer en gaat zelf naar de keuken om aan het eten te beginnen. Het is duidelijk dat Rick iets dwarszit, maar wat? Ze heeft geen idee.
Ze hoort hoe zijn telefoon overgaat en ze hoort dat hij al pratend naar buiten loopt, maar ze kan niet horen wat er gezegd wordt. Schuin door het keukenraam ziet ze hem heen en weer lopen in de tuin, stilletjes doet ze het keukenraam een stukje open en probeert iets op te vangen van Ricks woorden. Maar daar wordt ze niet veel wijzer van, het is in elk geval geen vrolijk gesprek, ze hoort Rick kortaf antwoorden geven, zijn stem klinkt boos.
'...'
'Nee, dat begrijp ik ook wel!'
'...'
'Nee, nee, zeker niet'
'...'
'Ja, goed...'

Dan is het gesprek afgelopen, en ze buigt zich weer over de salade. Rick komt langzaam weer naar de deur gelopen. Dan staat hij in de keuken.

‘Nicky, het spijt me, maar ik moet zo weer weg.’
‘Waarom en waarnaartoe?’
‘Problemen in Den Helder,’ zegt hij wat vaag.
‘Problemen, je bent toch vrij? Zo belangrijk ben je toch niet dat ze zonder jou geen problemen kunnen oplossen?’ Haar stem klinkt scherp, ze hoort het zelf, maar ze is die hele marine spuugzat! Steeds weer en weer moet Rick extra komen opdraven.
‘Je hebt natuurlijk gelijk, maar het is nu even niet anders. Joh, je moet maar zo denken: straks zitten we heerlijk op onze camping en kan niemand ons meer commanderen, toch? Ik kom zo snel mogelijk weer terug. Je hebt mijn nieuwe telefoonnummer, dus als er iets is, bel je maar. Mijn oude telefoon zal voorlopig wel in mijn auto blijven liggen, dus probeer me daar maar niet meer op te bellen, als ik hem weer terug heb, zet ik dit nummer wel over.’ Gejaagd begint hij wat spullen bij elkaar te pakken.
‘Je eet toch nog wel even?’ Verbaasd kijkt Nicky naar zijn zenuwachtige gedoe.
‘Nee, sorry, het is beter dat ik direct ga.’ Hij neemt de trap met een paar grote sprongen en voor Nicky van haar verbazing bekomen is, komt hij alweer naar beneden, zijn tas met kleding in de hand. ‘Lieverd, voor je het weet zie je me weer!’ Hij geeft haar een snelle kus en is dan de deur al uit. Nicky loopt vlug achter hem aan naar de auto en grijpt hem bij de arm, voor hij kan instappen. ‘Hé, waar ben jij eigenlijk mee bezig en wat gebeurt er allemaal, dit is toch niet normaal?’
Het lijkt of hij even schrikt van haar felheid. Dan staat hij stil, en neemt haar in zijn armen. ‘Je hebt gelijk,’ zegt hij, veel rustiger nu, ‘maar ik had de hele dag al zo’n onrustig gevoel en nu ik gebeld werd en blijkt dat er inderdaad dingen fout gaan daar, heb ik ook het gevoel dat ik onmiddellijk moet gaan. Sorry!’
‘Maar wát gaat er dan fout, wat is er dan zo belangrijk?’
‘Dat kan ik niet vertellen, militair geheim. Maar geloof me, het is echt belangrijk. Later leg ik het je uit, goed?’ Hij trekt haar nogmaals dicht tegen zich aan. ‘Ik hou van je!’ zegt hij. Dan laat hij haar los, stapt in en na een laatste zwaai rijdt hij weg.

Nicky kijkt hem met gemengde gevoelens na. Langzaam begint ze te begrijpen dat de functie van Rick weleens veel belangrijker kon zijn dan hij altijd heeft doen voorkomen.
Militaire geheimen? Het woord spionage schiet door haar hoofd. Als hij maar geen gevaar loopt!
Dan gaat ze naar binnen, ze doet de zojuist klaargemaakte salade maar op een boterham, ze heeft geen zin meer in uitgebreid koken.

16

JENNEKE SLAAPT DIE NACHT OPNIEUW ONRUSTIG. STEEDS SCHRIKT ZE wakker en denkt ze geluiden te horen in huis. Al vroeg staat ze op, neemt een douche en kleedt zich aan. Ze heeft hoofdpijn en voelt zich rillerig. Enerzijds is het fijn dat de kinderen bij haar ouders logeren, want nu hoeft ze zich niet vrolijker voor te doen dan ze zich voelt. Maar anderzijds kan ze de stilte in huis bijna niet verdragen. Het is min of meer een opluchting als er na een uurtje aan de voordeur gebeld wordt en ze de agente van gisteren, Mariska, herkent. Als deze haar vraagt mee te gaan naar het bureau om een en ander officieel te verklaren, gaat ze onmiddellijk mee. Ze heeft goed nagedacht over wat ze wel en niet wil vertellen. Ze heeft besloten om niet meer te zeggen dan ze gisteren al gedaan heeft: over de herkomst van het zakje met het witte poeder. Maar over het telefoontje gisteren van Peter zal ze zwijgen.

Als ze later op de ochtend weer thuiskomt, hoort ze de telefoon gaan als ze de voordeur opent. Het is haar moeder, die ongerust vraagt of het allemaal wel goed met haar gaat en waarom ze de telefoon eerder niet opnam.

'Ik ben tegen de morgen pas in slaap gevallen,' verontschuldigt ze zich, 'daarom zal ik de telefoon net wel gemist hebben, sorry.'

'Maar hoe gaat het nu, ben je al wat opgeknapt?' wil haar moeder weten. 'En wat wil je, zullen we de kinderen nog maar een dagje hier houden? Het is voor ons echt geen enkele moeite, hoor.'

'Nou, dan wel graag, ja. Morgen gaat het hopelijk wel weer wat beter. Heb je schone kleren genoeg voor ze, en luiers?

'Ja hoor, en anders was ik wel wat uit en halen we een pak luiers erbij, maak je geen zorgen, dat komt wel goed.'

De hele dag wacht Jenneke op een bericht van Peter, maar dat komt niet. Zo gaat de dag heel langzaam voorbij. Jenneke heeft geen rust om te gaan zitten, ze loopt maar wat door het huis heen en weer, maar er komt niks uit haar handen. 's Avonds na het eten belt haar moeder weer.

'Gaat het al wat beter met je? Wel iets gegeten?'
'Het gaat wel, hoor, willen jullie morgen de kinderen terugbrengen, het is zo stil hier.'
'Geniet maar even van die rust! Ik bel morgenochtend eerst wel even om te horen of het echt goed gaat. Was Peter een beetje op tijd thuis vanmiddag?'
Jenneke aarzelt even voor ze antwoord geeft, maar dan zegt ze eerlijk: 'Hij is er nog niet en waarschijnlijk komt hij vanavond ook niet thuis. Hij moest een paar dagen achter elkaar weg, zei hij gisteren.'
'O? Hoe komt dat, meestal gaat hij niet zo ver weg, toch?'
'Ik weet het niet, ma, geen idee waar hij is.'
'Je kunt hem toch bellen en zeggen dat je ziek bent? Dan komt hij vast wel eerder naar huis.'
'Z'n telefoon ligt nog hier, die is hij vergeten, dus ik kan hem niet bereiken. Laat maar, ma, hij komt vanzelf wel weer terug.' Haar stem klinkt moe.
Even blijft het stil, dan zegt haar moeder: 'Wat gek!'
'Tja...' meer weet ze niet te zeggen. Haar moeder heeft natuurlijk gelijk, het ís gek!
'Jenneke? Gaat het echt wel goed bij jullie? Ik bedoel: die plotselinge verhuizing was toch ook een beetje vreemd?'
'Ja ma, ik weet het ook allemaal niet, het komt wel goed. Ik bel morgenochtend wel even om af te spreken wanneer de kinders thuiskomen, goed?' kapt ze verdere vragen af.
'Weet je het zeker, ik bedoel dat het goed met je gaat?'
'Ja hoor, nou, geef ze alle drie een dikke knuffel van me, en tot morgen.'
Die nacht slaapt ze tot haar verbazing goed, maar de volgende ochtend is ze wel vroeg wakker. Om halfnegen belt ze haar ouders op en ze zegt, opgewekter dan ze zich voelt: 'Ma, komen jullie straks de kinderen terugbrengen? Het gaat weer goed met me, hoor, en ik mis ze verschrikkelijk!' Dat laatste is waar, ze verlangt echt heel erg naar hun vrolijke stemmetjes en de drukte die ze met zich meebrengen.

'Als je het zeker weet...?' aarzelt haar moeder, 'gaat het echt weer? Anders mogen ze gerust nog wat blijven, hoor.'
'Nee, het gaat goed. Ik verwacht jullie zo op de koffie.'
Als haar ouders ruim een uur later binnenkomen, elk met een kind op de arm, en Mark ernaast, ziet ze de vermoeidheid op hun gezichten. Ach, het is natuurlijk een hele drukte voor ze, ze zijn het ook niet meer gewend. 'Nog een beetje geslapen vannacht?' vraagt ze aan haar moeder, 'of hielden ze jullie wakker? Eva wil nog weleens een beetje spoken 's nachts, hè?'
'Ach, het ging wel, hoor,' antwoordt moeder Gerda, 'maar je hebt gelijk, ze is wel wat onrustig 's nachts. Maar hoe gaat het met jou? Je ziet er nog steeds niet florissant uit.' Ze kijkt haar dochter onderzoekend aan. 'En heb je nou al wat van Peter gehoord?'
'Nee, ik zei toch al dat hij z'n telefoon vergeten is! Vandaag of morgen komt hij wel weer, hoor. En ik red het weer prima zelf, maar het was fijn dat ze een paar nachtjes bij jullie konden zijn.' Ze probeert het op luchtige toon te zeggen. Daarna eisen de kinderen alle aandacht op en Jenneke is blij met die afleiding. Na de koffie vertrekken haar ouders weer en eigenlijk is Jenneke opgelucht. De rest van de dag vliegt voorbij, ze is druk met de jongens, die weer even in het gewone ritme moeten komen en ook Eva lijkt te merken dat ze weer in haar eigen bedje ligt.
Zo gaat de dag voorbij; van Peter hoort ze helemaal niks. Langzaam begint ze zich ongerust te maken. Waar zit hij en wat is er gebeurd? Hij kan wel een ongeluk hebben gehad zonder dat zij het weet. Had ze maar een telefoonnummer of adres van zijn werkgever, maar ze heeft geen idee hoe ze die man bereiken kan.
Op donderdagochtend staat agente Mariska weer voor de deur. 'Mag ik even binnenkomen?' vraagt ze.
Zonder antwoord te geven, doet Jenneke de deur verder open, Mariska loopt achter haar aan naar de kamer en gaat zitten.
'Nog steeds niks gehoord?'
'Nee.' Jenneke schudt het hoofd. 'Ik maak me eigenlijk heel ongerust,' zegt ze. 'Ik heb geen idee waar hij is. Kon ik zijn baas, die Paul, maar

bereiken, maar ik heb geen idee waar hij woont. Hij zou een paar dagen wegblijven, zei hij, maar die paar dagen zijn nu wel voorbij, lijkt me.'
'Dus hij heeft je gebeld?'
Nu pas beseft Jenneke dat ze haar mond voorbij heeft gepraat. Ze had zich zo vast voorgenomen niet te melden dat Peter contact met haar had opgenomen en nu zegt ze het toch.
'Wanneer heeft hij gebeld?'
'Maandag, tegen de avond.'
'Jammer dat je dat niet gemeld hebt, dat had je wel beloofd. Waarvandaan belde hij, weet je dat?'
Jenneke schudt het hoofd. 'Nee, dat weet ik echt niet. Daarom dacht ik ook niet dat het belangrijk genoeg was om te vertellen,' zegt ze, 'maar daarna heb ik echt niks meer gehoord, en daarom begin ik wel ongerust te worden. Misschien heeft hij wel een ongeluk gehad.'
Mariska staat alweer op. 'Ik zou me maar niet al te ongerust maken,' zegt ze, 'Paul Jansen is ook verdwenen, zonder bericht achter te laten waar hij naartoe is. Dus ik denk dat de heren samen op stap zijn. Maar we vinden ze vroeg of laat wel!'
Ze loopt naar de deur en zegt: 'Nogmaals, het is in het belang van hem, maar ook van jou en de kinderen om ons op de hoogte te houden als je iets van hem hoort. Deze zaak moet echt opgelost worden.' Haar stem klinkt niet onvriendelijk en ze glimlacht naar Jenneke als ze verdergaat: 'Ik begrijp echt wel dat het voor jou heel moeilijk is, maar misdaad moet bestraft worden. De pakjes die vervoerd werden, waren niet zo onschuldig als je man je wou doen geloven, dat begrijp jij en dat wist hijzelf waarschijnlijk ook heel goed, anders was hij er nu niet vandoor gegaan. En je zou toch ook niet willen dat je kinderen iets met zaken zoals in die plastic zakjes, in aanraking zouden komen? Daarom nogmaals, werk alsjeblieft mee. Als je man zelf contact met ons zou opnemen, kan hem dat schelen in zijn straf.' Ze knikt naar Jenneke. 'Ik kom er wel uit, hoor, je hebt ons telefoonnummer, hè?' Het klinkt vriendelijk, maar tegelijk streng.
Jenneke knikt maar wat, dan hoort ze de voordeur dichtvallen. Ze

zucht heel diep, hoe moet het toch verder? Enerzijds is ze wel wat gerustgesteld, hoe raar het ook klinkt. Als Peter samen met Paul weg is, is hem waarschijnlijk geen ongeluk overkomen. Nee, geen ongeluk, maar misschien toch wel iets vreselijks, bedenkt ze dan. Want wat als Paul van hem af wil?
Diep in gedachten begint ze boterhammen voor de kinderen te smeren. Angst en onrust houden haar opnieuw gevangen.

De rest van de week leeft Jenneke op de automatische piloot. Ze zorgt voor de kinderen, kookt eten, doet de was en de boodschappen. Maar de hele dag en ook 's nachts wacht ze op het geluid van een sleutel in het slot, een geluid dat maar niet komt. Bij elk telefoontje schrikt ze op, maar het is nooit de stem van Peter, die zich meldt. Haar maag ligt als een steen in haar lijf, ze voelt zich bang en verkrampt, maar toch lukt het haar steeds weer om door te gaan. Ze móét ook door voor de kinderen. Zij missen hun vader niet eens, vrijdags realiseert Jenneke zich opeens dat Mark niet één keer naar zijn papa heeft gevraagd. Haar ouders bellen elke dag, maar de gesprekken zijn kort, er is immers geen nieuws en Jenneke heeft geen zin om lang te praten.
Na lang aarzelen heeft ze de mobiele telefoon van Peter weer tevoorschijn gehaald en hem aan de oplader gelegd. Daarna heeft ze hem bij zich gestoken in de zak van haar broek, en 's nachts ligt hij voor het bed op de grond. Maar ook deze telefoon gaat niet één keer over.
Op zaterdag staan haar ouders onverwacht voor de deur. Enerzijds vindt Jenneke dat fijn, maar tegelijk irriteert het haar. Ze begrijpt dat ze haar willen helpen, dat ze zich zorgen maken, maar ook zij kunnen immers niet echt helpen? Door hun goedbedoelde vragen en raadgevingen wordt het voor haarzelf alleen maar moeilijker. Ze heeft immers ook geen antwoorden. Naast haar zorgen over wat er gebeurd kan zijn tussen Paul en Peter, komt ook weer steeds meer de boosheid boven. Waarom belt hij niet een keer, hij kan toch begrijpen dat ze ongerust is?
'Gaan jullie gerust maar naar huis, ik red me prima! En nee, ik kom niet bij jullie logeren. Ik wil gewoon thuis zijn, mocht Peter bellen of

thuiskomen, dan moet ik er zijn. Maak je geen zorgen, het gaat goed met me!' Maar het kost haar heel wat overtuigingskracht voor haar ouders eindelijk besluiten weer op te stappen.
Als de kinderen 's avonds in bed liggen, ploft Jenneke neer op de bank. Weer een dag voorbij, een dag van afwachten, hopen en teleurgesteld worden. Peter. Waar ben je toch?
Als de telefoon gaat, schrikt ze op. Zou het...?
Maar het is Marion, haar vriendin. 'Meid, wat een verrassing toen ik je adreswijziging kreeg! Heerlijk dat jullie weer zo dicht in de buurt zitten. Het kwam wel onverwacht, hè?'
'Ja, dat kun je wel zeggen,' antwoordt Jenneke. 'Wat fijn dat je belt, hoe gaat het met jou?'
'Goed, zullen we snel een keer afspreken. Wanneer komt het jou het beste uit, zal ik een keer komen als Peter moet werken? Is hij nog steeds zo veel 's avonds weg?'
Even aarzelt Jenneke, dan zegt ze: 'Hij is al vanaf maandag weg.'
'Hoe bedoel je, waar is hij naartoe?'
'Geen idee, hij is gewoon vertrokken 's morgens toen ik nog sliep en... O Marion, het is zo erg allemaal!' Jenneke kan niet meer verder praten. 'Ik... ik...'
'Wacht even, ik kom nú naar je toe, oké? Jen, is dat goed?'
'Ja graag,' meer weet ze niet uit te brengen. Maar dat hoeft niet, ze hoort dat Marion het gesprek heeft beëindigd.
Een halfuurtje later staat ze al voor de deur. Jenneke heeft zichzelf in die tijd weer een beetje bij elkaar geraapt, haar tranen gedroogd en koffiegezet.
'Kom gauw binnen, het is best al een beetje fris 's avonds, hè?' probeert ze zo gewoon mogelijk te zeggen.
Als antwoord slaat Marion heel stevig haar armen om haar vriendin heen en knuffelt haar.
Even later zitten ze samen in de kamer en begint Jenneke te vertellen. Over de verhuizing, de zakjes met het witte poeder, het overhaaste vertrek van Peter op de vroege maandagmorgen en ten slotte over de huiszoeking en het resultaat daarvan.

'Meid toch! Waarom heb je me niet gebeld! Ik weet wel, ik heb ook niet echt een oplossing, maar ik had er voor je willen zijn.'
'Je bent er nu toch,' zegt Jenneke, 'je moest eens weten hoe blij ik ben dat ik me eindelijk eens kan uitspreken! Mijn ouders zijn schatten, hoor, en ik was echt heel erg blij dat ze de kinderen een paar dagen hebben opgehaald, maar ze maken zich al zo veel zorgen, ik wil ze niet meer belasten dan nodig is.' Ze zucht diep, en gaat dan verder: 'Als ik maar wist waar hij is, en dat het goed met hem gaat. Ik maak me zo veel zorgen! Dat vind je misschien gek, en je hebt gelijk, hij verdient het dat ik kwaad ben in plaats van me bezorgd te maken. Maar het is zo dubbel, ik ben bezorgd en kwaad tegelijk. Ik weet eigenlijk helemaal niet meer wat ik voel of moet voelen.'
Marion laat haar maar praten en vertellen, en Jenneke gaat maar door, het lijkt of de kraan die zo lang dicht zat, nu eindelijk open mag. Pas na een hele tijd zwijgt ze even, dan zegt ze met een scheef lachje: 'Ik ratel maar door, hè, en ik vertel zes keer hetzelfde, geloof ik...'
'Dat valt wel mee, hoor, het is goed om van je af te praten. Ik kan je niet echt helpen, maar het minste wat ik kan doen is luisteren, met je meevoelen. Ik vind het zo erg voor je, Jen, en eigenlijk vind ik het ook erg voor Peter. Ik bedoel, dat hij hierin terecht is gekomen. Hij maakt zo veel stuk, dat goed en mooi had kunnen zijn, jullie gezin, bedoel ik. En nu, ik bedoel, mocht je nu binnenkort weer iets van hem horen, wat doe je dan? Contact opnemen met de politie, of toch niet?'
'Ik weet het niet. Iets in me wil hem helpen, maar tegelijk weet ik dat het beter is om wel open kaart te spelen tegenover de politie.'
'Ik denk dat je hem juist helpt door het te melden. Dat is toch ook gezegd door die Mariska. Hoe meer hijzelf meewerkt, hoe beter het voor hem afloopt. Of minder slecht, moet ik misschien zeggen... Door op de vlucht te slaan beken je immers al schuld. Dat moet je hem vertellen als hij weer belt, Jen, misschien valt het dan allemaal nog mee. Misschien is hij inderdaad niet zo schuldig als het nu lijkt en is hij gewoon bang, en onder invloed van die Paul.'

'Ik weet het niet... die zakjes waren echt geen zakjes poedersuiker, en ze lagen verstopt in ons huis. Als Peter er niet veel mee te maken zou hebben, had hij ze niet hier verborgen.'
'Nee, dat is wel zeker! Je had hem er direct mee moeten confronteren, Jen. Waarom heb je dat eigenlijk niet gedaan?'
'Ach, weet je, eigenlijk durfde ik dat niet. Peter is de baas, hij regelt en beslist alles en dat vind ik meestal ook wel gemakkelijk. En misschien wílde ik ook niet van hem horen wat er echt aan de hand was.'
Stil zitten ze een poos bij elkaar, dan begint boven Eva te huilen en samen gaan ze de trap op. In het halfduister aait Jenneke haar dochter even over haar hoofdje, tot het kleintje weer in slaap valt.
'Wat is het toch een schatje,' fluistert Marion, die erbij staat.
Als ze weer beneden in de kamer zitten, begint Marion van alles over de kinderen te vragen. Tot haar eigen verbazing merkt Jenneke dat de gedachte aan Peter even op de achtergrond raakt en ze ook aan andere dingen kan denken. Maar later komt het gesprek als vanzelf weer op hem uit. Het is al bijna halftwaalf als Marion opstaat. 'Ik moet gaan en jij moet nodig naar bed. Zo erg lang zullen die kleintjes je 's morgens niet laten uitslapen, denk ik?'
'Nee, maar ik ben zelf ook altijd bijtijds wakker hoor, en nu helemaal, ik slaap vreselijk onrustig.'
Als ze samen naar de gang lopen, zegt Jenneke opeens beschaamd: 'Ik heb de hele avond alleen maar over mezelf zitten praten. Ik heb niet eens gevraagd hoe het met jou gaat, op je werk en zo.'
'Ja, vreselijk! Er zijn nu belangrijker dingen dan mijn klas. Daar gaat het allemaal prima, geen bijzonderheden.' Ze knuffelt Jenneke en zegt: 'Lieve meid, onthou dat je me altijd mag bellen als je daar behoefte aan hebt, al is het midden in de nacht! Ook al is het alleen om even te praten. Heel veel sterkte, ik bel je gauw weer en weet, dat ik voor jullie zal bidden!' Dat laatste ontroert Jenneke. Ook al kan ze zelf niet bidden, al vraagt ze zich af of het enige zin heeft, toch troost en raakt het haar. Ze heeft het gevoel dat een gebed van Marion net even wat meer waarde heeft dan dat van enig ander.
Zacht doet ze de deur achter Marion dicht, doet de lichten uit en gaat

de trap op, om te gaan slapen. In bed ligt ze nog lang in het donker te staren, ze denkt aan de gesprekken van deze avond, en ten slotte ook weer aan de afscheidswoorden van haar vriendin. Opnieuw voelt ze zich rustig worden. Ze vouwt haar handen en mompelt: 'God, als U er misschien toch nog bent, help me dan maar...'

17

Nicky kan de gedachte maar niet van zich afzetten dat Rick met iets gevaarlijks bezig is. Hij is eigenlijk altijd een beetje vaag geweest over zijn werk, en na zijn uitspraak van vanavond over 'militaire geheimen' begint ze opeens te begrijpen dat dat waarschijnlijk een heel goede reden had. In een gewone baan bij de marine zou hij toch ook niet zo veel wisseling van diensten kunnen hebben. Nee, opeens snapt ze dat hij een belangrijke, maar ook gevaarlijke post moet bekleden binnen het leger. Het heeft natuurlijk te maken met geheime informatie en opdrachten. Is hij infiltrant, zijn het wellicht zelfs spionageactiviteiten? Ze voelt zich niet bepaald rustig bij dat idee. Die avond gaat ze maar vroeg naar bed, hopelijk hoort ze morgen weer iets van hem.

Maar de volgende dag blijft het stil. 's Avonds probeert ze hem te bereiken op zijn nieuwe 06-nummer, maar er wordt niet opgenomen. Ook de donderdag verloopt zonder bericht. Nicky begint nu echt ongerust te worden. Zal ze naar Den Helder bellen, naar de marinebasis? Maar na Ricks uitlatingen dinsdagavond durft ze dat eigenlijk niet meer. Misschien mag het helemaal niet bekend zijn dat hij tijdelijk onbereikbaar is en brengt ze hem in moeilijkheden met zo'n telefoontje. Maar als ze vrijdag tussen de middag nog niets heeft gehoord, kan ze het niet langer volhouden en ze belt naar Den Helder.

Evenals de vorige keer wordt ze verschillende keren doorverbonden en ten slotte krijgt ze iemand aan de lijn die haar vertelt dat Rick aan het werk is, maar nu niet gestoord kan worden.

Met trillende handen legt Nicky de telefoon neer, zie je wel, hij is beslist met iets gevaarlijks bezig! Anders zou hij zeker een keer gebeld hebben! Het telefoontje heeft haar niet echt rust gebracht, maar in elk geval weet ze dat het nog goed met hem gaat. Ze vraagt zich opeens af of zij bericht zou krijgen als er iets met Rick zou gebeuren. Weet daar iemand van hun relatie? Of zou zo'n melding naar zijn broer of misschien zijn oma gaan? En die beiden weten niet eens van

haar bestaan af. De rest van de dag vindt ze het moeilijk om haar aandacht bij haar werk te houden en ook nog antwoord te geven als de klanten tegen haar babbelen over koetjes en kalfjes.
Met een zucht van verlichting trekt ze eindelijk de deur van de kapsalon achter zich dicht.
Als ze thuis aankomt, ziet ze dat er een vreemde auto voor de deur staat. Zou dat Rick zijn? Snel steekt ze de sleutel in het slot en gaat naar binnen. Maar daar komt niet Rick, maar haar vader haar tegemoet.
'Papa! Ik wist helemaal niet dat je kwam!' Verrast omhelst ze haar vader. 'Je blijft toch wel het hele weekend?'
'Nee, meisje, sorry, morgen vliegen we alweer terug.'
Voor Nicky kan vragen wie 'we' zijn, ziet ze door de open kamerdeur een vrouw naar haar toe komen.
'Dit is Angela,' hoort ze haar vader zeggen.
Nicky geeft de vrouw een hand en noemt haar naam. Eerlijk is eerlijk, het is een leuke en sympathieke vrouw om te zien, maar Nicky's hart voelt zwaar bij deze onverwachte confrontatie met de vriendin van haar vader.
'Waarom heb je niet even gebeld, dan had ik gezorgd dat alles in orde was, de logeerkamer en zo. Er is nu niet eens genoeg eten in huis,' zegt ze, als ze even samen met haar vader in de keuken staat om een drankje in te schenken.
'We gaan met z'n drietjes uit eten, en ja, sorry, je hebt gelijk, ik had even moeten bellen, nu overval ik je. Maar het plan kwam eigenlijk gisteravond laat pas op. Enne, nou ja, eigenlijk was ik bang dat je 'nee' zou zeggen als ik het had voorgesteld.'
'Nee zou zeggen? Het is toch je eigen huis?'
'Natuurlijk, maar je had, als ik me goed herinner, nogal moeite met het idee dat er een nieuwe vrouw in mijn leven is.'
'Mmm, maakt niet uit, hoor pap, het is jouw leven. En ik ga niet mee uit eten, gaan jullie maar samen, ik voel me niet zo goed.'
Nu kijkt haar vader haar onderzoekend aan. 'Je ziet inderdaad een beetje witjes. Wat is er aan de hand, en hoe zit het met die vriend van

je? Ik had eigenlijk gehoopt hem hier ook aan te treffen, zodat we eindelijk kennis konden maken.'
'Hij moet dit weekend werken, verder gaat alles prima, hoor,' zegt Nicky wat kortaf, 'maar ik ben moe, lange dag gewerkt. Ik pak een boterham en ga lekker vroeg naar m'n bed, sorry!'
Ze kijkt haar vader na, die met twee glazen wijn in de hand weer naar de kamer loopt. Hij heeft niet gereageerd op haar laatste woorden, maar aan zijn houding ziet ze dat hij niet blij is met haar beslissing. Nou, jammer dan, had hij zijn komst maar moeten aankondigen. Ze is niet in de stemming om gezellig te gaan zitten doen met hem en die vrouw.
Met een glas appelsap in de hand loopt ze toch maar de kamer in en wisselt wat beleefde zinnetjes uit met Angela. Gelukkig spreekt de vrouw goed Engels, want het Duits van Nicky is echt beroerd. Als ze ziet hoe stralend haar vader naar Angela kijkt, doet het pijn in haar hart. Ach mama!
Maar ze mist de energie om zich echt druk te maken, haar gedachten zijn bij Rick, waar is hij mee bezig en wanneer hoort ze weer iets van hem?
'Nick, zit je te slapen, ga je echt niet mee een hapje eten?' hoort ze haar vader opeens vragen.
'Sorry, ik was even in gedachten. Nee, ik voel me echt niet zo fit, ik ben bang dat er een griepje op de loer ligt, ik ga zo m'n bed maar in, volgende keer beter.' Ze lacht verontschuldigend naar Angela.
Een kwartiertje later ziet ze de huurauto wegrijden, Angela steekt haar hand nog op, dan zijn ze verdwenen. Ze laat zich weer op de bank ploffen, wat nu? Ze heeft opeens erge trek in friet, weet je wat, ze gaat snel wat halen bij de snackbar. Het zal nog wel een paar uur duren voor papa en zijn vriendin terug zijn, dan is zij allang terug en naar boven. Vlug pakt ze haar jas, gaat naar buiten en fietst richting snackbar. Ze heeft juist haar bestelling gedaan: een grote friet en een kroket, als ze een stem achter zich hoort zeggen: 'Hé, Nicky, jou zie ik ook nooit meer!' Ze draait zich om en ziet Irene, haar oude schoolvriendin, binnenkomen.

'Irene! Hoe gaat het met jou?' zegt Nicky verrast, 'datzelfde geldt andersom, ik zie jou ook weinig. Hoe gaat het in Utrecht?'
'Ja, goed, leuke stad, en m'n studie bevalt ook prima, ik ben bijna klaar. Hé, heb je wat te doen vanavond, kom anders weer eens langs bij ons, kunnen we lekker bijkletsen.'
Nicky's gezicht betrekt. 'Dat is een beetje lastig,' zegt ze, 'mijn vader is er met z'n vriendin, ze zijn nu uit eten, maar ik heb gezegd dat ik niet mee wilde, omdat ik vroeg naar bed wil, dus, tja, dan is het een beetje raar als ik dan straks verdwijn.'
'Ik begrijp het, nou, weet je wat, ik neem mijn patatje mee en eet het bij jou op, kunnen we toch even bijpraten, goed?'
'Ja, leuk! Wacht je familie niet op je?'
'Nee, ik was laat, ik kom nu rechtstreeks uit Utrecht, dus de rest heeft al lang gegeten, vandaar dat ik hier langs ging.'
Een kwartier later zitten ze samen op de bank bij Nicky thuis.
Irene vertelt over haar studie, het wonen in Utrecht en de vrienden en vriendinnen die ze daar heeft gekregen. Opeens stopt ze met vertellen en zegt: 'Ik klets maar en klets maar, nu jij, hoe gaat het met jou? Ik hoorde dat je een vriendje hebt? Waar is hij en hoe is het op je werk?'
Nicky probeert de vraag over Rick wat te ontwijken en antwoordt: 'Ik heb het echt goed naar m'n zin in Weert, het is een leuke kapsalon, net even wat meer dan gewoon, zeg maar. En verder gaat het ook goed. Zoals ik net al zei: m'n pa heeft dus een vriendin. Hij heeft haar in Basel ontmoet. Onverwacht waren ze hier toen ik vanavond thuiskwam, het overviel me vreselijk. Morgen gaan ze nog langs bij Floris en Jetty en daarna vliegen ze morgenavond alweer terug. Het is dus een bliksembezoekje, alleen om haar even voor te stellen, blijkbaar.'
'Hoe is ze?' vraagt Irene nieuwsgierig.
'Och, ik geloof best dat ze aardig is. Maar ik begrijp het niet, Irene, mama is nauwelijks anderhalf jaar geleden gestorven. Hoe kan papa nu alweer...'
'Tja, het leven gaat verder, móét verdergaan. Het wil toch niet zeggen

dat hij je moeder vergeten is? Ik denk dat je vader het moeilijk vindt om alleen te zijn, zonder vrouw.'
'Dat blijkt!' Nicky klemt haar lippen op elkaar, ze wil er niets meer over zeggen, Irene heeft gemakkelijk praten, haar moeder en vader leven allebei nog.
'En je vriend, hoe gaat het daarmee? Is het een leuke jongen?'
Even komt Nicky in de verleiding om haar zorgen te delen met haar oude vriendin, maar dan bedenkt ze zich. Irene praatte ook al zo gemakkelijk over Angela, wat heeft het voor zin om Irene in haar zorgen te laten delen?
'Hij heet Rick en ik ben stapelgek op hem. Hij werkt bij de marine en heeft nu dienst. Wel ongezellig, hoor, maar dat weet je nou eenmaal met zo'n beroep.' Nicky schudt de laatste stukjes patat uit het zakje en eet ze op, daarna neemt ze een hap van haar kroket, die ze eerst flink in de mosterd duwt. 'Wil jij misschien wat drinken, cola of melk?'
Opnieuw gaat de rest van de kroket diep in de mosterd.
Irene kijkt haar verbaasd aan. 'Wat is er met jou aan de hand?' vraagt ze, 'je eet mosterd! Dat lustte je toch nooit?'
'Nee, dat is waar... gek, hè, ik had er nu opeens trek in. Nou, wat wil je drinken?'
'Doe maar melk, alsjeblieft.' Irene schiet in de lach als ze ziet hoe de laatste hap van Nicky's kroket nogmaals flink door de mosterd gaat. Daarna loopt Nicky naar de keuken en komt weer terug met in elke hand een glas melk.
'Proost!' Irene heft het glas omhoog en kijkt haar vriendin dan nieuwsgierig aan. 'Hé, niet boos worden, hoor, maar je bent toch niet zwanger?'
'Zwanger? Hoe kom je daar nou bij?'
'Nou, die mosterd, en je ziet zo pips. Het zou toch kunnen? Mijn schoonzus Adrieke at ook altijd de hele mosterdpot leeg als ze zwanger was.'
'Je bedoelt zeker augurken,' zegt Nicky wrevelig, 'nou, die eet ik niet zoals je ziet. Begin jij nu ook al?'

'Hoe bedoel je?'
Nicky schokschoudert. 'Laat ook maar, een collegaatje maakte ook al zo'n opmerking deze week.'
Irene is nu serieus geworden en vraagt: 'Zou het dan kunnen, Nick, ben je met je vriend naar bed geweest? Je kunt het mij toch wel vertellen, we zijn altijd hartsvriendinnen geweest, toch?'
Nicky aarzelt, dan zegt ze: 'Ik wilde het eigenlijk niet, dat weet je toch nog wel? We hebben elkaar ooit plechtig beloofd dat we allebei zouden wachten tot we getrouwd zouden zijn, wie we ook tegen zouden komen in ons leven.'
Irene glimlacht. 'Ja, we waren veertien, vijftien hooguit, en we waren heel serieus. Maar natuurlijk wisten we niet waar we het over hadden.'
'Dat wist ik wél,' zegt Nicky, 'en ik heb altijd aan dat voornemen vastgehouden, tot... Nou ja, tot deze zomer.'
Irene kijkt haar verschrikt aan, 'en geen voorbehoedsmiddel gebruikt?'
Nicky slaat haar ogen neer en zegt zachtjes: 'Jawel, ik slik de pil.'
'Nou dan, dan is er toch niks aan de hand?'
Nicky schudt het hoofd. 'Het voelt niet goed,' zegt ze, 'het is gewoon gebeurd allemaal, maar het voelt niet goed. Rick... Nou ja, Rick ziet dat anders, hij vindt dat als je serieuze trouwplannen hebt, dat het dan best mag. Ik had toch liever gewacht, maar ja... slap van me, hè?'
Irene haalt de schouders op. 'Het heeft weinig zin als ik dat beaam. Het is jouw keus geweest, iets tussen Rick en jou. Maar als jij echt het gevoel hebt dat het niet goed is, dan moet je daar met hem over praten. Maar je hebt dan toch voor die tijd de pil gehaald, dus was je het bewust van plan.'
'Nee, we hadden al een keer... nou ja, toen Rick over de pil begon.'
'Nicky! Dus je kunt wél zwanger zijn! Ik zou maar eens heel snel een test doen.'
'Ach welnee, we hebben maar één keer zonder...'
'Nou, dat kan genoeg zijn, hoor, ik wil je niet bang maken, Nicky,

maar je kunt af en toe toch zo naïef zijn! Voel je je verder niet anders dan anders?'
Nicky haalt de schouders op. 'Nee, wat moe en wat last van m'n maag, verder niet.'
'Eet opeens mosterd, is wat moe en heeft wat last van haar maag, maar verder niet!' Irene draait met haar ogen. 'Nou, lieve meid, nogmaals, ik wil je niet op stang jagen, maar voor mij is het duidelijk! En wat nu, wanneer is de bruiloft?'
'Hou toch op!' zegt Nicky met tranen in haar ogen. 'Ik dacht dat je mijn vriendin was, maar daar merk ik weinig van.'
Irene springt op van haar stoel en slaat een arm om Nicky's schouder. 'Sorry, lieverd, maar ik ben gewoon bezorgd om je. Je moet echt morgen zo'n test bij de drogist halen en het met je vriendje bespreken.'
Nicky schudt haar hoofd. 'Er is echt niks aan de hand,' mompelt ze. 'En als je het niet erg vindt, ben ik nu liever alleen. Ik ruim de boel hier op en ga naar bed voor mijn vader en die vrouw weer terugkomen.'
Zwijgend staat Irene op en brengt de lege verpakkingen van de snacks naar de kliko die buiten staat.
'Red je het wel?' vraagt ze dan. 'Ik bel je dit weekend nog wel, en je mag mij ook altijd bellen, dat weet je.'
'Bedankt, maar dat is niet nodig. De groeten thuis aan je ouders, we zien elkaar wel weer!'
Als Irene weg is, brengt Nicky de lege melkglazen naar de keuken en daarna loopt ze langzaam de trap op. De woorden van Irene blijven de hele nacht door haar hoofd spelen, ze slaapt nauwelijks en áls ze al in slaap valt, blijft ze onrustig dromen.

Zaterdagochtend zit ze stil en bleekjes aan het ontbijt. Angela ziet er alweer uit om door een ringetje te halen, daardoor voelt Nicky zich nog bleker en verlepter. Vader Roel heeft zich uitgesloofd door verse croissantjes te gaan halen bij de bakker in het dorp.
Dat deed hij nooit toen mama nog leefde, flitst het door Nicky's hoofd. Ze neemt demonstratief een gewone bruine boterham en

besmeert die met boter en pindakaas.
'Hou je niet van croissants?' vraagt Angela vriendelijk.
Nicky schudt het hoofd. 'Nee, veel te vet,' zegt ze kortaf.
Ze ziet hoe haar vader haar even verbaasd van opzij aankijkt, maar dan glimlacht hij en zegt: 'Je gaat steeds meer op mama lijken,' en zich daarna tot Angela wendend, zegt hij: 'Mijn vrouw had ook het liefst een stevige bruine boterham, ik deed haar echt geen plezier om iets anders te halen.'
Nu voelt Nicky zich toch een beetje beschaamd, want papa heeft gelijk, haar moeder hield er helemaal niet van, dus logisch dat papa ze niet ging halen. En het doet haar ook heel erg goed dat papa zo open over zijn overleden vrouw praat tegen Angela. Ze vangt de blik van Angela en glimlacht aarzelend terug. Eerlijk is eerlijk, Angela is een sympathieke, bescheiden vrouw en zij, Nicky, gedraagt zich behoorlijk puberaal. Angela knikt haar nu warm toe, ze lijkt te begrijpen wat er in Nicky's hoofd omgaat, want ze zegt, zomaar opeens uit het niet: 'Mijn jongens moeten ook aan de nieuwe situatie wennen, hoor, ze vinden het moeilijk iemand anders in hun vaders plaats te zien.'
Nicky weet niet wat te antwoorden, ze knikt maar wat. Als ze even later boven is, ziet ze Angela met haar tas uit de logeerkamer komen.
'Zal ik het bed afhalen?' vraagt ze.
Nicky schudt het hoofd. 'Nee, laat maar liggen hoor, dat komt wel.'
Met een schok dringt het tot haar door dat haar vader en Angela wél op verschillende kamers hebben geslapen.
Na de koffie vertrekken ze al, ze willen graag nog wat tijd doorbrengen bij Floris en Jetty voor ze weer naar het vliegveld moeten. Spontaan kust Angela Nicky op de wang voor ze naar de auto lopen.
'Je bent altijd welkom, hoor!' zegt ze. 'Auf Wiedersehen!'
De verdere zaterdag gaat langzaam voorbij. Nicky hangt wat rond in huis, steeds de telefoon binnen handbereik. Wanneer belt Rick nu eindelijk eens! Maar het blijft stil.
Vanuit de kamer kijkt ze naar het bord in de voortuin, 'Te Koop' staat erop. Wat gebeurt er met haar als straks dit huis verkocht is, en Rick

komt nooit meer terug, omdat hij verdwenen is tijdens zijn werk, verongelukt, opgepakt? Allerlei vreselijke scenario's gaan door haar hoofd. Wat moet ze toch doen, weer bellen? Voor de zoveelste keer toetst ze het 06-nummer is, maar ze hoort alleen de blikkerige computerstem die zegt dat het betreffende nummer niet te bereiken is.
Zo gaat de dag langzaam voorbij. Wat moet ze doen? Toch zo'n zwangerschapstest halen bij de drogist? Nee, ze durft het niet!
's Middags houdt ze het niet langer uit, ze trekt haar jas aan en gaat naar buiten, een flink stuk lopen verzet haar gedachten misschien wat. Ze zet er flink de pas in, het is een wat druilerige dag, maar het regent niet echt door. Precies zoals ik me voel, denk Nicky, zwaarbewolkt en somber. Automatisch bukt ze zich om een paar kastanjes op te rapen. Als ze zich realiseert wat ze doet, springen opeens de tranen in haar ogen. Kastanjes, mama! In alle hevigheid komt het gemis van haar moeder weer op haar af. Ach, kon ze maar met mama praten over al de zorgen die haar bezighouden! De zorgen om Rick, over zijn zwijgen, en niet te vergeten: de angst dat ze zwanger is. Het schuldgevoel over haar intieme omgang met Rick, wat moet ze er toch mee? In haar jaszak knijpt ze hard in de kastanjes, haar tranen druppen langs haar wangen naar beneden, maar ze merkt het nauwelijks. Dan heft ze haar hoofd omhoog en kijkt naar de sombere hemel, hoog boven haar. 'Mama, waar ben je, God, help me toch!' Maar er komt geen antwoord en langzaam loopt ze het dorp weer in. Als ze bij de kerk komt, aarzelt ze. Het is een hele poos geleden dat ze een viering bijwoonde. Ze pakt de deurknop beet en duwt zachtjes. De deur gaat open en ze loopt aarzelend naar binnen in de schemerige ruimte. Op de achterste bank gaat ze zitten, ze buigt haar hoofd en laat haar tranen lopen. Er komt geen stem vanaf het altaar of vanuit de hoge gewelven van de kerk, maar toch wordt ze langzaam rustig. Ze vouwt haar handen en blijft heel stil zitten. Eindelijk staat ze op en even zacht als ze gekomen is, verlaat ze de kerk weer. Dan loopt ze het laatste stukje naar huis.
's Avonds komt toch de onrust weer, kon ze maar met iemand praten! Ach, mama... maar zij is er niet meer. Had ze nog maar een oma,

maar ook haar beide oma's zijn al overleden. Irene? Nee, toch maar niet, ze heeft gisteren al gemerkt dat Irene toch anders is gaan denken over bepaalde dingen. Had ze maar iemand die Rick goed kende, die meer van hem en zijn werk wist. Zijn oma... maar zij is letterlijk en figuurlijk onbereikbaar, ver weg in een verpleeghuis en ook door de Alzheimer.
Dan denkt Nicky weer aan die andere oude dame, Hannah van Noord in Vredeoord. Nee, zij kent Rick niet, maar toch verlangt Nicky er opeens heel erg naar om met haar te praten. En dan neemt ze een besluit, morgen gaat ze opnieuw op bezoek bij de lieve oude dame. De vorige keer hoorde ze dat zij nauwelijks bezoek kreeg, dus de kans is niet groot dat er morgen anderen bij haar zijn. Ze kan dan meteen het misverstand over de naam uitleggen en verder, ja, verder weet ze eigenlijk niet wat ze wel en niet zal vertellen, maar ze voelt een grote behoefte om bij de oude vrouw te zijn.
Met de telefoon naast haar kussen valt ze deze avond toch tamelijk snel in slaap.

Zondagmiddag, om goed drie uur, loopt Nicky weer door de gangen van het verzorgingstehuis. Na een beetje zoeken vindt ze de huiskamer weer waar ze de vorige keer mevrouw Van Noord aantrof. Tot haar teleurstelling zitten daar verschillende andere ouderen, Hannah van Noord ontbreekt echter.
'Goedemiddag, is mevrouw Van Noord er niet?' vraagt ze.
'Mevrouw Van Noord? Die zal wel op jacht zijn,' zegt een oude man.
'Op jacht?' herhaalt Nicky verbaasd, 'hoe bedoelt u?'
'Hou toch op, Karel, dat meisje denkt nog dat we dement zijn!' zegt een andere vrouw. 'Nee kind, mevrouw Van Noord is buiten in de tuin. Zodra het zonnetje een beetje schijnt wil ze naar buiten, weer of geen weer, vooral om deze tijd van het jaar.' Er klinkt wat afkeuring in de oude stem.
'En hoe kom ik buiten?' vraagt Nicky.
'Door de deur,' grapt dezelfde Karel.
'Terug de gang in, dan zie je de deur vanzelf,' zegt de vrouw weer.

'Ben je familie?' vraagt ze dan nieuwsgierig.
'Zoiets,' antwoordt Nicky, 'nou, dank u wel, ik ga haar eens opzoeken.'
Wat verbaasd loopt ze de gang weer op en al snel ziet ze de brede deuren die naar de tuin leiden. Als ze een paar stappen naar buiten heeft gedaan, ziet ze de rolstoel. Mevrouw Van Noord zit, in een warme jas gehuld, onder een grote kastanjeboom. Nicky blijft even staan, ze vraagt zich af wat de vrouw aan het doen is. Met een lange stok, waar aan het uiteinde een soort knijper zit, probeert ze iets van de grond te pakken. De woorden van de oude man schieten door haar hoofd. *Ze zal wel op jacht zijn.* Wat probeert ze in vredesnaam te vangen?
Nicky kucht eens terwijl ze naar de rolstoel toe loopt. Mevrouw Van Noord kijkt op en bijna direct breekt er een glimlach door op haar gezicht. 'Nicky!' zegt ze, 'dat is leuk, ik had niet durven hopen dat je nog eens terug zou komen.'
Nicky glimlacht en steekt haar hand uit. 'Dat u me direct herkent!' zegt ze. Dan kijkt ze naar de stok in de hand van mevrouw Van Noord. 'Maar wat bent u aan het doen?'
Nu lacht de oude vrouw breeduit. 'Ik had de vorige keer al de indruk dat je dacht dat ik behoorlijk dement was, en dat zul je nu helemaal wel denken. Ik, eh... probeer kastanjes op te rapen, maar dat gaat niet zo handig. Misschien wil jij me wel helpen?'
Nicky doet haar mond open, maar ook weer dicht. Zonder wat te zeggen bukt ze zich en raapt handenvol kastanjes op, er liggen er ontzettend veel onder de grote, oude boom. Ze legt ze neer op de schoot van mevrouw Van Noord.
'Wat denk je nu, je zegt helemaal niks?'
Nicky kijkt de oude vrouw aan, haar ogen zijn vochtig. 'U bent echt mijn oma,' zegt ze, 'de vorige keer speelden we het, maar als u echt mijn oma was, zouden we niet meer op elkaar kunnen lijken.'
'Want...?'
'Mama en ik zochten ook altijd kastanjes, mijn moeder was er dol op. 'Herfstparels' noemde zij ze. We raapten ze altijd op en legden ze op schalen in huis.' Nicky's stem is schor.
'Och kind...'

Even is het stil, dan zegt Hannah: 'Als je mijn stoel nu een stukje verder rijdt, daar staat een bankje, dan kun jij ook gaan zitten, dat praat prettiger. Want je moet me maar eens vertellen wat jou hier weer naartoe heeft gebracht. Heb je de oma van je vriend gevonden?'
'Nee, ze blijkt hier helemaal niet te wonen,' antwoordt Nicky, terwijl ze de rolstoel met moeite door het natte gras duwt. 'Wie heeft u hier neergezet, Karel?'
Nu lacht de oude vrouw hardop. 'Ha, je bent al in de huiskamer geweest, zo te horen, en je hebt al kennisgemaakt met mijn huisgenoten.'
'Heel even maar, hoor, maar een mevrouw zei dat Karel geen onzin moest vertellen, ze sprak hem aan met Karel, vandaar.'
'Hij zei zeker dat ik op jacht was? Zo noemt hij het altijd als ik kastanjes zoek. Beste kerel, die Karel. Kijk, hier heb ik een tasje, als je mijn jachttrofeeën hier in wil doen? Anders rollen ze zo weer van mijn schoot.'
Nicky doet de kastanjes in het tasje en gaat dan op het bankje zitten. 'Mooi plekje hier,' zegt ze, 'en lekker uit de wind.'
De oude Hannah knikt. 'Mis je je moeder extra, ik bedoel, als je die kastanjes ziet? Dat zijn weer van die onverwachte momenten, hè, dat je met het gemis geconfronteerd wordt.'
Nicky knikt, de tranen zitten alweer hoog.
'Maar vertel eens, hoe gaat het verder? De vorige keer dat ik je zag, keek je heel wat blijer uit je ogen, klopt dat?'
Dan begint Nicky te vertellen, over Rick, die maar niets laat horen, haar ongerustheid daarover, over hun plannen voor de camping en over zijn geheimzinnigheid over zijn oma. Ze vertelt over haar vader en zijn vriendin Angela en hoe moeilijk ze dat vindt, ook al is Angela een aardige vrouw. En ten slotte komt ook haar angst dat ze in verwachting is, er uit.
'Ik ken u nauwelijks, u zult het wel raar vinden allemaal,' zegt ze, als ze eindelijk is uitverteld. 'Ik was ook niet van plan om dat allemaal te vertellen, maar het ging gewoon vanzelf.' Onzeker kijkt ze opzij naar Hannah.

'Ik vind niet gauw wat raar hoor, kind, wat heb jij het moeilijk. Ik ben blij dat ik er voor je kan zijn, je had gewoon iemand nodig die naar je wil luisteren. En weet je, soms praat het gemakkelijker tegen een vreemde dan tegen iemand die je goed kent. Zo werkt dat nu eenmaal.' Ze steekt haar hand uit en pakt Nicky's hand. 'Waarom denk je dat je in verwachting bent?'
'Ik voel me steeds misselijk, niet lekker. En eergisteren had ik opeens trek in mosterd bij m'n kroket.'
'Ik heb ook weleens trek in mosterd,' zegt de oude vrouw droog, 'dat is in het algemeen niet direct een reden om aan te nemen dat je zwanger bent, in mijn geval zeker niet. Is er een goede reden om zo te denken?'
'Ik wilde het niet... ik wilde echt wachten,' fluistert Nicky, 'maar opeens gebeurde het toch, ik wilde het zelf ook, hoor.' Ze kijkt Hannah aan. 'Daarna heb ik de pil gehaald, maar ja, die ene keer... En daar zit ik ook mee, weet u, ik sprak daar weleens over met mijn moeder en zij drukte me op het hart om te wachten tot ik getrouwd zou zijn. Nu mijn moeder is gestorven, heb ik een extra schuldgevoel, misschien zou ik dat niet hebben als zij er nog was. Nou ja, dat slaat misschien nergens op, ik weet niet goed hoe ik het moet uitleggen...'
'Ik begrijp het wel, hoor, maar ik denk dat je dat toch los moet laten. Je doet of laat dingen omdat je daar zelf een mening over hebt, je bent een volwassen vrouw. Je moeder zou zeker niet gewild hebben dat je verkrampt gaat leven omdat je precies zo wilt doen als zij gedaan of gewild zou hebben, dat is niet goed. En wat gebeurd is, is gebeurd, je moet nu verder, wat de gevolgen ook zullen zijn.'
Het blijft even stil, dan zegt Nicky: 'Maar dat weet ik nu juist niet, ik bedoel, hoe ik verder moet. Want waar is Rick en wat gebeurt er allemaal?'
'Daar moet je eerst achter zien te komen: waar is Rick en wie is Rick?'
'Hoe bedoelt u?'
'Je hebt nooit iemand van zijn familie ontmoet, je hebt hem af en toe betrapt op leugentjes. Daarom zou ik zeggen: ga erop af, zoek hem op, confronteer hem met je vragen en schep duidelijkheid. Waar is

hij, waarom belt hij niet, allemaal dat soort vragen. Dat hij zo'n geheime missie heeft dat hij dagenlang niks kan laten horen? Nee, dat kan ik me niet voorstellen, mijn gevoel zegt dat er meer aan de hand is.'

'Zoals wat?'

'Geen idee, en misschien zit ik er helemaal naast. Ik ben een oude vrouw, maar toch, vóór alles zou ik duidelijkheid willen hebben. Dus als ik jou was zou ik morgen naar Den Helder reizen en hem daar opzoeken. Dan hoor je het wel. En verder, tja, een bezoek aan je huisarts kan je vertellen of je inderdaad in verwachting bent. Of je kunt tegenwoordig zelf wel een test doen, hè? Misschien maak je je voor niks zorgen, onzekerheid is het slechtste wat je hebben kunt op allerlei gebied. En verder...'

'Ja?' Vragend kijkt Nicky naar Hannah.

'Probeer verder een beetje vertrouwen in God te hebben. Je vertelde de vorige keer dat je gelovig bent. Leg alles in Zijn handen, je hoeft het niet alleen te doen, laat je dragen. Zoals jij en je moeder, en ook ik, de kastanjes die van de boom zijn gevallen opraapten en koesterden, zo wil ook je hemelse vader jou en mij oppakken en weer oppoetsen, als dat nodig is.' Ze glimlacht naar Nicky. 'Rare vergelijking, hè, maar zo kijk ik vaak naar mezelf, als een gevallen kastanje.'

'Bijzonder, maar wel een mooie gedachte,' zegt Nicky. 'Ik ben zo blij met u, raar hè? We kennen elkaar nauwelijks, als ik laatst niet toevallig op zoek was gegaan naar Ricks oma, hadden we elkaar nooit ontmoet.'

'Ik geloof niet zo in toeval, soms gebruikt God een hulpmiddel om z'n kastanjes op te rapen, net zoals ik,' ze wijst naar de stok in haar hand. 'En deze keer gebruikte Hij mij als hulpje.'

Dan gaat ze verder: 'Nou, als je mij nu naar binnen zou willen rijden, gaan we eens kijken of er thee of koffie te vinden is. Ik ben wel een beetje koud geworden en jij misschien ook.'

Snel springt Nicky op. 'Och, ik heb u veel te lang hier laten zitten, het spijt me!'

'Dat hoeft niet, als ik eerder naar binnen had gewild, had ik dat wel

gezegd. Kom, kleindochter, we gaan!'
Terwijl Nicky de stoel naar de deur duwt, verbaast ze zich over de enorme wijsheid en vitaliteit van de broze oude vrouw. Ze voelt zich wonderlijk met haar verbonden.
Stukken optimistischer dan ze hier eerder op de middag binnenkwam, verlaat Nicky een halfuurtje later het zorgcentrum. Ze heeft nog een kop thee meegedronken in de huiskamer, waar ze deelnam aan het algemene gesprek tussen de ouderen. Daarna heeft ze afscheid genomen van haar nieuwe 'oma', en nu gaat ze op weg naar huis. Haar plan is gemaakt: als ze morgen nog niks van Rick gehoord heeft, gaat ze naar Den Helder.
Als ze thuisgekomen een hand in haar jaszak steekt om de sleutel te pakken, stuit ze op een paar kastanjes. Ze glimlacht. Binnengekomen, poetst ze ze wat op en legt de kastanjes op een bordje.
Die nacht slaapt ze voor 't eerst sinds dagen weer goed.

Maandagochtend is daar toch de onrust weer. Ze probeert Rick nogmaals te bellen op zijn mobiele nummer, maar er wordt niet opgenomen. Opeens krijgt ze een idee, ze zal zijn oude mobiele telefoon eens proberen, wellicht heeft Rick hem opgehaald uit de garage waar hij naartoe gesleept is en gebruikt hij gewoon deze telefoon weer. Snel toetst ze het nummer in. Het duurt een hele poos voor er wordt opgenomen, maar dan hoort Nicky een vrouwenstem zeggen: 'Ja, hallo?'
'Met Nicky de Graaf, dit is toch het toestel van Rick van Noorden?'
'Van Noorden klopt ja, maar Rick...'
'Ach, ik begrijp het al,' zegt Nicky teleurgesteld, 'de auto van meneer Van Noorden staat zeker nog steeds bij u?'
'Ja, die staat nog steeds hier. Weet u waar hij is?' Nicky hoort dat de stem van de vrouw wat gespannen klinkt.
'Meneer Van Noorden? Nee, geen idee. Is zijn auto weer in orde?'
'Ja, voor zover ik weet is daar niks mis mee.'
'Nou, dan komt hij hem vast wel gauw ophalen, bedankt voor de inlichting, dag!' Nicky beëindigt het gesprek, jammer. Wel typisch

dat iemand van dat garagebedrijf de telefoon pakt en beantwoordt, als hij gaat. Verder denkt Nicky er niet over na, ze moet haar plan gaan maken voor vandaag.

Via internet zoekt ze een trein uit, lieve help, het is drieënhalf uur reizen. Gelukkig hoeft ze op de heenreis alleen in Utrecht over te stappen. Even overweegt ze om eerst een zwangerschapstest bij de drogist te halen, maar daar ziet ze toch van af. Nee, dat gaat ze echt niet hier bij de plaatselijke drogist doen, iedereen kent elkaar zo ongeveer in dit dorp, dus ook het meisje dat bij de drogist werkt zal dan weten dat Nicky misschien zwanger is, dat moet ze zeker niet hebben! Die test koopt ze wel ergens onderweg, ze komt vast wel langs een drogist.

Om twaalf uur zit ze dan in de trein die haar naar Utrecht zal brengen en na een overstap kan ze zo rond halfvier in Den Helder zijn. Nicky heeft een boek meegenomen, maar het is haar onmogelijk zich te concentreren. Steeds dwalen haar gedachten af naar Rick. Rick, waar zit hij toch, waarom laat hij niks van zich horen?

Het laatste gedeelte van de reis komen er andere vragen boven: hoe vindt ze Rick daar bij de marine? Mag ze daar zomaar het terrein op, waar moet ze zich melden? Ze heeft geen idee.

Voor de zoveelste keer toetst ze het nummer van Ricks nieuwe telefoon, maar opnieuw krijgt ze de voicemail. Nog eens rechtstreeks naar de marine bellen? Na een korte aarzeling doet ze het. En zoals de vorige keren, wordt ze ook nu doorverbonden tot ze de vriendelijke stem van de vrouw hoort die haar inmiddels wat bekend voorkomt.

'Nogmaals met Nicky de Graaf, sorry dat ik alweer bel, maar is Rick van Noorden nu bereikbaar?'

'Nee, hij heeft vroege dienst tot drie uur, en hij is ergens op het terrein, maar kan ik misschien een boodschap aan hem doorgeven?'

Even aarzelt Nicky, maar dan zegt ze: 'Nou, graag. Ik zit in de trein, helemaal vanuit Roermond en ik kom om ongeveer halfvier aan in Den Helder. Dan wil ik graag naar hem toe komen, maar ik heb geen idee hoe ik vanaf het station bij u kom. Zou u willen vragen of hij me

voor halfvier even terugbelt, of me misschien kan komen afhalen?'
'Eh, ja, natuurlijk,' zegt de vrouw, 'en hoe is uw naam precies?'
'Nicky, Nicky de Graaf, ik ben z'n vriendin.'
'Goed, ik geef het straks gelijk aan hem door als hij binnenkomt.'
Nicky voelt zich een beetje opgelucht dat ze haar boodschap heeft kunnen doorgeven, maar tegelijkertijd heeft ze een heel raar gevoel. Uit de woorden van de vrouw kon ze absoluut niet opmaken dat Rick met iets bijzonders bezig zou zijn. Ze had het gewoon over 'vroege dienst', waarom heeft hij dan al die dagen niet gebeld? Ze piekert daar maar over door, maar ze komt er eerst niet uit.
Ach, natuurlijk! bedenkt ze opeens, in zijn nieuwe mobiele telefoon staat haar nummer natuurlijk niet opgeslagen, daarom kon hij haar niet bellen. Hij wist haar nummer gewoon niet. Maar tegelijk weet ze dat dat onzin is, hij had haar immers thuis of op haar werk kunnen bellen, via de vaste telefoon.
Ze voelt de inmiddels bekende misselijkheid weer omhoogkomen. Ze klapt haar boek dicht en stopt het in haar tas. Door het raam ziet ze de weilanden voorbijflitsen. Nog tien minuten, dan is ze in Den Helder. Maar Rick heeft nog steeds niet teruggebeld.

Als Rick van Noorden zijn dienst beëindigd heeft en zich om wil gaan kleden, hoort hij zijn naam roepen. 'Rick, hé Rick, luister eens!' Julia wenkt hem en zegt, als hij naar haar toe loopt: 'Er heeft iemand voor je gebeld, een vrouw, Nicky.'
'Nicky wie?' vraagt Rick.
'De Graaf, ze heeft al een paar keer eerder gebeld de afgelopen tijd, maar nu zit ze in de trein op weg naar Den Helder. Ze vraagt of je haar wilt bellen om te zeggen hoe ze hier kan komen, of dat je haar misschien op het station wilt ophalen, om halfvier komt haar trein aan, zei ze.'
'Hè? Waar heb je het nou over? Ik ken geen Nicky.'
'O?' Verbaasd kijkt Julia hem aan. 'Ze zei dat ze je vriendin is.'
'Gestoord!' zegt Rick, en hij wil al weglopen.
'Hé, denk nou eens goed na, ze klonk helemaal niet gestoord, hoor,

eerder een beetje wanhopig. Is het geen ex van je?'
'Welnee,' Rick grinnikt, 'zo veel vriendinnetjes heb ik nou ook weer niet gehad, hoor, dat ik hun namen niet meer zou kennen. Nou, ik ga ervandoor, als ze weer belt doe je haar maar de groeten!' Hij draait zich om en loopt weg.
Julia kijkt hem besluiteloos na, maar dan zegt ze: 'Hé Rick?'
'Ja? Nog meer vriendinnen die me zoeken?'
'Nee, serieus, Rick, dat meisje komt helemaal uit Roermond, zei ze. Ik vind het toch zielig. En straks komt ze hiernaartoe en zit ik ermee.'
'Ja, nou, wat wil je dan dat ik doe? Haar ophalen en mee uit nemen? Katja ziet me aankomen!' Ricks stem klinkt nu wat geïrriteerd.
'Je komt toch vlak langs het station als je naar huis gaat?'
'Ja, dus?'
Julia kijkt op haar horloge. 'Het is tien over drie, stop daar even en vraag haar wat de bedoeling is, kleine moeite, toch? Het is óf een misverstand van haar kant, óf...'
'Of wat?'
'Toch een oude liefde die je vergeten was. Is Katja zo gauw jaloers? Dat valt toch wel mee? Nee, zonder gekheid, kijk even wat dat kind wil en zet haar dan gelijk op de volgende trein richting Limburg, anders zit ik er straks mee.'
Rick twijfelt even, maar haalt dan zijn schouders op. 'Nou ja, vooruit, zo lang zal dat niet duren, jij je zin!' Hij draait zich weer om en loopt naar de deur. Maar daarna draait hij zich opnieuw naar Julia, grinnikt en vraagt: 'Heeft ze gezegd hoe ze eruitziet, of heeft ze een bloem in haar knoopsgat? Lekker handig, ik weet toch niet naar wie ik moet uitkijken?'
'Waarschijnlijk herkent zij jou wel, dat regelt zich wel, ga nou maar.' Julia neemt gauw een nieuw telefoontje aan en wenkt Rick weg met haar hand. Ze grijnst erbij.
'Lekkere meid ben jij!' mompelt Rick, 'dat heb ik weer, hoor!' Maar daarna loopt hij toch maar snel de deur uit. Even later is hij op weg naar het station.

Als de trein gestopt is, loopt Nicky langzaam door het middenpad naar de uitgang. Rick heeft niet teruggebeld, zal hij haar op het station opwachten?
Maar als ze op het perron staat, ziet ze hem niet. Om haar heen lopen allerlei mensen, de passagiers van deze trein lopen naar de uitgang en nieuwe passagiers stappen in de trein. Dan wordt het stil op het perron en langzaam loopt Nicky ook het perron af. Even later staat ze voor het station, zoekend kijkt ze rond, maar ze ziet Rick nog steeds niet. Na een paar minuten wachten voelt ze de wanhoop en ook paniek in zich opkomen, wat moet ze nu doen?
Opeens hoort ze een stem achter zich, die vraagt: 'Nicky?'
Met een ruk draait ze zich om en ze kijkt in het gezicht van een jongeman, wat ouder dan zijzelf.
'Ja?'
Hij komt naar haar toe lopen terwijl hij haar onderzoekend aankijkt, dan steekt hij een hand naar haar uit en zegt: 'Hallo, ik ben Rick van Noorden, je was op zoek naar mij?' Zijn stem klinkt niet echt vriendelijk.
Vol verbazing kijkt Nicky naar hem, ze vergeet de uitgestoken hand te drukken. 'Nee, jou zoek ik niet... ik begrijp het niet... maar ik denk dat dit een misverstand is. Er werken waarschijnlijk twee mensen die Rick van Noorden heten bij de marine?'
Rick haalt zijn schouders op. 'Dat zou ik niet weten, ik ken in elk geval niemand anders die ook zo heet. Bij wat voor onderdeel zou hij moeten werken, wat is zijn rang?'
'Hij is officier.'
'Mmm, zegt me niks. Sorry, ik kan je niet verder helpen. Maar waarom bel je hem niet gewoon op?'
'Dat probeer ik al dagen, maar hij neemt niet op. Weet je, ik ben eigenlijk bang dat er iets gebeurd is, heb jij misschien gehoord over een ongeluk of zo?'
'Nee hoor, dan had ik het zeker gehoord.' Besluiteloos kijkt hij op zijn horloge.
'Je hebt haast, hè? Neem me niet kwalijk dat ik je voor niks liet

komen,' zegt Nicky. 'Maar,' gaat ze dan verder, 'waarom kwam je eigenlijk, mijn naam zegt jou toch helemaal niks?'
'Ach, Julia, degene die jij al een paar keer aan de telefoon had, vond dat ik moest gaan, ook al wist ik niet wie je was, ze dacht...'
'Wat dacht ze?'
'Ze vond je een beetje wanhopig klinken. Tja...' Hij kijkt haar peinzend aan, 'en wat nu, wat ga je nu doen? Weer terug naar huis?'
Nicky voelt de tranen in haar ogen springen, ze kan er niks aan doen. Ze schudt het hoofd. 'Ik weet het ook niet, ik begrijp er niks van. Maar dat is mijn probleem, sorry!' Ze draait zich om en loopt langzaam het stationsgebouw weer binnen.
Maar dan voelt ze een hand op haar schouder, de man loopt weer naast haar. 'Kom,' zegt hij, 'we nemen even een bak koffie, en dan vertel je me wat meer over hem. Misschien komen we er dan achter op welke afdeling hij zit.'
Ze zwijgen tot ze allebei achter een kop koffie zitten, dan zegt Rick: 'Nou, vertel eens wat meer over hem, bijvoorbeeld over het soort werk wat hij doet. Zit hij bij de zeedienst, de technische dienst, of waar dan ook?'
'Ik weet het eigenlijk niet,' zegt Nicky, 'hij praat bijna nooit over zijn werk. En toen ik pas vroeg waarom hij halsoverkop weg moest, zei hij dat dat militair geheim was en hij er dus niet over mocht praten.'
De man trekt zijn wenkbrauwen op. 'Militair geheim nog wel,' zegt hij. 'Hé, iets anders, heb je geen foto van hem, misschien herken ik hem dan wel.'
'Ja, natuurlijk.' Nicky pakt haar tas en haalt er een mapje foto's uit. Ze klapt het open en legt ze voor hem neer.
'Hé!' Rick pakt het fotomapje en vraagt: 'Mag ik?' Als ze knikt, bladert hij verder. Daarna legt hij het neer op tafel. Er ligt een verwarde uitdrukking op zijn gezicht.
'Ken je hem?' vraagt Nicky gespannen.
'En óf ik hem ken, alleen heet hij niet Ríck van Noorden, maar Péter van Noorden. Hij is mijn neef en hij werkt niet bij de marine, maar hij doet iets in de bouw, tenminste, zo was het de laatste keer dat ik

hem zag. Laatst hoorde ik van mijn ouders dat hij inmiddels bij een koeriersdienst of zoiets werkt.'
Nicky kijkt hem wezenloos aan. 'Nee, dat kan niet, ik... nee!'
'Het spijt me, maar het ziet ernaaruit dat je vreselijk bedonderd bent, vergeef me het woord. En jij bent niet de eerste. Alleen heeft hij deze keer mijn naam 'geleend', de schoft!' Met een klap zet Rick zijn koffiekop neer. 'De kl...' Hij spreekt het woord niet uit, maar kijkt vol medelijden naar Nicky. 'Vertel eens, heeft hij geld van je geleend? Ja zeker, hè? Maar zo komt hij er deze keer niet van af, we zullen hem weten te vinden!'
Nicky kijkt wezenloos voor zich uit. Geld? Ja, natuurlijk, al haar spaargeld heeft ze overgemaakt op zijn rekening maar dat is het ergste niet eens. Ze heeft hem andere dingen gegeven, die veel erger zijn. 'Nee!' zegt ze hard, 'nee, ik geloof je niet, het kan niet! Misschien lijkt hij op je neef, maar hij is het niet. We gaan volgend voorjaar trouwen.'
Vol medelijden kijkt Rick haar nu aan. 'Het spijt me meer dan ik zeggen kan,' zegt hij nu, 'maar hij is het echt, Peter van Noorden. Ik weet het honderd procent zeker. Ik schaam me dat hij familie van me is, maar het is echt zo. De ploert!' mompelt hij tussen zijn tanden.
'Ik moet naar huis,' zegt Nicky, 'o, ik wil naar huis!'
Bezorgd kijkt Rick haar aan. 'Kan iemand je niet komen halen, je ouders of zo?'
Nicky schudt het hoofd. 'Nee, die zijn er niet,' zegt ze. 'Ik ga zelf wel, met de trein.'
Ze kijkt op haar horloge, er is nauwelijks een halfuur voorbijgegaan sinds ze hoopvol uit de trein is gestapt. 'Hij gaat over vijf minuten, ik moet naar huis!' Ze hoort zelf dat haar stem hysterisch klinkt.
'Hé, zo gaat het niet, hoor, je moet eerst wat rustiger worden, zal ik nog wat te drinken halen?'
Maar Nicky schudt het hoofd. 'Nee, het gaat echt wel, maar ik wil hier weg, ik moet nadenken.'
Weifelend kijkt hij haar aan, maar hij haalt dan zijn schouders op. 'Als je denkt dat het gaat... ik weet het anders ook niet. Maar wacht, ik

geef je mijn telefoonnummer, je mag me altijd bellen. Er zullen ongetwijfeld nog vragen bij je opkomen over hem. Ik weet zijn adres niet, hij is, geloof ik, pas verhuisd naar Utrecht of zo, ik zal het mijn ouders eens vragen. In elk geval wonen zijn ouders in Aslo, een klein dorpje vlak bij Assen in Drenthe. Maar met mij is hij ook nog niet klaar, hij vond het waarschijnlijk wel safe klinken om te kunnen zeggen dat hij bij de marine zat! Wie weet wat hij nog meer onder mijn naam heeft geflikt!'

Nicky hoort nauwelijks wat de man allemaal zegt. Ze is opgestaan, ze voelt hoe haar benen trillen, maar ze moet naar de trein, ze wil weg hier, weg van de man die zulke vreselijke dingen zegt. Hij liegt natuurlijk, straks zal haar telefoon gaan en dan zal ze de stem van Rick horen, de echte Rick. Dan zal ze...

'Gaat het echt wel? Hier, mijn telefoonnummer, stop het in je tas. En veel sterkte, laat me in elk geval horen hoe het allemaal verdergaat.'

Ze knikt maar wat. 'Ja, dag, bedankt!' Dan loopt ze zonder om te kijken weg, naar het perron waar de trein al klaarstaat.

Later weet ze nauwelijks meer hoe ze thuisgekomen is. Onderweg, tijdens de lange treinreis, gaan er allerlei gedachten door haar hoofd. Voor de trein bij Schagen is, is ze ervan overtuigd dat de man die ze deze middag ontmoet heeft, een fantast en een leugenaar moet zijn. Het kán gewoon niet waar zijn wat hij vertelde. Maar tegen de tijd dat ze in Alkmaar moet overstappen, begint ze steeds harder aan die gedachte te twijfelen. Er is immers de afgelopen periode zo veel geweest wat niet klopte, wat vragen opriep. Allereerst die steeds wisselende diensten van Rick, zijn onzekerheid over zijn werktijden, dat heeft ze altijd raar gevonden. Maar daarnaast waren er veel kleine dingen, zoals de verhalen over zijn oma, ís er eigenlijk wel een oma? zo vraagt ze zich nu af. Het liegen over zijn leeftijd, zijn naam...

Ze herinnert zich een gesprek van een poosje geleden. Ze had zijn pinpas opgeraapt die hij had laten vallen. *'Hé, hier staat P. van Noorden, je heet toch alleen Rick, zei je pas?'* En zijn antwoord: *'Nee, ik heet Patrick, maar zo noemt niemand me ...'*

De P van Peter... Waarom, o, waarom heeft hij het gedaan? Ach,

natuurlijk, voor het geld voor zijn camping! Of is er helemaal geen camping? Waarschijnlijk niet, want ook dat ging heel gehaast en onduidelijk. Nooit heeft ze papieren of een tekening van die zogenaamde camping gezien. Maar waarom heeft hij háár daarvoor uitgekozen, een gewone kapster? Bij de eerste ontmoeting kon hij toch niet weten dat ze een flink bedrag op haar spaarrekening had? Maar in haar hoekje van de treincoupé komt ook een ander gesprek weer boven, helemaal aan het begin, toen ze elkaar net kenden.
'Ik werk bij een kapperszaak.
'Kapster?'
'Ja, is daar iets mis mee?'
'Nee, natuurlijk niet! Alleen... nou, je ziet er niet uit als een kapster.'
'Hoe moet die er dan uitzien volgens jou, een kappersschort voor, of zo?'
'Nee, natuurlijk niet! Ik dacht gewoon... Nou ja, je bent gewoon meer het type van een geslaagde zakenvrouw.'
Natuurlijk, hij had gedacht een meisje met centen te versieren. In eerste instantie leek dat tegen te vallen, maar toen had hij haar naar huis gebracht en het huis van haar vader gezien. En hij zal ongetwijfeld begrepen hebben dat ze niet bepaald armlastig was.
In Alkmaar moet ze ruim een kwartier wachten op de trein die haar, via Utrecht, naar het zuiden zal brengen. Stilletjes staat ze tegen een muur geleund te wachten. Ze voelt opeens dat er zomaar tranen over haar wangen lopen, ze kan ze niet tegenhouden en het interesseert haar ook niet.
'Gaat het wel goed?' vraagt een oudere vrouw op bezorgde toon.
Nicky veegt langs haar gezicht. 'Ja hoor,' zegt ze toonloos. Ze draait zich om en loopt weg. Ze is blij als ze weer kan instappen, opnieuw vindt ze een plaatsje bij het raam. Het is in deze trein drukker dan in de vorige. Nicky sluit haar ogen, ze wil niemand zien en niemand horen.
Na Den Bosch wordt het pas wat rustiger, als ze haar ogen opendoet, ziet ze dat ze bijna alleen zit. Schuin tegenover haar zit een man die verdiept is in een boek, verder is de coupé verlaten. Nicky doet haar ogen weer dicht, o, kon ze haar gedachten maar stoppen, maar dat

gaat niet. Want over alles kan ze nadenken, behalve over één ding: de liefde die ze dacht te krijgen, maar die dus gelogen was. Ze heeft haar hele hart en ook haar lichaam gegeven aan een oplichter, een schoft! '... en je bent niet de eerste,' zei de 'echte' Rick vanmiddag, wat bedoelde hij daarmee? Niet de eerste wiens geld hij afhandig heeft gemaakt, of niet de eerste vrouw die...? O, ze walgt van hem en van haar eigen lichaam, ze voelt zich vies en bezoedeld. En stel dat ze inderdaad zwanger is? Zover durft ze, wíl ze niet denken. Maar de gedachte laat zich niet verdrijven. Haar spaargeld? Het kan haar niet eens schelen, tenminste, niet half zo veel als dat andere. Had ze het moeten merken, meer alert moeten zijn, is ze naïef, te goedgelovig?
Kom op, Nicky, niet overdrijven, hoor! We gaan bijna trouwen en we zijn geen zestien meer, hoort ze hem in gedachten weer zeggen, en later: ...het was echt je eerste keer, hè? Er was toen iets in zijn stem geweest dat ze niet prettig had gevonden. Maar ze hield van hem, en ze was ervan overtuigd dat hij van haar hield.
O, mama, waarom heb ik niet naar je geluisterd, waarom gaf ik mezelf zo gemakkelijk en goedkoop weg? Er waren immers wel twijfels geweest in haar hart? Maar ze had ze weggestopt, heel ver weg.
Eindelijk stopt de trein op het station van Roermond, ze zoekt haar fiets op in de fietsenstalling en rijdt de lange weg naar huis.
Tegen beter weten in kijkt ze, thuisgekomen, eerst op de nummermelder. Misschien heeft hij tóch gebeld. Misschien heeft hij inderdaad een andere naam, heeft hij zich niet eerlijk voorgedaan, maar misschien is hij toch van haar gaan houden. Misschien wil hij breken met zijn oude leven en echt met haar samen een nieuw leven beginnen op de camping in Tsjechië. Was dat laatste geen leugen, maar echt waar, misschien...
Nee, er staat geen nummer op de nummermelder, maar nog geeft ze de moed niet helemaal op. Opnieuw toetst ze zijn mobiele nummer in, maar deze keer is er zelfs geen voicemail, er gebeurt helemaal niks, het lijkt of de lijn dood is.
Met loodzware benen loopt Nicky de trap op en laat zich op haar bed vallen. Maar de gedachten en herinneringen stoppen niet, juist hier,

op haar bed, hoort ze zijn stem weer, voelt ze zijn handen op haar lichaam.
'Nee!' Ze merkt nauwelijks dat ze het hardop roept. Ze staat op en gaat naar de badkamer, ze kleedt zich uit en daarna staat ze heel lang onder de douche, alsof ze de bezoedeling van haar lichaam kan wegspoelen. Maar het helpt niet. Onbarmhartig gaan haar gedachten door, ze hoort haar vaders waarschuwende stem, ze hoort Ricks vleiende woorden.
Eindelijk droogt ze zich af en zonder iets te eten of te drinken gaat ze naar bed. Ze voelt zich uitgeput, maar het duurt heel lang eer de slaap komt. Morgen, denkt ze, morgen gaat ze eerst een zwangerschapstest halen, ze moet het zeker weten. Ze legt haar handen op haar platte buik. En wie de vader ook is, hoe gemeen of slecht, haar kindje zal ze koesteren. Hij of zij is immers de enige persoon die bij haar zal horen.
Zo slaapt ze in.
De volgende ochtend wordt ze laat wakker. Het duurt maar heel even voor de werkelijkheid weer tot haar doordringt. Dan staat ze op, kleedt zich aan en gaat naar beneden. Daar zet ze een kopje thee en zonder verder iets te eten pakt ze haar fiets en rijdt naar de drogist om een zwangerschapstest te kopen. Ze denkt er niet eens meer over na dat ze wellicht een bekende tegen kan komen tijdens haar aankoop, wat maakt het ook allemaal nog uit?
Een halfuurtje later weet ze het: ze is niet zwanger. Het lucht haar op en tegelijk maakt het haar verdrietig, al begrijpt ze zelf niet waarom dat zo is.

18

JENNEKE IS BLIJ ALS DE ZONDAG WEER VOORBIJ IS EN DE MAANDAG IS aangebroken. Misschien zal er in deze nieuwe week wat gaan gebeuren, hoort ze iets van Peter.

Als de kinderen aangekleed zijn, Eva in de box ligt en de twee jongens eensgezind met hun lego spelen, loopt Jenneke snel naar boven om de was op zolder op te hangen. Terwijl ze het eerste rompertje over het wasrek hangt, hoort ze opeens een telefoon overgaan. De mobiele telefoon van Peter! Even twijfelt ze, dan loopt ze langzaam naar de kast waar, onder een stapeltje kinderkleren, de telefoon ligt. Hij gaat nog steeds over, zal ze opnemen, of toch niet?

Opeens vastberaden pakt ze het toestel en drukt de groene toets in.

'Ja, hallo?' Ze hoort dat haar stem trilt.

'Met Nicky de Graaf, dit is toch het toestel van Rick van Noorden?' vraagt een onbekende vrouwenstem.

'Van Noorden klopt ja, maar Rick...' Voor ze verder kan gaan valt de vrouw haar alweer in de rede. 'Ach, ik begrijp het al, de auto van meneer Van Noorden staat zeker nog steeds bij u?'

Wie is dit? Jennekes hart klopt in haar keel, ze probeert zo rustig mogelijk te antwoorden: 'Ja, die staat nog steeds hier. Weet u waar hij is?'

'Meneer Van Noorden? Nee, geen idee. Is zijn auto weer in orde?'

Weer in orde? Wat bedoelt die vrouw?

'Ja, voor zover ik weet is daar niks mis mee, wat...'

'Nou, dan komt hij hem vast wel gauw ophalen, bedankt voor de moeite, dag!'

Voor Jenneke verder kan vragen, wordt de verbinding verbroken. Wat is dit, beter gezegd: wie is dit? Nicky de Graaf of iets dergelijks, maar wie kan dat zijn en wat heeft ze met Peter of zijn auto te maken? Of was het gewoon een vergissing, zocht de vrouw iemand anders, toetste ze een verkeerd nummer in? Ze vroeg naar Nick of Rick van Noorden.

Jenneke staat nog steeds met de telefoon in haar hand, maar hij gaat

niet meer over, wat moet ze nu? De politie op de hoogte brengen of is dit helemaal niet belangrijk?
'Mamaaaaa!' Mam, Jeroen doet...' De rest verstaat ze niet, maar het brengt haar weer tot de werkelijkheid. Ze stopt de telefoon opnieuw weg onder de kinderkleren en doet de kast dicht. Daarna loopt ze langzaam de zoldertrap af. De rest van de natte was blijft in de wasmand liggen.
Beneden sust ze de kinderen, zet koffie, maakt sap voor de jongens en een flesje voor Eva. Maar haar gedachten zijn er niet bij, die cirkelen steeds om dat geheimzinnige telefoontje. Had ze maar dit gevraagd, had ze maar dat gezegd... Maar er was ook nauwelijks ruimte om iets te zeggen of te vragen, de vrouw aan de andere kant nam steeds het woord en beëindigde even plotseling het gesprek.
Later, als ze Eva in haar bedje heeft gelegd, gaat Jenneke opnieuw naar zolder, ze hangt de rest van het wasgoed op het rek, daarna pakt ze de telefoon en laat hem in haar zak glijden. Misschien belt de vrouw nog een keer. Maar het toestel zwijgt de hele verdere dag.

Zo glijden de dagen in elkaar over, soms staat er opeens iemand van de politie bij haar voor de deur, met Mariska krijgt ze gewoon een soort band, hoe wrang het ook is.
Jennekes gevoelens wisselen per dag, ja, per uur. Boosheid, verdriet en angst wisselen elkaar af. Liefde en haat voor haar man, de vader van haar kinderen. Soms betrapt ze zichzelf op de gedachte dat het eigenlijk ook wel rustig is nu Peter er niet is. En voor die gevoelens schaamt ze zich dan direct weer. Maar de onzekerheid is het ergst. Haar ouders steunen haar zo veel ze kunnen, ze komen regelmatig en bieden aan de kinderen weer voor een paar dagen mee te nemen. Maar dat laatste wijst Jenneke van de hand, als ze niets te doen heeft, zal ze zeker gek worden. Nu moet ze wel doorgaan, zorgen voor de kinderen. De kinderen van Peet en haar. Ach, een echte vader is hij nooit geweest, wat dat betreft missen ze hem nauwelijks. Mark heeft één of twee keer naar zijn papa gevraagd, maar was al tevreden toen Jenneke zei dat hij later weer zou thuiskomen.

En zijzelf? Ze heeft alle tijd om na te denken over haar huwelijk, hun relatie. Ja, de Peter waar ze verliefd op werd, al heel wat jaren geleden, die Peter mist ze, die mist ze al heel erg lang. Veel langer dan de week die hij nu weg is. Eigenlijk mist ze die al zo lang ze getrouwd zijn en hij steeds meer zijn eigen weg ging. Maar de grote ommekeer is toch wel gekomen toen hij voor Paul is gaan werken. Vanaf die tijd lijkt het helemaal stukgegaan te zijn tussen hen. Wat is dat toch, wat had zij eraan kunnen doen? Ligt het allemaal misschien aan haarzelf, kon ze hem niet langer boeien, is ze geen goede echtgenote voor hem geweest? Was ze misschien te veel bezig met de kinderen, was ze te veel moeder en te weinig vrouw?
Ze piekert en piekert, maar ze komt er niet uit. Ach, Peter is immers ook nooit een echte vader geweest? Zo af en toe leek het tot hem door te dringen dat hij kinderen had, speelde hij met ze, maar even snel was hij het weer zat en gaf hun dagenlang nauwelijks aandacht. Is het misschien toch waar wat Marion een tijdje geleden opperde: heeft hij een afwijking? Of is hij gewoon egoïstisch?
Zo tobt ze de dagen door, de onzekerheid over wat er met Peter is en waar hij is, die vreet nog het meest aan haar. En de toekomst? Hoe zal het verder gaan, ook met haar en de kinderen, als Peter aangehouden en veroordeeld wordt?
Woensdagavond, als ze net naar bed wil gaan, gaat haar telefoon. Ze schrikt van het geluid in de stilte van de avond. Als ze opneemt, is er eerst even niks, maar dan hoort ze de stem van Peter. Hij klinkt gejaagd en onduidelijk. 'Jen, met mij, hoe gaat het?' En voor ze kan antwoorden, gaat hij verder: 'Ik zit goed in de nesten, het spijt me, als ik hier uitkom, wordt het anders, dat beloof ik je, ik...' Dan is plotseling de verbinding verbroken.
Doodstil staat Jenneke met de telefoon in haar hand. Ze kijkt op de nummermelder, 'nummer onbekend' staat er in het schermpje. Waar is hij, en wat is er aan de hand, moet ze de politie bellen of juist niet? Steeds weer die vraag.
Ze wacht, misschien belt hij nog een keer. Maar het blijft stil. Jenneke is vergeten dat ze van plan was om te gaan slapen, in de donkere

kamer laat ze zich op een stoel zakken, haar hoofd in haar handen. In gedachten herhaalt ze steeds weer de woorden van Peter. Wat betekenen ze, wat houden ze in? Wat bedoelt hij met 'ik zit in de nesten'? Is hij niet vrijwillig weggegaan? En 'het wordt anders', daar heeft ze direct al haar vraagtekens bij, wát wordt anders? Hij is immers die hij is, of bedoelt hij dat hij ander werk gaat zoeken, misschien weer gewoon de bouw in, het leven dat ze leidden voor hij met Paul in contact kwam?

Maar, zo vraagt ze zich af, wás het toen wel zo veel anders, was Peter zelf toen anders? Ja, hij was meer thuis, maar verder? Nee, verder was hij eigenlijk dezelfde. Hij had immers in het verleden ook de verantwoordelijkheid voor zijn gezin niet willen, niet kúnnen dragen? Ze hadden toch nooit een gelijkwaardige relatie gehad? Bij Peter staat Peter voorop, zijn eigenbelang gaat voor alles. Of is het gewoon egoïsme wat hem zo doet handelen?

Het is moeilijk om zo eerlijk tegen zichzelf te zijn, maar tegelijkertijd lucht het haar op. Marion heeft gelijk, er moet ergens iets niet goed zijn met Peter. Is het een vorm van autisme, is het het syndroom van Asperger? Ze weet daar veel te weinig van af, binnenkort zal ze zich daar in gaan verdiepen. Want als dat zo is, hebben ze hulp nodig, heeft Peter hulp nodig, want ook hij zal zich niet gelukkig voelen.

Eindelijk staat ze op om naar boven te gaan. Maar ook in bed gaan haar gedachten door, allerlei gebeurtenissen uit hun huwelijk komen bovendrijven, en steeds meer wordt haar duidelijk dat er dingen heel erg fout zijn. Zal dat ooit nog kunnen veranderen, zullen de kinderen in een normaal gezin kunnen opgroeien, met liefde en aandacht van zowel hun moeder als van hun vader? Dan komen haar gedachten weer op het telefoontje van Peter, deze avond. Waar is hij, zou het niet beter zijn als hij gearresteerd zou worden? Ze valt heel laat in slaap, met het vaste voornemen om morgen contact op te nemen met Mariska, de politieagente.

Donderdagochtend brengt ze haar voornemen ten uitvoer, ze belt de politie en vraagt naar Mariska.

'Eens even kijken, volgens mij is ze juist van plan naar u toe te komen,' zegt degene die ze aan de lijn krijgt. Het is een van de mannen met wie ze ook al verschillende keren contact heeft gehad deze week.
'O, nou, dan zie ik haar zo wel. Is er nieuws?' vraagt ze toch nog.
Het lijkt of de man even aarzelt, maar dan zegt hij heel rustig: 'Dat hoort u zo van mijn collega.'
Ze heeft nog niet neergelegd, of er wordt al aangebeld. 'Dat is wel heel snel!' mompelt Jenneke. Maar als ze opendoet, ziet ze haar ouders voor de deur staan.
'We dachten, we gaan toch maar weer even bij je kijken, gaat het een beetje, meisje? Nog geen nieuws?'
'Nee, maar er komt zo weer iemand van de politie langs,' zegt Jenneke met een zucht. De kinderen hebben inmiddels hun opa en oma ontdekt en de jongens hangen al aan opa's benen. Jenneke kijkt naar hen en zegt dan: 'Misschien is het een goed idee als jullie die twee een poosje meenemen, dan kan ik zo even rustig praten.'
'Verwacht je dan nieuws?' vraagt moeder Gerda direct gealarmeerd.
'Nee, dat niet, maar het praat altijd onrustig als zij rondlopen. Of vinden jullie dat vervelend?'
'Welnee, het is prima,' zegt Jennekes vader. 'Tenslotte hoeven wij ook niet bij zo'n gesprek te zijn, tenzij je dat juist prettig vindt.'
Jenneke schudt het hoofd. 'Nee, ik handel dit liever zo veel mogelijk zelf af.' Al pratend heeft ze wat spullen bij elkaar gepakt. 'Kom jongens, jasjes aan, jullie mogen met opa en oma mee.' Opeens krijgt ze een gevoel van onrust en haast. 'Nemen jullie ze mee naar huis of ga je naar het park of zo?'
Haar ouders kijken elkaar even aan. 'Laten we ze maar mee naar huis nemen, Jeroen moet toch ook straks slapen, dan heb jij je handen voorlopig even vrij. Wat wil je met Eva?'
'Laat haar maar hier, hoor, ze ligt lekker in haar bedje. Zo, nou, meer hoef je niet mee te nemen, luiers liggen er nog wel bij jullie, hè? Dag knulletjes!' Ze kust de jongens en duwt ze bijna de deur uit, zo zenuwachtig voelt ze zich opeens, al weet ze zelf niet waarom. Bij de deur zwaait ze de auto na, daarna loopt ze langzaam weer naar

binnen. Laat Mariska nu maar komen, ze is er klaar voor, met wat voor nieuws ze ook komen zal.
Nog geen drie minuten later wordt er opnieuw gebeld en als Jenneke opendoet, ziet ze nu inderdaad Mariska staan, maar ze is niet alleen, er staat een politieman naast haar, ze kijken beiden ernstig.
Ze hebben hem opgepakt, schiet het meteen door haar hoofd. Eigenlijk voelt ze alleen maar rust daarover, alles beter dan deze onzekerheid.
Zwijgend lopen de twee met haar mee naar de kamer, dan vraagt Mariska: 'Zijn de jongens er niet?'
'Nee, mijn ouders hebben ze een poosje meegenomen, alleen Eva is er.' Ze gaat op het puntje van haar stoel zitten en kijkt de politiemensen, die beiden op de bank zijn gaan zitten, gespannen aan. 'Hij is opgepakt, hè?' vraagt ze dan zacht.
'Zo is het niet helemaal,' zegt Mariska langzaam, 'ik moet je wat ergs vertellen, iets waarvan je zult schrikken.' Ze wacht even en gaat dan verder: 'Je man heeft vanochtend vroeg een ernstig ongeluk gehad, hij zat samen met Paul Jansen in een auto in Duitsland. Waarschijnlijk heeft Jansen de macht over het stuur verloren, waardoor ze op de autobahn tegen de vangrail zijn geklapt. Het is heel ernstig.'
Sprakeloos kijkt Jenneke de politieagente aan, alles had ze verwacht, maar dit niet. Eindelijk vindt ze haar stem terug. 'Is hij... is hij dood?' Het laatste woord komt er bijna onverstaanbaar zacht uit. Met grote ogen kijkt ze de twee mensen tegenover zich aan.
Mariska knikt, Jenneke ziet het door een waas. 'Ja, het spijt me voor je, maar hij heeft het inderdaad niet overleefd.'
Jenneke heeft geen woorden, ze blijft met grote verschrikte ogen kijken. Eindelijk vraagt ze zacht: 'En Paul?'
Mariska schudt het hoofd. 'Hij heeft het evenmin overleefd.'
'En nu?' Opeens voelt Jenneke zich vreemd rustig.
'Er loopt een onderzoek in Duitsland, er zijn wat spullen, die in de auto lagen, in beslag genomen voor onderzoek. Later zullen de lichamen pas vrijgegeven worden.'
'Drugs, hè?'

'Daar kan ik geen enkele uitspraak over doen, het is allemaal in handen van de Duitse collega's.'
Jenneke leunt achterover, langzaam dringt het tot haar door wat ze zojuist gehoord heeft.
'Wil je iets drinken, zal ik koffie voor je maken, of een glas water halen? En misschien wil je daarna je familie bellen, je ouders of zo?'
'Mijn ouders zijn onderweg naar huis, ze hebben de kinderen net opgehaald.' Langzaam komt Jenneke overeind, ze gaat voor het raam staan en zegt toonloos: 'Gisteravond belde hij, voor het eerst belde hij...'
'Peter? Waarvandaan belde hij, weet je dat? En wat zei hij?'
'Hij zei dat... dat alles anders zou worden als dit voorbij zou zijn. Hij zei ook dat hij in de problemen zat, of in de nesten, zo noemde hij het. En nu...'
Eindelijk komen de tranen, ze slaat haar handen voor haar ogen en huilt met grote uithalen. Ze wordt pas rustig als Mariska wat later een glas water in haar handen duwt. 'Hier, drink maar wat,' zegt ze, haar stem klinkt zacht.
Boven begint Eva te huilen.

De dagen hierna gaan als een soort droom voorbij. Het duurt enkele dagen voordat Peter naar Nederland wordt gebracht. Jenneke wil graag dat hij thuis is tot de begrafenis. Haar ouders hebben de kinderen een dag opgehaald, maar verder wil Jenneke ze om zich heen hebben. Daarom besluiten Teus en Gerda, na overleg met hun dochter, deze dagen bij haar te komen logeren. Zo heeft ze toch gezelschap en hulp bij de verzorging van de kinderen, en is ze niet alleen.
Als het lichaam van Peter wordt thuisgebracht, is opa Teus met de twee oudste kinderen naar het park gegaan om de eendjes te voeren. Eva ligt net weer in haar bedje als de auto voorrijdt. Jenneke heeft vlug wat speelgoed uit de kleine zijkamer gehaald en daar wordt de kist neergezet.
Als de auto even later is weggereden, staat Jenneke alleen naast de kist waarin Peter ligt. Het is niet te zien dat hij zo'n zwaar ongeluk gehad heeft, schijnbaar heel rustig ligt hij daar, alsof hij slaapt. Jenneke heeft

haar handen voor haar mond geslagen, de confrontatie grijpt haar heftig aan. Als haar benen haar niet meer lijken te kunnen dragen, schuift ze een stoel naast de kist en heel lang zit ze daar. Honderden herinneringen gaan door haar hoofd, de mooie eerste verkeringstijd, maar ook de eenzaamheid, de verwijdering en teleurstelling in hun huwelijk. 'Peter, ach, Peter...' zegt ze zacht tegen hem, 'waarom moest het toch zo gaan?'
Hier ligt hij nu, de vader van haar kinderen, haar grote liefde, maar tegelijk ook de man die haar teleurstelde, grillig was in zijn gedrag en zijn liefde.
Pas als haar moeder zachtjes een arm om haar heen slaat en stil naast haar blijft staan, komt ze weer tot zichzelf. Langzaam staat ze op, ze schudt het hoofd, huilen kan ze niet meer, dat heeft ze alleen de eerste dag gedaan, toen Mariska en haar collega er waren om het slechte nieuws te vertellen.
In de gang hoort ze de jongens roepen en lachen, afgewisseld met de rustige stem van haar vader. Met een diepe zucht keert Jenneke zich naar haar moeder. 'We gaan naar hen toe, ik wil even met de jongens proberen te praten en ze dan ook hier laten kijken bij Peter.'
'Is dat wel verstandig, zullen ze niet schrikken?' vraagt moeder Gerda bezorgd.
'Dat denk ik niet, kinderen kijken heel onbevangen tegen dingen aan, en ze moeten zeker afscheid kunnen nemen van hun vader.'
Als ze een paar minuten later met Mark en Jeroen de kamer binnenloopt, holt Mark vooruit naar de kist, daar blijft hij staan. Jenneke is hem gevolgd met Jeroen op de arm. 'Papa!' zegt Jeroen, dan wringt hij zich los en gaat de kamer weer uit.
Mark staat stil en aandachtig te kijken, Jenneke staat naast hem, ook zij zegt niks.
'Slaapt papa?' vraagt het jochie eindelijk, 'hij ligt heel stil, hè?' Voor Jenneke het in de gaten heeft, steekt hij een handje uit en legt dat op het gezicht van Peter. 'Papa heeft het koud!' zegt hij met wat verbazing in zijn stem. 'En, mama?'
'Ja?' antwoordt ze.

'Die grote witte eend in het park heeft bijna al ons brood opgegeten, dat is niet eerlijk, hè?' Daarna draait hij zich om en loopt naar de deur van de slaapkamer. 'Morgen gaan we weer nieuw brood brengen, zegt opa, en dan krijgen de andere eendjes heel veel, want anders is het echt niet eerlijk, hè mama?'
'Nee, het is echt niet eerlijk,' herhaalt Jenneke, maar ze weet niet of ze de eenden bedoelt. Ze loopt samen met Mark de kleine kamer uit en sluit zacht de deur achter hen. In de woonkamer glimlacht ze geruststellend naar haar moeder.
De dagen tot de begrafenis loopt Mark regelmatig binnen in de kamer waar zijn vader ligt.
'Hij heeft nog nooit zo veel tijd achter elkaar gehad om bij zijn vader te zijn,' zegt Jenneke wat bitter. Alles is geregeld en besproken, de kaarten zijn de deur uit, nu hoeft het alleen nog maar voorbij te zijn. Dat is de gedachte die Jenneke steeds in haar hoofd heeft: laat het voorbij zijn! Ze leeft nog steeds in een soort roes, de condoleances gaan langs haar heen en ze is alleen maar blij als de dag van de begrafenis eindelijk aanbreekt.
Ze heeft erg slecht geslapen, en als ze sliep, droomde ze. Maar niet over de mooie eerste tijd van hun relatie, nee, in haar dromen ziet ze Peter met grote plastic zakken waarin een wit poeder zit, ze droomt over een politieachtervolging, ze zit naast Peter in een auto die steeds harder gaat rijden. Klam van het zweet wordt ze om zes uur wakker, daarna wacht ze stil tot ze de jongens hoort. Tijd om op te staan.
Eva en Jeroen mogen bij de buren zijn, maar Mark neemt ze mee. Ook nu weer heeft Jennekes moeder geprobeerd om dat idee uit Jennekes hoofd te praten, maar ze is vastbesloten. 'Hij is ruim drie, ma, het is goed voor hem om ook dit laatste stukje mee te maken, te zien dat Peter nu echt weg is, anders blijft hij misschien zoeken in huis.'
Stil en ernstig staat hij nu aan zijn moeders hand bij het open graf. Hij kijkt naar de mensen om hen heen, langzaam kruipt zijn andere handje in de hand van zijn opa, die ook naast hem staat. Maar als de kist langzaam naar beneden zakt, roept hij opeens met een helder

stemmetje: 'Dag papa!' Daarna draait hij zich om en probeert weg te lopen. Zijn hand glipt uit die van Jenneke, ze laat hem gaan. Opa Teus loopt met hem mee. Jenneke hoort hem wat verderop roepen: 'Kijk eens, opa, hier liggen nog heel veel kastanjes!'
Ja, zijn leventje gaat verder, hij heeft zich letterlijk al omgedraaid en is doorgegaan. Dat zal zij ook moeten, maar nu nog niet. Och, kon ze dat maar net zo gemakkelijk als haar zoon!
Langzaam lopen de aanwezigen langs het graf, sommigen kijken schuin naar haar, knikken haar toe, anderen lopen met gebogen hoofd weg.
De plechtigheid is voorbij.
Waarover zullen de mensen straks praten, als ze naar hun huizen teruggaan? Want gepraat wordt er! Ieder heeft zo zijn eigen verhaal, ze heeft geen idee hoe ze in de wereld komen, maar ze zijn er. De één zegt dat Peter bij haar weggegaan was en een ander weet te vertellen dat hij in de drugshandel zat. Niemand weet er het fijne van, maar dat er iets niet pluis was, daarvan zijn de meesten overtuigd.
Met een klein groepje gaan ze naar het huis van Peters ouders, dicht bij de begraafplaats. Jenneke had er niet lang over hoeven nadenken: Peter moest begraven worden in hun eigen dorp, het dorp waar ze zijn opgegroeid en waar het grootste deel van de familie woont.
Jenneke heeft haar schoonouders, die niet zo vitaal meer zijn, zo lang mogelijk buiten de problemen gehouden en niet verteld dat Peter al ruim een week weg was. Zijn ongeluk kwam voor de oude mensen dan ook als een donderslag bij heldere hemel, ze zijn er helemaal kapot van. Toch hebben ze zelf voorgesteld om de begrafenis niet in het wat onpersoonlijke dorpshuis af te sluiten, maar bij hen thuis.
Nu zitten ze stil bij elkaar, er zijn immers geen woorden voor dit verdriet.
Behalve de naaste familie is er ook een neef van Peter gekomen, Rick. Jenneke kent hem nauwelijks, ze weet dat hij in Den Helder woont en werkt en tijdens hun verkeringstijd heeft ze hem een keer ontmoet, daarna nooit meer. Voor zover ze weet had Peter ook nauwelijks of geen contact met deze neef en daarom verbaast het haar dat

hij de moeite heeft genomen om te komen. Toen ze weggingen van de begraafplaats, is hij door Peters moeder uitgenodigd om ook mee te gaan naar hun huis. Maar na één kopje koffie staat hij op om weg te gaan. Als hij Jenneke een hand geeft, kijkt hij haar ernstig aan. 'Als er wat is, mag je me altijd bellen hoor!' zegt hij.
Jenneke kijkt hem wat verbaasd aan, maar ze knikt. 'Goed, bedankt,' zegt ze. Dan gaat hij weg. Vreemde jongen, denkt ze, maar wel aardig.
Jenneke houdt het ook niet lang uit, na een halfuurtje staat ze op. 'Ik moet de andere kinderen gaan halen,' zegt ze verontschuldigend tegen haar schoonouders. 'Ik kom gauw weer.'
'Zullen wij nog met je meegaan?' vraagt Jennekes moeder, als ze meeloopt naar de deur.
'Nee, laat me maar, het gaat wel, ik bel jullie morgen, goed?'
Gerda knikt, maar haar ogen zijn vol bezorgdheid. 'Weet je het zeker?' vraagt ze nog eens.
'Ja, echt, ma. Kom Mark, geef ook deze oma een kus, dan gaan we Jeroen en Eva ophalen.'
Ze forceert een glimlach, daarna stappen ze samen de deur uit, de frisse oktobermiddag in.

Pas 's avonds, als de kinderen, die alle drie moe en uit hun doen leken, in bed liggen, komt Jenneke tot zichzelf. Nu mag ze nadenken, nu mag ze zichzelf zijn. Het was fijn dat haar ouders er waren, maar nu is het heerlijk dat het huis weer van haarzelf is. Terwijl ze dit denkt, schiet er een schrik door haar heen. Dit huis van haarzelf? Niks is minder waar! Ze woonden hier bij de gratie van Paul Jansen. Maar nu? Moeten ze eruit, van wie is dit huis eigenlijk? Wat is ze toch naïef, om daar helemaal geen vragen over gesteld te hebben aan Peter rond de verhuizing. Maar ze is te moe, ze kan en wil er nu niet over denken, één ding tegelijk. En voor vandaag heeft ze al meer dan genoeg gehad.
Maar later in bed, laten de gedachten zich toch niet verdringen. Want er zijn nog meer zorgen: in hoeverre zat Peter in de drugs? Was hij alleen koerier, of zat hij zelf ook in de handel? En wat kan dat voor

gevolgen hebben voor haar en de kinderen? Kan iemand eigenlijk nog veroordeeld worden, al leeft hij niet meer? Al die vragen spelen door haar hoofd en houden haar uit de slaap. Morgen zal ze Mariska bellen, neemt ze zich ten slotte voor. Hoe eerder ze weet hoe ze ervoor staat, hoe beter.

Toch komt er de volgende dag niks van om contact te zoeken met de politie. Jenneke is moe, ze sleept zich door het huis en is kortaf tegen de kinderen. Die reageren natuurlijk door extra ongehoorzaam en baldadig te worden. Ook de dagen die volgen, komt er weinig uit haar handen. Alle hulp van haar ouders wimpelt ze af. 'Laat me maar even, het gaat best,' zegt ze aan de telefoon. En als ze onverwacht een keer voor de deur staan, lukt het haar om gewoon met ze te praten, zodat ze gerustgesteld weer naar huis rijden.
Marion is een paar keer langs geweest en alleen tegen haar durft Jenneke echt eerlijk te zijn.
'Weet je, Marion,' zegt ze, 'natuurlijk is het vreselijk wat er allemaal gebeurd is. Maar weet je wat ik het ergst vind? Niet schrikken hoor: het ergst vind ik de onzekerheid over dit huis en hoe het verdergaat bij de politie. Maar Peter missen? Nee, het voelt meer als een opluchting, erg hè? Natuurlijk is het verdrietig als iemand zo jong verongelukt, natuurlijk is het verdrietig dat mijn kinderen geen vader zullen hebben, hoewel... Misschien beter geen vader dan zo'n vader.' Dan begint ze te huilen en na een poosje gaat ze verder: 'Eigenlijk ben ik het meest verdrietig om het feit dat ik geen verdriet voel, begrijp je dat?'
Marion heeft haar laten praten, daarna knikt ze. 'Ik begrijp het wel, hoor, en daar hoef je je niet voor te schamen. Maar ik snap ook dat je dat niet tegen anderen kunt vertellen, maar dat hoeft toch ook niet? En wat jouw toekomst betreft: ik zou die Mariska weer eens bellen, want ik denk dat je je voor niks zorgen zit te maken. Ze kunnen toch nooit het strafblad van een man op zijn vrouw verhalen? Dat lijkt me tenminste niet.'
Later vraagt Marion: 'Hoe gaat het met Peters ouders?'

'Slecht, ze zijn helemaal kapot, logisch natuurlijk, ik moet er niet aan denken dat zoiets met Mark, Jeroen of Eva zou gebeuren. Een kind verliezen moet een van de vreselijkste dingen zijn die je kunt meemaken, of ze nou drie of dertig zijn. Maar ik vind het heel moeilijk om daar te zijn en ze maar te horen zeggen dat hij toch zo'n goede, lieve jongen was.'

'Dat was hij toch ook voor hen?'

'Ja, dat wel... Marion? Ik... ik weet niet of ik het kan en mag zeggen... maar de laatste maanden van Peters leven had ik soms heel sterk de indruk dat hij... dat hij iemand anders had, een andere vrouw.'

'Waarom dacht je dat?'

'Dat weet ik niet, gewoon een heel sterk gevoel. Eigenlijk weet ik het wel zeker, zoiets voel je als vrouw. Ik was telkens van plan om hem ermee te confronteren, het recht op de man af te vragen, maar ik durfde het niet, ik was veel te bang dat het waar zou zijn. En nu zal ik het nooit zeker weten.'

'Misschien is dat goed. Het heeft geen zin meer om je daar gek mee te maken, Jen, het is zoals je het zegt: je kunt het hem niet meer vragen. Laat het dan rusten, kwel jezelf niet langer met die gedachte, want wat heeft het voor zin?'

Een paar dagen later staat Mariska voor de deur. Zonder iets te zegen doet Jenneke de deur wijd open om haar binnen te laten. Pas als ze tegenover elkaar aan de tafel zitten, vraagt ze: 'En?' Haar stem trilt.

'De onderzoeken zijn nog niet helemaal afgerond, maar één ding is al wel duidelijk: Paul Jansen zat tot aan zijn nek in de drugshandel. Jouw man was alleen maar een heel klein schakeltje, zoals je al zei, de chauffeur die de spullen hier en daar ophaalde en bezorgde. En die ene keer dat hij zelf wat in huis had? Waarschijnlijk wilde hij wat extra's verdienen. Natuurlijk zou hij strafbaar zijn geweest als hij was opgepakt, maar nu is dat niet meer aan de orde. Hij is er niet meer, dus het heeft voor jou verder geen gevolgen. De auto is weggehaald, maar dat had je natuurlijk al gezien?'

Jenneke knikt. 'Zijn telefoon ligt hier nog,' zegt ze dan opeens, 'is dat

nog belangrijk voor jullie?'
Mariska kijkt verbaasd. 'Waar heb je die nu opeens gevonden? Wat vreemd dat hij die niet bij zich had. Mag ik hem meenemen?'
Jenneke knikt, ze staat op en loopt naar boven om de telefoon op de zolderkamer te halen. Het snoertje van de oplader haalt ze eraf en ze laat dat boven liggen.
Als ze hem aan Mariska overhandigt, kijkt deze er even fronsend naar. 'Hij staat nog aan, batterij niet leeg na die weken?' Meer zegt of vraagt ze niet.
Jenneke krijgt een kleur. 'Ik kon het niet,' zegt ze.
Mariska knikt. 'Toch bedankt, hopelijk komen we hier verder mee, er konden weleens nog veel meer mensen bij betrokken zijn.' Daarna kijkt ze Jenneke onderzoekend aan. 'Red jij het allemaal?'
Jenneke knikt. 'Ja hoor, mijn ouders zijn hard hun best aan het doen om een huis voor ons te zoeken in het dorp waar ik vandaan kom, Aslo. Er zijn flink wat huurwoningen, er is zelfs wat leegstand, dus het is daar niet zo moeilijk als in de stad om een huis toegewezen te krijgen. Hier wil ik zo snel mogelijk weg, ik weet trouwens niet eens van wie dit huis is, aan wie ik huur moet betalen.'
'Daar is wel achter te komen en ik denk dat ik wel weet wie je huisbaas is, of beter gezegd: was. Hou ons op de hoogte als je verhuist, zodat we weten waar je, zo nodig, te bereiken bent.'
Even later gaat ze weer weg, Jenneke loopt met haar mee naar de deur, Eva op de arm. Als de deur achter Mariska dichtvalt, denkt Jenneke: ja, hoe eerder ik hier weg kan, des te liever het me is!
Nauwelijks twee weken later belt vader Teus om te vertellen dat er een woning beschikbaar komt in Aslo. Jenneke ervaart het bijna als een wonder dat er zo snel gelegenheid is om weg te gaan uit het huis in Assen.
Een wonder... bestaan ze dan toch nog, die wonderen?
Ze mag opnieuw beginnen, samen met haar kinderen. Naast het verdriet en de pijn is er, diep in haar hart, vooral een gevoel van opluchting. Maar dat durft ze tegen niemand uit te spreken.

19

DINSDAG HEEFT NICKY ZICH ZIEK GEMELD, ZE VOELT ZICH OOK ECHT lichamelijk ziek. Ook woensdagochtend blijft ze in bed, ze staat alleen even op om wat te drinken. Maar 's middags staat ze toch maar op, haar maag knort, ze voelt zich slap en ellendig. In haar hoofd is het nog steeds een chaos. Steeds weer beleeft ze de maandagmiddag, hoort ze de woorden weer van de man, de 'echte' Rick, zoals bleek. In haar tas vindt ze zijn telefoonnummer, zal ze hem bellen? Maar wat heeft dat voor zin, ze weet immers genoeg, meer hoeft ze, nee, wil ze niet weten.
Donderdagochtend staat ze op de gewone tijd op, ze moet verder, hoe dan ook. Als ze binnenkomt in de kapsalon, wordt ze hartelijk ontvangen. 'Hé, je bent er weer, fijn!' zegt Pieter, 'maar meid, wat zie je nog bleek, gaat het echt wel?'
Ze knikt. 'Ja hoor, het gaat best.' Even later is ze aan het werk, afwezig geeft ze antwoord op het gebabbel van haar klanten en aan het eind van de dag is ze doodmoe. Maar ze heeft het gered, ze moet door, door, steeds maar door! Zo probeert ze ook de volgende dagen door te komen. Niet denken, maar werken, naar huis, eten, slapen en weer werken. Maar alleen het werken lukt, slapen en niet nadenken? Het is haar onmogelijk.
Na de eerste pijn en het verdriet, komt steeds meer de woede boven. Hij heeft haar gebruikt, misbruikt, en zij heeft dat toegelaten, hem de kans gegeven. Ze schaamt zich en is kwaad op zichzelf, maar ze kan het niet terugdraaien. Maar hij heeft haar ook tweeëndertigduizend euro afhandig gemaakt, en al dacht ze eerst dat dat het minst erge was, nu komt ook daarover steeds meer boosheid in haar op. Hoe kon ze zo naïef zijn! Wat moet ze doen, haar vader bellen, de politie inschakelen? Voor het eerst schaamt ze zich te veel, en de politie? Wat voor bewijzen heeft ze tegen hem, ze heeft het immers zelf overgemaakt naar zijn rekening?
Ze heeft lang geaarzeld, maar de volgende zondag gaat ze toch op weg naar Weert, ze wil met oma Hannah praten. Eigenlijk wil ze dat

de hele week al, maar ze vraagt zich af of ze de oude dame wel mag opzadelen met haar problemen. Maar ze kan niet anders, ze móét met iemand praten en wie zou dat beter kunnen zijn dan haar wijze, oude vriendin.

Deze keer treft ze Hannah aan zittend in de woonkamer, waar ze rummikub speelt met een paar andere dames. Het regent, dus er is geen gelegenheid om samen naar buiten te gaan. Nicky gaat erbij zitten en dringt erop aan dat de dames vooral verder spelen. Maar als het potje uit is, zegt mevrouw Van Noord: 'Zo, zullen wij eens samen op mijn kamer gaan zitten, dat praat wat rustiger, hè?' Zodra de deur achter hen is dichtgegaan, gaat ze verder: 'Zo, ga zitten, en vertel maar, het gaat niet goed met je? Toch een baby op komst?'

'Nee, dat niet,' zegt Nicky zacht. Dan begint ze te vertellen over haar reis naar Den Helder, over haar verdriet, gekwetstheid, woede en pijn.

'Kind toch!' Als Nicky eindelijk is uitgepraat, is de oude vrouw er gewoon stil van. 'Ik weet nauwelijks wat ik moet zeggen, wat een boef, ik kan het niet anders noemen. Hij is er met je onschuld en met je geld vandoor, wat vind je het ergst?'

'Hè, wat bedoelt u?' Deze reactie heeft Nicky niet als eerste verwacht. Dan schudt ze langzaam het hoofd. 'Ik weet niet wat erger is,' zegt ze. 'Eerst dacht ik dat dat geld me niets kon schelen, maar eigenlijk ben ik daar ook wel heel erg kwaad over. Ik weet ook niet wat ik daarmee moet, naar de politie gaan? Wat moet ik zeggen? Ik heb ruim dertigduizend euro aan iemand gegeven, maar daar heb ik spijt van?'

'Nou, zo ligt het natuurlijk niet, hij heeft je opgelicht en misschien is hij wel een bekende van de politie, je moet er zeker aangifte van doen. Als ik jou was, zou ik eerst met mijn vader gaan praten, hij wil je vast wel helpen, toch?'

'Ik schaam me zo vreselijk, niet alleen voor dat geld, maar ook voor alles,' zegt Nicky met een klein stemmetje. 'En weet u wat het ergste is? Eigenlijk hou ik nog steeds van hem. Als hij morgen weer voor de deur zou staan... mijn verstand zegt dat hij een oplichter is, maar in mijn hart verlang ik nog steeds naar hem, erg, hè?'

'Dat is wel logisch, denk ik, je gevoel kun je niet zomaar uitschakelen. Maar beloof me één ding: stel dat hij weer op komt dagen, laat dan je hoofd beslissen en niet je hart!' Het klinkt zo droog dat Nicky bijna moet glimlachen.
Maar dan springen de tranen weer in haar ogen: 'Ik weet gewoon niet hoe ik verder moet en kan met mijn leven, ik voel me zo gekwetst, zo... zo bezoedeld. Hoe kan dat ooit overgaan? Hoe zal ik ooit nog een man kunnen vertrouwen, hoe kan ik ooit weer blij worden?'
'Tijd.'
'Wat bedoelt u?'
'Alleen de tijd kan dat weer teweegbrengen. Kijk,' Hanna wijst naar wat kastanjes die op een kastje liggen, 'als ik die kastanjes een halfjaar laat liggen, worden ze dof en lelijk. Als ik ze toch krampachtig wil bewaren, zie ik steeds weer dat het echt voorbij is, hoe ik ook m'n best doe, ik kan ze niet opnieuw mooi maken. Daarom geef ik ze binnenkort terug aan de tuin, ze zullen opgaan in de grond. Maar als het weer herfst wordt, komen er nieuwe kastanjes, andere, maar even mooi, misschien wel mooier. Zo is het ook in het leven, dingen die voorbijgaan kun je niet vasthouden, laat het los en wacht. Er komen weer nieuwe, andere dingen, die ook goed zullen zijn.'
Nicky luistert met grote ogen, dan schudt ze het hoofd. 'Dat zegt u mooi, maar hoe kan ik deze teleurstelling 'teruggeven aan de tuin', zoals u zo mooi zegt, ik kan het tegen u vertellen, maar daarmee ben ik het niet echt kwijt, het is er nog steeds.'
'Geef het aan God, leg het in zijn hand en laat het daar. O nee, dan is niet direct alle ellende en verdriet voorbij, maar je zult ervaren dat Hij de scherpe kantjes eraf haalt, en opeens merk je dat er ruimte is voor nieuw leven, nieuwe oogst, zoals bij de kastanjeboom.'
Langzaam knikt Nicky, zacht zegt ze: 'Ik begrijp het, maar het doet zo'n pijn!'
'Ik weet het.'
'O, ik hou van u!' zegt Nicky, 'ik ben zo blij dat ik u heb leren kennen! Maar belast ik u niet te veel?' vraagt ze dan, met een schuldige blik op het vermoeide gezicht van Hannah.

'Ach nee, kind, alleen zou ik willen dat ik meer voor je kon doen. Ik vind het zo erg voor je.'
Nicky pakt de oude hand tussen haar beide handen. 'U doet al een heleboel voor me, en nu ga ik naar huis. Zal ik u terugbrengen naar de huiskamer?'
'Nee, laat me maar hier, ik wil graag wat rusten. Beloof me dat je met je vader gaat praten, hij kan je beslist helpen om een goede beslissing te nemen. En kom gauw weer terug, laat me horen hoe het met je gaat, beloofd?'
'Beloofd!' Nicky staat op en kust Hannah op de wang. 'Heel erg bedankt en tot gauw.'

's Avonds blijft ze maar nadenken over de woorden van Hannah. Ook over haar advies om naar de politie te gaan. Of toch eerst papa bellen? Of is er nog een andere mogelijkheid?
Langzaam begint er een plan vorm te krijgen in haar hoofd: niet de politie, niet haar vader, nee, Rick oftewel Peter zelf zal haar opheldering moeten geven! Ze gaat naar Drenthe, waar woonde hij ook alweer? Ze pijnigt haar hersens, maar het wil haar maar niet te binnen schieten. Het was een dorpje vlak bij Assen, zei de echte Rick, zoals ze hem in gedachten noemt. Ten slotte zoekt ze een wegenatlas op en kijkt op de kaart van Drenthe. Ja, dat was het, Aslo! Het ligt inderdaad vlak bij Assen. Toch blijft ze nog een week twijfelen of ze het wel of niet zal doen. Als ze haar vader aan de telefoon heeft, doet ze haar best opgewekt en zo normaal mogelijk met hem te praten. Eigenlijk komt het erg goed uit dat hij zelf zo druk is met zijn plannen wat betreft Angela, het lijkt niet tot hem door te dringen dat Nicky nauwelijks reageert als hij haar vraagt nu echt eens gauw samen met Rick naar Basel te komen. Ook op zijn vragen naar hun plannen betreffende de camping kan ze ontwijkende antwoorden geven zonder dat hij argwaan krijgt. Ze kan er nog niet over praten.
Het weekend erna hakt ze de knoop door, aanstaande maandag, op haar vrije dag, gaat ze naar Aslo. Maar dan begint ze te twijfelen, wat

zei de echte Rick nou eigenlijk, woonde zijn neef daar nog, of alleen zijn ouders? Ze probeert het gesprek weer in haar gedachten terug te halen.
Ik weet zijn adres niet, hij is geloof ik, pas verhuisd naar Utrecht of zo, in elk geval wonen zijn ouders in Aslo vlak bij Assen...
In elk geval kan ze die ouders opzoeken, daarna ziet ze wel verder, er is vast wel achter zijn adres te komen. Als ze daar eerst maar is. Op internet zoekt ze op hoe laat de treinen naar het noorden rijden. Ook dit is weer zo'n drie uur in de trein, maar ze wil het, het moet gebeuren! Ook zoekt ze naar mensen met de achternaam Van Noorden, het zijn er twee.
's Nachts in bed ligt ze wakker, ze twijfelt opnieuw aan haar plan. Is het wel verstandig, bereikt ze er iets mee? Stel dat hij echt een misdadiger is, brengt ze zichzelf dan niet in gevaar als ze hem opzoekt? Maar dan denkt ze weer aan zijn ogen, de liefde daarin als hij haar aankeek. Nee, hij zal haar geen kwaad doen, dat kan niet. Misschien, misschien, als hij haar ziet, komt alles toch nog goed. Wil hij toch met haar verder... wil zij dat dan? Voor ze hierop het antwoord heeft gevonden, is ze in slaap gevallen.

Maandagochtend stapt ze rond halftien in de trein, tot Utrecht is de coupé tamelijk vol, maar als ze is overgestapt op de trein richting het noorden, wordt het na de stop bij Zwolle rustiger. Ze heeft een boterham meegenomen, maar ze is te onrustig om te kunnen eten, het lijkt of er een steen op haar maag ligt. Ze weet nog steeds niet hoe ze het zal aanpakken als ze in het dorp aankomt. Als ze het huis van zijn ouders vindt, wat moet ze dan zeggen of vragen?
Steeds weer moet ze ook denken aan de treinreis van twee weken geleden, en hoe die reis eindigde. Hoe zal het nu gaan? Eigenlijk te snel naar haar zin is ze in Assen, wat nu? Langzaam loopt ze het stationsgebouw uit, eerst maar op zoek naar een bus die haar naar Aslo kan brengen.
Ze heeft geluk, als ze de bushalte gevonden heeft, komt er juist een bus aanrijden. Het blijkt dat er maar één keer per uur een bus die

kant opgaat, dus nauwelijks een kwartiertje later stapt ze al midden in het dorp uit. Het is inderdaad een heel klein plaatsje, ze snapt nu dat de buschauffeur een beetje grinnikte toen ze vroeg of hij haar wilde waarschuwen als ze in het centrum van Aslo zouden zijn. 'Er is maar één halte in het hele dorp, dus dat kan niet missen,' zei hij.
Daar staat ze nu, links van haar is een kleine Sparwinkel, wat verderop ziet ze een kerktorentje en dat is zo te zien tegelijk al het eind van het dorp. Nou, dit is met recht een gehuchtje, het zou toch niet moeilijk moeten zijn hier de ouders van Peter te vinden. Peter... het voelt nog steeds vreemd om zo aan haar Rick te denken.
Ze kijkt rond, waar moet ze beginnen? Misschien in het kleine dorpswinkeltje? Meestal kent iedereen elkaar wel in zo'n klein dorp en zo'n winkeltje is natuurlijk het middelpunt. Proberen dus maar.
Ze steekt de straat over en gaat de winkel binnen, het is er heel rustig, ze is de enige klant zo te zien.
Nicky pakt een mandje en loopt wat door de winkel heen en weer, ze legt een pakje koeken en wat pakjes drinken in haar mandje, daarna gaat ze naar de kassa. Een vrouw van rond de zestig jaar groet haar vriendelijk en kijkt haar nieuwsgierig aan. 'U bent niet van het dorp.' Het is een vaststelling, geen vraag.
'Dat klopt,' zegt Nicky, 'ik kom...'
'Voor de begrafenis,' vult de vrouw aan. 'Familie?'
'Begrafenis...?' herhaalt Nicky aarzelend. 'Nee, ik zoek eigenlijk de familie Van Noorden.'
'Dat zeg ik,' zegt de vrouw. 'Vreselijk tragisch, toch? Zo'n jonge vent nog. Maar ik heb altijd al gedacht dat er iets niet klopte aan die Peter, die jongste jongen van Van Noorden. En je maakt mij niet wijs dat dat zuivere koffie was, steeds die verhuizingen, dat is toch niet normaal? En opeens zo'n dure auto onder z'n kont... nee, als je het mij vraagt... Eens kijken, dat is vier euro en tachtig cent. Maar ik praat natuurlijk weer te veel. Bent u nou familie of een kennis?'
'Ik kwam eigenlijk gewoon op bezoek, maar wat is er dan gebeurd?' Nicky voelt haar benen trillen, *het zal toch niet... Nee, dat kan niet waar zijn!*

Maar de vrouw praat alweer. 'Wat? U kwam toevallig op visite en weet niet wat er gebeurd is, niet te geloven!' Nu kijkt ze Nicky echt met onverholen nieuwsgierigheid aan. 'U komt niet uit deze buurt, hè, ik hoor het.' Ze leunt vertrouwelijk over de kleine kassa en gaat verder: 'Nou, ik eigenlijk ook niet, hoor, ik ben van geboorte een Gelderse, geboren in Arnhem, gezellige stad. Dat was erg wennen in het begin hier. Maar nu ben ik al, eens kijken, bijna veertig jaar getrouwd met Bertus en met deze winkel. Maar goed, wat wilde ik ook alweer vertellen...'
'De begrafenis...' Nicky's stem klinkt hees, gespannen kijkt ze de vrouw aan. *Vertel nou, voor er straks iemand binnenkomt!*
'Ja, natuurlijk, Peter van Noorden. U kende hem wel?'
Nicky knikt nauwelijks merkbaar. 'Ja, wat...?'
'Vorige week, frontaal op de vangrail, ergens in Duitsland, op slag dood. Erg voor die oude mensen, maar het allerergst natuurlijk voor dat vrouwtje, ze blijft zitten met drie kleine kindjes en...'
Als Nicky haar ogen weer opslaat, staat de vrouw bezorgd over haar heen gebogen. 'Kind, wat laat je me schrikken, gaat het weer een beetje, wat gebeurde er nou?'
Nicky staart de vrouw aan, even, heel even weet ze niet waar ze is. Dan dringt de waarheid weer tot haar door. Met uiterste krachtsinspanning komt ze omhoog, en gaat zitten op de kruk die de vrouw heeft aangeschoven.
'Ben je niet in orde?' De vrouw lijkt echt bezorgd om haar.
Nicky probeert te glimlachen. 'Het gaat alweer,' zegt ze, 'neem me niet kwalijk, ik denk dat ik te lang gewacht heb met eten, ik ben vanochtend al vroeg van huis gegaan.'
De vrouw staat er wat onhandig bij, de handen in de zij. 'Hier,' zegt ze dan, ze neemt het pak koeken dat Nicky net betaald heeft en scheurt het open. 'Eet maar vlug wat, zal ik anders een kop koffie of thee voor je zetten? Er komen nu toch geen klanten meer, ik ga zo dicht, maandagmiddag, zie je.'
Nicky schudt het hoofd. 'Nee, doet u geen moeite, ik ga zo weer.' Ze probeert te denken, haar hoofd helder te krijgen, maar het lukt niet.

Dit is te vreselijk, dit kan niet waar zijn. Maar ze wil het zeker weten, hoe moeilijk ook, ze moet nu sterk zijn, verder vragen, dit is waarschijnlijk haar enige kans op de waarheid.
Met een nieuwe krachtsinspanning vraagt ze: 'Vertel eens wat meer over dat gezin?'
De vrouw kijkt nu wat verbaasd. 'Je was toch op weg naar ze toe, dan kun je beter... ach nee,' valt ze zichzelf dan in de rede, 'nu, met die begrafenis, kan dat natuurlijk niet. Maar ik begrijp niet...'
'Ik ken de familie van vroeger, of eigenlijk mijn ouders, dus ik weet niet zo veel,' verzint Nicky snel. Ze móét het weten!
'Nou ja, die Peter... hij heeft al eens vaker te maken gehad met zaakjes die niet helemaal deugden, valsheid in geschrifte, noemen ze dat, geloof ik. Verder geen kwaaie jongen, maar een beetje apart, dat wel. Een mooie jongen om te zien, leuke kop, mooie, donkere ogen, donker haar, zo'n type waar de vrouwen op vallen. Maar dat wist hij zelf ook goed. Erg egoïstisch, vroeger kwam hij wel bij onze jongens over de vloer, hij was pakweg een jaar of twee- drieëndertig, net zo oud als onze Kees. Enfin, een jaar of zes geleden getrouwd, een lief vrouwtje, ook hier uit het dorp. Samen hebben ze drie kinderen, nogal dicht op elkaar, twee jochies en een meisje, een baby nog...'
Het roze fopspeentje in de auto, flitst het opeens door Nicky heen.
De vrouw praat maar door, Nicky voelt haar hoofd suizen, ze kan nauwelijks meer luisteren.
'... eerst in de bouw, ... toch al nooit thuis, als ik haar ouders hoorde, en altijd bleef ze het voor hem opnemen, ze hield blijkbaar van hem, maar nu blijft ze natuurlijk onverzorgd achter en...'
'Ik moet gaan!' Plompverloren valt ze de vrouw in de rede. 'Ik moet weg!' Ze staat op en laat de vrouw verbouwereerd achter. Ze rukt de winkeldeur open en half hollend, half struikelend gaat ze naar buiten.
'Je vergeet je boodschappen!' hoort ze achter zich. Maat ze kijkt niet meer om, weg moet ze, weg hier! Ze struikelt het dorp uit, een polderweggetje in. Het is weer gaan regenen, ze voelt het niet eens. Steeds hoort ze de woorden van de vrouw nagalmen in haar hoofd

samen hebben ze drie kinderen... Nee, dit kan niet, dit is erger dan haar ergste nachtmerrie. En tegelijk dringt het tot haar door: Rick, of nee, Peter, is dood!
Ze weet niet hoelang ze heeft gelopen als ze eindelijk stilstaat en zich omkeert. Heel in de verte ligt het dorpje. Ze heft haar hoofd op en schreeuwt!
Daarna begint ze langzaam weer te lopen, dezelfde weg terug naar het dorp. Als ze dicht bij de bebouwde kom komt, ziet ze een korte stoet gaan, bij de kerk vandaan, waarschijnlijk naar de begraafplaats. Opnieuw staat ze stil, nu schreeuwt ze niet, maar heel lang en heel stil staat ze daar.
Het wordt al schemerig als ze weer in de bus stapt die haar naar Assen brengt.
Dacht ze twee weken geleden dat ze een moeilijke terugreis had, toen ze van Den Helder kwam? Ja, toen was ze verdrietig en wanhopig, nu lijkt het dat al haar gevoel gestorven is, dood, net zo dood als Peter.
Star zit ze in de trein, fietst ze in de avond naar huis, daar kleedt ze zich uit en kruipt in haar bed, nog steeds met het gevoel of alles in haar bevroren is.
Was ze maar dood!

Later weet Nicky niet meer hoe ze die dagen erna doorgekomen is. Als de telefoon gaat, neemt ze niet op, dagenlang ligt ze op bed. Soms drinkt ze wat water, eet een crackertje, geeft Flodder wat brokjes, en gaat daarna weer terug naar bed. Ten slotte schakelt ze de telefoon uit, zodat ze zelfs door het geluid niet meer gestoord kan worden. Ze treurt om wat was, maar wat een leugen bleek te zijn.
Zo vindt haar vader haar. Opeens staat hij naast haar bed. 'Nicky! Wat is er aan de hand, kind, ik was doodongerust.'
Ze kijkt hem wezenloos aan. 'Pap, waar kom jij vandaan?' fluistert ze schor.
'Waar kom jij vandaan?' herhaalt hij. 'Uit Basel! Al dagen probeer ik je te bereiken, ik werd gek van onrust, dus ik kon maar één ding

doen: op het vliegtuig stappen en hiernaartoe komen. Wat is er in vredesnaam aan de hand? Ben je ziek?'
'Ziek? Was ik maar dood!'
Hij pakt haar bij de schouder en schudt haar heen en weer. 'Praat geen onzin, Nicky, wat is er met je? Nick!' Hij slaat zijn armen om haar heen en trekt haar omhoog, tegen zijn borst. 'Meisje van me, wat is er toch gebeurd met je?' Een droge snik ontsnapt uit zijn keel.
Het lijkt of dat geluid haar wakker schudt uit haar verdoving. 'O, papa, het is zo erg!' Nu slaat ze haar armen om zijn hals en eindelijk beginnen haar tranen te stromen.
Een hele poos zitten ze zo, dan begint Nicky te vertellen, en als ze eindelijk klaar is met haar verhaal, zegt ze: 'O papa, begrijp je het nu? Ik kan en wil niet verder meer leven. Ik voel me zo gebruikt. Tot het moment dat ik in Aslo kwam dacht ik nog dat hij misschien toch echt van me had gehouden. Maar hij had een vrouw en een stel kleine kinderen. En ik, idioot, vond het maar gewoon dat hij op de vreemdste tijden kwam en ging.'
'Dat moet je jezelf niet kwalijk nemen, je dacht dat hij van je hield, net zoals zijn vrouw dat waarschijnlijk dacht. Hij is dood, anders zou hij persoonlijk nog niet van mij af zijn, reken maar!' Nicky hoort de woede in haar vaders stem, het doet haar zomaar oneindig goed.
'Ik verwijt mezelf nu ook dat ik jou maar achterliet alleen in dit grote huis, en niet beter in de gaten hield hoe het met je ging.'
'Ach pap, dat moet je niet zeggen. Je hebt zelfs nog geïnformeerd naar Rick...'
'Ja, de slimme jongen,' zegt hij verbeten, 'de naam van een ander lenen, handig hoor.'
Later, samen beneden, zegt hij: 'Je zult naar de politie moeten gaan om aangifte te doen van oplichting.'
'En dan? Hij is dood, pap.'
'Ja, maar misschien is er nog een manier om iets terug te krijgen?'
'Daar heb ik natuurlijk ook over gedacht. Maar die vrouw met die kleine kindertjes... dan krijgt zij wellicht ook te horen over mij. En ik

geloof dat ik dat niet wil. Zij zal het al zwaar genoeg hebben. Enne... misschien schaam ik me ook wel te veel.'
'Maar het gaat over een hoop geld, al je spaargeld, Nicky.'
'Ik weet het. En als hij nog zou leven zou ik het zeker proberen, maar nu... nee, het heeft geen zin, het brengt alleen nog meer ellende.'
Hij kijkt haar aan en knikt langzaam. 'Dat vind ik heel sterk van je, Nicky, heel sterk!'
'Prijs me maar niet te hard, zoals ik al zei: het is ook schaamte.'

Het is ruim drie weken later, Nicky loopt het verzorgingshuis in Weert binnen. Ze schudt de natte sneeuw van haar jas en uit haar haren terwijl ze haar voeten veegt. Daarna gaat ze op zoek naar mevrouw Van Noorden.
In de gezamenlijke woonkamer ziet ze haar niet.
'Zoek je Hannah? Ze ligt op bed, het gaat niet zo goed met haar,' bromt de oude Karel.
Geschrokken loopt Nicky naar de kamer van haar oude vriendin, en tikt op de deur.
'Ja?'
Zachtjes duwt Nicky de deur open en kijkt om de hoek. 'Mag ik binnenkomen?'
'Nicky! Jij altijd, wat fijn je te zien!'
'Bent u ziek?' vraagt Nicky ongerust.
'Welnee, alleen wat moe, erg verkouden, maar het gaat alweer wat beter, hoor. Ik doe alleen even een middagdutje, kijk, ik heb gewoon mijn kleren aan. Als jij me even helpt, ga ik in mijn stoel zitten, dan drinken we samen een kopje thee, tenminste, als jij het wilt zetten.'
'Ja, natuurlijk!'
Als ze vijf minuten later tegenover elkaar zitten, de ouderwetse stenen theepot op het tafeltje tussen hen in, kijkt Hannah haar onderzoekend aan. 'Ik heb je een poos niet gezien, en ik kan niet zeggen dat je er heel florissant uitziet, gaat het niet goed met je? Wil je me vertellen hoe het verder is gegaan nadat je hier was?'
Nicky haalt diep adem, dan zegt ze: 'Het is een heel verhaal, ik ben

niet eerst naar mijn vader gegaan, ook niet naar de politie, ik ben zelf op zoek gegaan naar, eh, Peter.'
'En?'
'Hij leeft niet meer.' Nicky's stem beeft als ze die woorden uitspreekt, maar dan herstelt ze zich en begint te vertellen over haar reis naar Aslo.
'Kind toch!' De oude vrouw schudt haar hoofd. 'Wat bijzonder dat je daar juist op de dag van de begrafenis kwam. Anders had je wellicht die ouders opgezocht en had je wel moeten vertellen wie je was. En wat nu?'
'Nu niks,' zegt Nicky, 'het heeft toch geen zin meer, dus waarom zou ik zijn vrouw, zijn weduwe dus, nog meer verdriet aandoen? Zij kan er ook niks aan doen dat haar man...' ze slikt, 'ik vind het nog steeds heel moeilijk allemaal,' fluistert ze.
'Natuurlijk vind je het moeilijk, meisje, het is allemaal nog zo kortgeleden. En sommige dingen vergeet je je leven lang niet, maar overal groei je door, word je sterker van, ook al zie je dat nu nog niet.' En dan, zonder enige overgang, gaat ze verder: 'Ik heb mijn kastanjes weer teruggegeven aan de tuin, ze naar buiten gegooid, daar in het gras; ik wacht weer op de nieuwe herfst.'
Nicky begrijpt wat Hannah bedoelt. Ze glimlacht naar de oude vrouw: 'Bedankt, oma Hannah, ik denk dat ik dat ook maar moet proberen.'